KOSOGŁOS

Media Rodzina

SUZANNE COLLINS

KOSOGŁOS

Tłumaczyli
Małgorzata Hesko-Kołodzińska
i Piotr Budkiewicz

Tytuł oryginału
MOCKINGJAY

ISBN 978-83-7278-491-9

Media Rodzina Sp. z o.o.
ul. Pasieka 24, 61-657 Poznań
tel. 61 827 08 60, faks 61 827 08 66
mediarodzina@mediarodzina.pl
www.mediarodzina.pl

Skład i łamanie
⊂ℸ Cromalin

Druk i oprawa
ABEDIK

Cap, Charlie i Isabel
– to Wam dedykuję tę książkę

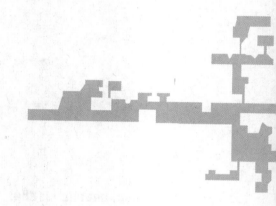

CZĘŚĆ I
POPIOŁY

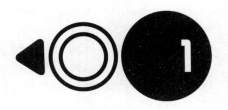

Wpatruję się w swoje wytarte skórzane buty, na których osiadła cienka warstwa popiołu. Tutaj kiedyś stało łóżko, które dzieliłam z moją siostrą Prim, a tam dalej był kuchenny stół. Cegły ze zwalonego komina leżą na osmalonej stercie i stanowią dla mnie punkt odniesienia, gdy rozglądam się po domu. Niby jak inaczej miałabym się połapać w tym morzu szarości? Po Dwunastym Dystrykcie nie pozostało niemal nic. Miesiąc temu bomby zapalające Kapitolu zmiotły z powierzchni ziemi ubogie górnicze domy w Złożysku, sklepy w mieście, nawet Pałac Sprawiedliwości. Tylko Wioska Zwycięzców nie poszła z dymem, właściwie nie do końca rozumiem, dlaczego. Może chodzi o to, żeby mieć gdzie ulokować ludzi zmuszonych do przybycia tu na polecenie Kapitolu? Na przykład jakiegoś dziennikarza albo komitet wydelegowany do oceny stanu kopalni węgla, ewentualnie oddział Strażników Pokoju tropiący powracających uchodźców.

Tyle tylko, że poza mną nie wraca w to miejsce nikt, a i ja tu wpadłam na chwilę. Władze Trzynastego Dystryktu sprzeciwiały się moim odwiedzinom. Twierdziły, że to kosztowne i pozbawione sensu przedsięwzięcie, skoro gdzieś nade mną musi krążyć co najmniej tuzin niewidocznych poduszkowców, a do tego wywiadowcy nie mają tu szans na skuteczne działanie. Ja jednak uparłam się, żeby zobaczyć Dwunastkę na własne oczy, i tylko pod tym warunkiem zgodziłam się na współpracę z nimi.

Plutarch Heavensbee, Główny Organizator Igrzysk i przywódca rebeliantów w Kapitolu, w końcu wzniósł ręce ku niebu. — Niech leci — zadecydował. — Lepiej stracić dzień niż jeszcze jeden miesiąc. Może krótka wycieczka do Dwunastki jest tym, czego jej potrzeba, aby mogła się przekonać, że stoimy po tej samej stronie barykady.

Ta sama strona barykady. Czuję przenikliwe ukłucie bólu w lewej skroni i przyciskam dłoń do głowy. Właśnie w to miejsce Johanna Mason grzmotnęła mnie zwojem drutu. Mieszają mi się wspomnienia, kiedy usiłuję oddzielić prawdę od fałszu. Jaki splot zdarzeń sprawił, że stoję teraz wśród ruin rodzinnego dystryktu? Trudno powiedzieć, bo objawy wstrząsu pourazowego jeszcze nie całkiem minęły i myśli nadal mi się plączą, w dodatku przyjmuję lekarstwa na osłabienie bólu i na uspokojenie, od których czasami mam zwidy. Tak mi się przynajmniej wydaje. Wcale nie jestem przekonana, że dostałam urojeń tamtej nocy w szpitalu, kiedy podłoga w moim pokoju przybrała postać dywanu z wijących się węży.

Jeden z lekarzy podsunął mi pewną technikę do wykorzystania w takich sytuacjach — zaczynam myśleć o najprostszej rzeczy, która na pewno jest prawdziwa, a potem stopniowo zastanawiam się nad coraz bardziej skomplikowanymi. Fakt po fakcie, kolejno odtwarzam w pamięci całą historię…

Nazywam się Katniss Everdeen. Mam siedemnaście lat. Pochodzę z Dwunastego Dystryktu. Uczestniczyłam w Głodowych Igrzyskach. Uciekłam. Kapitol mnie nienawidzi. Peeta trafił do niewoli. Uważa się go za zmarłego. To prawie pewne. Byłoby najlepiej, gdyby zginął…

— Katniss, mam do ciebie zejść? — W słuchawkach rozlega się głos mojego najlepszego przyjaciela, Gale'a.

Rebelianci uparli się, żebym zabrała radiotelefon. Gale siedzi teraz na pokładzie poduszkowca i uważnie mnie obserwuje, gotów natychmiast ruszyć na pomoc, jeżeli cokolwiek pójdzie nie tak. Uświadamiam sobie, że przykucnęłam z łokciami opartymi na udach, dłońmi obejmując głowę. Z pewnością wyglądam, jakbym znalazła się na skraju załamania nerwowego. Niedobrze. Nie powinnam sprawiać takiego wrażenia, kiedy zaczynają mnie odzwyczajać od lekarstw.

Prostuję się i macham ręką, żeby go uspokoić.

— Nie trzeba, wszystko w porządku — zapewniam.

Na dowód tego oddalam się od szczątków starego domu i kieruję do miasta. Gale chciał zejść ze mną, lecz wolałam zrezygnować z jego towarzystwa, a on nie nalegał. Rozumie, że dzisiaj pragnę być sama, nawet bez niego. Niektóre drogi trzeba pokonywać samotnie.

Tego lata jest nieznośnie upalnie i sucho. Deszcz właściwie nie pada, więc sterty popiołu pozostałe po nalocie są nietknięte, nie ma wiatru, który rozwiałby szary pył. Gdy idę, od czasu do czasu popiół przesuwa się pod naciskiem moich stóp. Z uwagą patrzę na drogę pod nogami, bo zaraz po wylądowaniu na Łące straciłam czujność i nadepnęłam na kamień, który okazał się ludzką czaszką. Potoczyła się i znieruchomiała twarzą do góry, a ja przez dłuższy czas nie mogłam oderwać wzroku od zębów. Zastanawiałam się, czyje były, i przyszło mi do głowy, że w podobnych okolicznościach moje pewnie wyglądałyby tak samo.

Z przyzwyczajenia trzymam się drogi, ale to kiepski pomysł, bo roi się na niej od zwłok ludzi, którzy usiłowali zbiec. Część trupów spłonęła doszczętnie, jednak wiele osób uciekło przed ogniem, ale zapewne udusiło się dymem. Leżą teraz w mniej lub bardziej zaawansowanym stadium rozkładu i nieznośnym smrodem przywabiają padlinożerców i chmary much. To ja was zabiłam, myślę, mijając stertę trupów. I was. Was też.

Tak właśnie było. To moja strzała, wycelowana w słaby punkt pola siłowego wokół areny, wywołała mściwy gniew Kapitolu i doprowadziła do tej ognistej masakry. To przeze mnie w całym kraju Panem zapanował chaos.

W głowie pobrzmiewają mi słowa prezydenta Snowa, wypowiedziane rankiem przed zaplanowanym dla mnie Tournée

Zwycięzców: „Katniss Everdeen, dziewczyna, która igra z ogniem, wznieciła iskrę, a ta, nieugaszona w porę, podpali całe Panem i rozpęta piekło". Wygląda na to, że nie przesadzał i nie usiłował mnie zwyczajnie nastraszyć. Być może szczerze pragnął mojego wsparcia, ale ja uruchomiłam już proces, który wymknął się spod kontroli. Pożar. Ciągle się pali, myślę niemrawo. Widzę w oddali ogień w kopalniach węgla, z których bucha czarny dym. Nie został już nikt, kto ruszyłby na ratunek. Zginęło ponad dziewięćdziesiąt procent ludności dystryktu, a jakieś osiemset pozostałych przy życiu osób uciekło do Trzynastki. Jak dla mnie to właściwie to samo co dożywotnia bezdomność.

Wiem, nie powinnam tak myśleć. Powinnam być wdzięczna mieszkańcom Trzynastki za to, że z otwartymi ramionami powitali chorych, rannych, głodujących, pozbawionych dobytku sąsiadów. Mimo to nie mogę pogodzić się z faktem, że Trzynasty Dystrykt odegrał ogromną rolę w zniszczeniu Dwunastki. To nie zwalnia mnie od odpowiedzialności, wina jest tak ogromna, że wystarczy dla wielu. Ale bez Trzynastego Dystryktu nie wzięłabym udziału w spisku mającym na celu obalenie Kapitolu i nie uzyskałabym odpowiednich do tego środków.

Obywatele Dwunastego Dystryktu sami nie stworzyli zorganizowanego ruchu oporu. Ich pech polegał na tym, że mieli mnie. Zdaniem części uchodźców to szczęście, że w końcu uwolnili się z Dwunastego Dystryktu. Wreszcie nie doskwiera im nieustający głód i nie dotykają ich represje, nie muszą pracować w niebezpiecznych kopalniach, nie batoży ich nasz ostatni Główny Strażnik Pokoju, Romulus Thread. Ludzie uważają ten nowy dom za cud, w końcu do niedawna nie wiedzieliśmy nawet, że Trzynasty Dystrykt wciąż istnieje.

Niedobitki z Dwunastki zawdzięczają przeżycie tylko i wyłącznie Gale'owi, choć on sam za nic nie przyjmuje tego do wiadomości. Gdy tylko impreza z okazji Ćwierćwiecza Poskromienia dobiegła końca i zabrano mnie z areny, w całym Dwunastym Dystrykcie władze odcięły prąd i wyłączyły telewizję. W Złożysku zapanowała taka cisza, że ludzie słyszeli bicie własnych serc. Nikt nie zrobił nic, żeby zaprotestować, nikt nie uczcił tego, co się zdarzyło na arenie, a mimo to już po kwadransie na niebie zaroiło się od poduszkowców, z których spadł grad bomb.

To Gale od razu pomyślał o Łące, jednym z nielicznych miejsc wolnych od starych, przyprószonych węglowym pyłem domów z drewna. Zebrał więc, kogo zdołał, w tym moją matkę oraz Prim, i zaprowadził wszystkich na Łąkę. Tam zorganizował grupę, która obaliła ogrodzenie. Wcześniej siatka była pod napięciem, lecz po wyłączeniu elektryczności stała się nieszkodliwą zaporą z drutu. Gdy ludzie ją sforsowali, ruszyli za Gale'em do lasu, do jedynego miejsca, które przyszło mu do głowy, czyli nad jezioro, dokąd przed laty prowadził mnie ojciec. Stamtąd patrzyli, jak odległe płomienie pożerają cały ich dotychczasowy świat.

Na długo przed świtem bombowce odleciały, a pożar stopniowo dogasł. Ostatni maruderzy dotarli do celu. Moja mama i Prim założyły punkt pierwszej pomocy medycznej dla rannych, których usiłowały leczyć tym, co udało się naprędce zebrać w lesie. Gale dysponował dwoma łukami, kilkoma garściami strzał, nożem myśliwskim i jedną siecią do połowu ryb, co miało wystarczyć do wykarmienia ośmiu setek przerażonych ludzi. Przy pomocy tych, którzy nie odnieśli obrażeń, uchodźcy jakoś przetrwali trzy dni. Wtedy nieoczekiwanie pojawił się poduszkowiec, żeby ewakuować ich do Trzynastego Dystryktu, gdzie już czekały liczne, lśniące czystością, białe kwatery, mnóstwo odzieży i trzy posiłki dziennie. Trzeba było tylko pogodzić się z tym, że pomieszczenia mieszkalne wybudowano pod ziemią, ubrania są identyczne, a żywność niemal bez smaku. Dla ocalałych z Dwunastki takie drobiazgi nie miały jednak większego znaczenia. Byli bezpieczni. Ktoś otoczył ich opieką. Żyli i spotkali się z entuzjastycznym powitaniem.

Zapał gospodarzy uznano za przejaw życzliwości, ale pewien mężczyzna o imieniu Dalton, uciekinier z Dziesiątego Dystryktu, który przed kilku laty dotarł do Trzynastki pieszo, zdradził mi prawdziwą przyczynę ich zachowania. „Potrzebują ciebie, mnie i nas wszystkich. Jakiś czas temu wybuchła tu epidemia jednej z odmian ospy, która zabiła mnóstwo ludzi, a wielu pozbawiła płodności. Świeży materiał rozpłodowy — tak nas widzą". Jeszcze w Dziesiątce Dalton pracował na ranczu, gdzie dla zachowania różnorodności genetycznej bydła w stadzie trzeba było wprowadzać do krowich macic zamrożone znacznie wcześniej zarodki. Najprawdopodobniej Dalton ma rację w sprawie Trzynastki, bo prawie nie widuje się tu dzieci. Ale co to właściwie zmienia? Nikt nie trzyma nas w zagrodach, miejscowi przyuczają do pracy, młodzi chodzą do szkół. Młodzież po czternastym roku życia otrzymała najniższe rangi wojskowe i teraz trzeba się do nich zwracać: „żołnierzu". Lokalne władze automatycznie przyznały każdemu uchodźcy obywatelstwo Trzynastego Dystryktu.

I tak ich nienawidzę. Inna sprawa, że teraz nienawidzę prawie wszystkich, a siebie najbardziej.

Przysypana warstwą popiołu ziemia twardnieje i teraz idę po wybrukowanym placu. Po przeciwnej stronie zauważam niewielką stertę śmieci w miejscu, gdzie kiedyś były sklepy, zamiast Pałacu Sprawiedliwości widzę górę poczerniałego gruzu. Podchodzę tam, gdzie, jak mi się zdaje, rodzina Peety miała piekarnię. Nie pozostało z niej nic poza stopioną bryłą pieca. Ani rodzice Peety, ani jego dwaj starsi bracia nie dotarli do Trzynastki. Przed pożarem uciekło mniej niż tuzin względnie zamożnych mieszkańców Dwunastego Dystryktu. Peeta i tak nie miałby po co tutaj wracać. Chyba że dla mnie…

Cofam się, nagle wpadam na coś i tracę równowagę. Siadam na płycie rozgrzanego słońcem metalu. Zastanawiam się, co to takiego, a po chwili przypominam sobie, że Thread niedawno wprowadził na placu pewne zmiany. Postawił dyby, słupy do batożenia skazanych oraz szubienicę, czyli to, na czego resztki wpadłam. Niedobrze, bardzo niedobrze. Ten widok zapoczątkowuje falę wizji, które mnie nękają we śnie i na jawie. Widzę Peetę na torturach — podtapiają go, przypalają, szarpią, rażą prądem, kaleczą, biją. Kapitol usiłuje wydobyć z niego informacje o powstaniu, choć on naprawdę nic nie wie. Mocno zaciskam oczy i usiłuję nawiązać z nim kontakt na odległość wielu setek kilometrów, przesłać mu myśli, dać mu znać, że nie jest sam, choć tak naprawdę jest i może liczyć tylko na siebie. Nie zdołam mu pomóc.

Biegiem oddalam się od placu i zmierzam do jedynego miejsca, którego nie zniszczyły płomienie. Mijam rumowisko po domu burmistrza, gdzie mieszkała moja przyjaciółka Madge. Nic nie wiadomo ani o niej, ani o jej bliskich. Czy ewakuowano ich do Kapitolu ze względu na stanowisko jej ojca, czy też pozostawiono na pastwę płomieni? Z popiołów wokół mnie buchają kłęby dymu, więc unoszę krawędź koszuli i przyciskam ją do ust. Nie chodzi o to, co wdycham, tylko kogo, i to mnie właśnie dławi w gardle.

Tu również spłonęła trawa i wszystko pokrył szary śnieg, lecz dwanaście porządnych domów w Wiosce Zwycięzców pozostało nienaruszonych. Wpadam do tego, w którym mieszkałam przez ostatni rok, zatrzaskuję za sobą drzwi i opieram się o nie plecami. Wygląda na to, że nikt tutaj nie zawitał, jest czysto i niepokojąco cicho. Po co wróciłam do Dwunastki? W jaki sposób te odwiedziny mają mi pomóc w znalezieniu odpowiedzi na nieuchronne pytanie?

— Co mam zrobić? — szepczę do ścian, bo naprawdę nie mam pojęcia.

Ludzie ciągle do mnie mówią, bezustannie, na okrągło. Plutarch Heavensbee, jego wyrachowana asystentka Fulvia Cardew, przywódcy dystryktów, wysocy rangą wojskowi. Wszyscy. Z wyjątkiem Almy Coin, pani prezydent Trzynastki, która tylko się przygląda. Ma około pięćdziesiątki, a jej siwe włosy opadają na ramiona jak gładka peleryna. Dziwnie mnie fascynują, bo są całkiem jednolite, idealne, bez choćby jednego odstającego kosmyka czy rozszczepionej końcówki. Ma szare oczy, ale inne niż mieszkańcy Złożyska, bardzo blade, zupełnie jakby ktoś odessał z nich prawie cały kolor. Są barwy śniegowej brei, która nie chce stopnieć. Wymyślili mi rolę i chcą, żebym ją przyjęła. Mam się stać symbolem rewolucji. Kosogłosem. Nie wystarcza to, co zrobiłam w przeszłości — w trakcie Głodowych Igrzysk postawiłam się Kapitolowi, stworzyłam zarzewie buntu, a teraz muszę zostać najprawdziwszą przywódczynią rebelii, jej twarzą, głosem i ucieleśnieniem. Gdy większość dystryktów znajdzie się w stanie otwartej wojny z Kapitolem, to ja mam ponieść pochodnię zwycięstwa. Nie będę jednak sama, jest cały zespół ludzi, którzy zrobią mi makijaż, ubiorą mnie i napiszą mi mowy, zaaranżują wystąpienia — wszystko to brzmi upiornie znajomo. Mnie pozostanie tylko odgrywanie wyznaczonej roli. Czasami ich słucham, ale kiedy indziej tylko patrzę na idealne włosy Coin i zastanawiam się, czy to peruka. W końcu opuszczam pokój, bo zaczyna mnie boleć głowa, albo pora coś zjeść, albo czuję, że jeśli zaraz nie wyjdę spod ziemi, to zacznę wrzeszczeć. Nawet nie chce mi się niczego tłumaczyć, po prostu wstaję i bez słowa wychodzę.

Wczoraj po południu, kiedy zamykały się za mną drzwi, usłyszałam głos Coin. „Mówiłam, że trzeba było najpierw uratować chłopaka", dobiegły mnie jej słowa. Miała na myśli Peetę. Zgadzam się z nią całym sercem. Byłby idealnym rzecznikiem.

A kogo wyłowili z areny zamiast niego? Mnie, a ja nie chcę współpracować. I jeszcze Beetee'ego, podstarzałego wynalazcę z Trójki, którego rzadko widuję, bo gdy tylko zdołał usiąść, natychmiast przewieźli go do wydziału doskonalenia broni. Poważnie, przetransportowali go razem ze szpitalnym łóżkiem do jakiegoś ściśle tajnego ośrodka i teraz pojawia się jedynie od czasu do czasu podczas posiłków. To wyjątkowo inteligentny człowiek i bardzo oddany sprawie, ale marny z niego materiał na przywódcę. Jest jeszcze Finnick Odair, symbol seksu z dystryktu poławiaczy ryb, ten, który pomógł Peecie przetrwać na arenie, kiedy ja zawiodłam. Z niego też chcą zrobić przywódcę rebeliantów, tyle że najpierw musieliby go ocucić na dłużej niż pięć minut. Nawet kiedy jest przytomny, trzeba powtarzać mu wszystko po trzy razy, żeby cokolwiek do niego dotarło. Zdaniem lekarzy to wynik porażenia elektrycznego na arenie, ale ja wiem, że sprawa jest o wiele bardziej skomplikowana. Finnick nie może się skupić na niczym w Trzynastym Dystrykcie, bo za wszelką cenę próbuje zrozumieć, co stało się w Kapitolu z Annie, dziewczyną, która straciła rozum. Ją jedną kocha na całym świecie.

Pomimo poważnych zastrzeżeń musiałam wybaczyć Finnickowi jego rolę w spisku, który doprowadził mnie tutaj. On przynajmniej ma jakieś pojęcie, przez co przechodzę. Poza tym nieustanna złość na kogoś, kto tyle płacze, pochłania zbyt dużo energii.

Na parterze skradam się, aby nie narobić hałasu, i zabieram kilka pamiątek: ślubne zdjęcie rodziców, niebieską wstążkę dla Prim, rodzinny zielnik leczniczych i jadalnych roślin. Książka upada i otwiera się na stronie z żółtymi kwiatami, a ja pośpiesznie ją zamykam, bo to Peeta namalował te kwiaty.

Co ja mam teraz zrobić?

Czy w ogóle jest sens, żebym cokolwiek robiła? Moja mama, siostra i rodzina Gale'a — wszyscy nareszcie są bezpieczni. Co do reszty Dwunastki, to ludzie albo nie żyją, i nikt nic na to nie poradzi, albo chroni ich Trzynastka. Pozostają jeszcze rebelianci w dystryktach. Rzecz jasna, nienawidzę Kapitolu, ale też nie wierzę, że jako Kosogłos pomogę tym, którzy pragną obalić władzę. Jak miałabym wesprzeć dystrykty, skoro każdy mój ruch owocuje cierpieniem i śmiercią? Staruszek w Jedenastym Dystrykcie zginął od kuli, bo zagwizdał. Gdy usiłowałam obronić Gale'a przed chłostą, interweniowały siły porządkowe. Mojego stylistę Cinnę wywleczono z sali ekspedycyjnej, całego we krwi i nieprzytomnego, tuż przed rozpoczęciem igrzysk. Źródła Plutarcha utrzymują, że Cinna zmarł podczas przesłuchania. Błyskotliwy, zagadkowy, uroczy Cinna nie żyje przeze mnie. Odganiam tę myśl, bo jest nieznośnie bolesna, i jeśli tego nie zrobię, to całkiem stracę panowanie nad sobą.

Co teraz robić?

Mam się stać Kosogłosem... Czy ewentualne korzyści na pewno przewyższą szkody? Kto mógłby mi szczerze odpowiedzieć na to pytanie? Z pewnością nie ludzie z Trzynastki. Teraz, kiedy moja rodzina i bliscy Gale'a są bezpieczni, przysięgam, że chętnie bym uciekła, ale pozostała mi jedna sprawa do załatwienia: Peeta. Gdybym miała pewność, że nie żyje, zniknęłabym w lesie i nawet bym się nie obejrzała za siebie. Dopóki jednak tego nie wiem, jestem unieruchomiona.

Słyszę syknięcie i błyskawicznie się odwracam. W drzwiach kuchni, z wyprężonym grzbietem i położonymi uszami, stoi najbrzydszy kocur na świecie.

— Jaskier — mówię.

Tysiące ludzi zginęło, ale on przeżył i wcale nie wydaje się zabiedzony. Co jada? Może wchodzić do domu i wychodzić przez okno w spiżarni, które zawsze zostawiałyśmy uchylone. Na pewno żywił się polnymi myszami. Nawet nie zamierzam brać pod uwagę innej możliwości.

Przykucam i wyciągam rękę.

— Chodź tutaj, stary.

Gdzie tam. Jest wściekły, bo go porzuciłyśmy. Poza tym nie mam dla niego smakołyku, a on akceptował mnie przede wszystkim ze względu na atrakcyjne resztki, które mu podsuwałam. Kiedy spotykaliśmy się w starym domu, bo oboje nie lubiliśmy nowego, przez pewien czas łączyło nas coś w rodzaju więzi. To zupełnie jasne, że nic z niej nie zostało. Kot patrzy na mnie i mruga nieprzyjemnie żółtymi oczami.

— Masz ochotę spotkać się z Prim? — pytam.

To imię przykuwa jego uwagę. Reaguje wyłącznie na nie oraz na własne. Tym razem miauczy ochryple i podchodzi bliżej. Podnoszę go, głaszczę, a następnie zbliżam się do szafy, wyciągam torbę myśliwską i bezceremonialnie wpycham kota do środka. Inaczej nie dałoby się go przenieść na pokład poduszkowca, a Jaskier to oczko w głowie mojej siostry. Jej koza, Dama, stworzenie o wymiernej wartości, niestety nie raczyła się pojawić. W moich słuchawkach głos Gale'a oznajmia, że pora wracać. Myśliwska torba przypomina mi jednak o jeszcze jednej rzeczy, którą chcę zabrać. Zawieszam torbę na oparciu krzesła i pędzę po schodach do swojej sypialni, bo tam, w szafie, wisi myśliwska kurtka mojego ojca. Przed Ćwierćwieczem Poskromienia przyniosłam ją tutaj z poprzedniego domu, bo uznałam, że po mojej śmierci jej bliskość pokrzepi mamę i Prim. Dobrze, że to zrobiłam, inaczej z kurtki zostałaby kupka popiołu.

Dotyk miękkiej skóry wpływa na mnie kojąco i wspomnienie godzin, które spędziłam nią otulona, na chwilę mnie uspokaja. Potem ni z tego, ni z owego dłonie zaczynają mi się pocić, a na karku czuję niepokojące mrowienie. Odwracam się gwałtownie i rozglądam po pustym, sprzątniętym pokoju. Wszystko leży na swoim miejscu. Nie przestraszył mnie żaden dźwięk, więc co?

Swędzi mnie w nosie. To ten zapach, duszący i sztuczny. Wśród suszonych kwiatów w wazonie na toaletce dostrzegam białą plamkę. Ostrożnie podchodzę bliżej i widzę, że wśród suchych kuzynek stoi świeża, biała róża. Idealna, do najmniejszego kolca i jedwabnego płatka.

Od razu wiem, kto ją przysłał. Prezydent Snow.

Kiedy zaczynam mieć odruchy wymiotne, wycofuję się i znikam. Jak długo tu jest, dzień, godzinę? Zanim dotarłam do domu, rebelianci przeprowadzili kontrolę bezpieczeństwa w Wiosce Zwycięzców w poszukiwaniu materiałów wybuchowych, podsłuchów, podejrzanych przedmiotów. Być może róża nie wydała im się godna zainteresowania. Tylko ja zwróciłam na nią uwagę.

Na dole chwytam torbę myśliwską i wlokę ją po podłodze, dopóki nie uświadomię sobie, że w środku jest żywe stworzenie. Na trawniku gorączkowo macham do poduszkowca, a Jaskier szamocze się jak oszalały. Wymierzam mu kuksańca, ale tylko go rozjuszam. Pojazd w końcu się materializuje. Opada drabina, na którą wchodzę, unieruchamia mnie prąd, a po chwili już jestem na pokładzie.

Gale pomaga mi zejść z drabiny.

— Wszystko w porządku?

— Tak. — Rękawem ocieram pot z twarzy.

Chcę wrzeszczeć, że Snow zostawił mi różę, ale nie jestem pewna, czy zdradzać tę informację, kiedy patrzy na mnie ktoś taki jak Plutarch. Po pierwsze, zrobię z siebie wariatkę. Albo mi się przywidziało, co jest bardzo prawdopodobne, albo przesadzam i w ten sposób funduję sobie bilet powrotny do świata wywołanych farmakologicznie snów, a przecież z całych sił staram się z niego uciec. Nie zrozumieją, że przecież nie chodzi tylko o kwiat, nawet nie o kwiat od prezydenta Snowa, tylko o zapowiedź zemsty. Nie zrozumieją, bo nie siedzieli z nim jak ja sam na sam w gabinecie, kiedy mi groził przed Tournée Zwycięzców.

Śnieżnobiała róża na mojej toaletce to wiadomość tylko dla mnie i dotyczy niedokończonej sprawy. Szepcze: „Mogę cię znaleźć. Wiem, jak do ciebie dotrzeć. Może nawet teraz na ciebie patrzę".

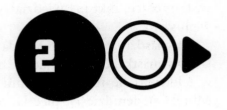

Czy poduszkowce Kapitolu pędzą już, żeby strącić nas z nieba? Kiedy lecimy nad Dwunastym Dystryktem, z niepokojem wypatruję oznak ataku, ale nic nas nie ściga. Trochę się odprężam po paru minutach, kiedy słyszę rozmowę Plutarcha i pilota, który potwierdza, że przestrzeń powietrzna jest wolna.

— Teraz już wiem, dlaczego musiałaś wrócić. — Gale ruchem głowy wskazuje moją torbę myśliwską, z której wydobywają się wściekłe pomruki.

— Nie mogłam go spisać na straty, póki istniał choćby cień szansy. — Ciskam torbę na fotel, a to przebrzydłe stworzenie warczy na mnie niskim, gardłowym głosem. — Przymknij się — radzę torbie i opadam na miękkie siedzenie przy oknie, naprzeciwko bagażu z kotem.

Gale zajmuje miejsce obok mnie.

— Cholernie kiepsko tam na dole, co?

— Gorzej już raczej nie mogłoby być — przyznaję

Patrzę mu w oczy i widzę w nich odbicie własnego bólu. Nasze dłonie się odnajdują i rozmyślamy o tej części Dwunastego Dystryktu, którą Snow z nieznanego powodu oszczędził. Siedzimy w milczeniu przez resztę drogi do Trzynastki, co zajmuje zaledwie trzy kwadranse. Piechotą szłoby się raptem tydzień. Bonnie i Twill, uchodźczynie z Ósmego Dystryktu, które ubiegłej zimy napotkałam w lesie, wcale nie były daleko od celu. Chyba jednak nie dotarły na miejsce, bo kiedy pytałam o nie w Trzynastce, nikt nie wiedział, o kim mowa. Pewnie zginęły w głuszy.

Trzynastka z lotu ptaka wygląda mniej więcej równie pogodnie jak Dwunastka. Gruzy wcale nie dymią, jak to Kapitol pokazuje w telewizji, ale na powierzchni właściwie brak oznak życia. Minęło siedemdziesiąt pięć lat od Mrocznych Dni, kiedy to Trzynastkę rzekomo zrównano z ziemią w wyniku wojny między Kapitolem i dystryktami. Odtąd niemal wszystkie nowe budowle konstruowano pod powierzchnią. Już wcześniej istniał tu rozległy, podziemny kompleks, który powstawał w ciągu wieków jako tajna, wojenna kryjówka dla władz, albo też jako ostatnie schronienie ludzkości, gdyby życie na powierzchni stało się niemożliwe. Dla mieszkańców Trzynastki był to przede wszystkim kapitoliński ośrodek badań nad bronią jądrową. Podczas Mrocznych Dni powstańcy w Trzynastym Dystrykcie odebrali siłom rządowym kontrolę nad wyrzutniami rakiet z głowicami nuklearnymi, wycelowali je w Kapitol i dopiero wtedy zaproponowali porozumienie — będą udawali martwych, w zamian za co władze zostawią ich w spokoju. Kapitol dysponował jeszcze jednym arsenałem nuklearnym na zachodzie, ale atak na Trzynastkę oznaczałby natychmiastowy odwet, więc rządzący przystali na ofertę. Kapitol wyburzył wszystkie widoczne pozostałości po Trzynastce i całkowicie odciął ją od reszty świata. Może władze liczyły na to, że pozostawieni samym sobie mieszkańcy dystryktu wymrą. Parę razy tak się prawie stało, jednak ludzie z Trzynastki jakoś zdołali się podźwignąć dzięki przestrzeganiu zasad ścisłej kontroli nad zasobami, surowej dyscyplinie i zachowaniu czujności na wypadek dalszych ataków sił Kapitolu.

Teraz miejscowi żyją prawie przez cały czas pod ziemią i tylko o ściśle określonych porach dnia mogą wyjść na powierzchnię, żeby poćwiczyć na słońcu. Wyznaczonych harmonogramem zajęć nie sposób przegapić, bo każdego ranka trzeba wsunąć prawą rękę do urządzenia w ścianie. Na gładkiej stronie przedramienia maszyna robi tatuaż z bladofioletową rozpiską obowiązków na dany dzień. *7.00 — Śniadanie. 7.30 — Prace kuchenne. 8.30 — Ośrodek Edukacyjny, sala 17,* i tak dalej. Atrament jest nieusuwalny, aż nadejdzie *22.00 — Kąpiel.* O tej porze wodoodporna substancja traci swoje właściwości i cały harmonogram daje się zmyć. O wpół do jedenastej gasną światła, a to oznacza, że powinien iść spać każdy, kto nie pracuje na nocną zmianę.

Początkowo, jako ciężko chora i leczona szpitalnie, nie byłam poddawana metkowaniu. Kiedy jednak trafiłam do komory 307, przeznaczonej też dla mojej mamy i siostry, oczekiwano, że podporządkuję się programowi. Jeśli nie liczyć przychodzenia na posiłki, w dużej mierze lekceważę zapiski na przedramieniu. Po prostu wracam do naszej komory albo pętam się po Trzynastce, a czasami zasypiam gdzieś w ukryciu, na przykład w nieużywanym kanale wentylacyjnym, ewentualnie za rurami z wodą w pralni. W Ośrodku Edukacyjnym znajduje się schowek, po prostu idealny, bo wygląda na to, że nikt nigdy nie korzysta ze szkolnych zapasów. Miejscowi są tak oszczędni, że marnotrawstwo uważa się tutaj niemal za zbrodnię. Na szczęście ludzie z Dwunastki nigdy nie byli rozrzutni. Kiedyś jednak zobaczyłam, jak Fulvia Cardew zgniata kartkę papieru, na której napisała zaledwie parę słów. Popatrzyli na nią tak, jakby kogoś zamordowała. Zrobiła się czerwona jak burak, a srebrne inkrustowane kwiaty na jej pulchnych policzkach zaczęły jeszcze bardziej rzucać się w oczy. No po prostu uosobienie zbytku. Jedną z moich nielicznych przyjemności w Trzynastce jest obserwowanie rozpieszczonych kapitolińskich „rebeliantów", którzy nieporadnie usiłują dopasować się do otoczenia.

Nie wiem, jak długo będzie mi uchodziło na sucho kompletne lekceważenie ściśle rozplanowanych w czasie obowiązków, narzuconych przez moich gospodarzy. Teraz dają mi spokój, bo uznali, że cierpię na dezorientację psychiczną — taka informacja widnieje na plastikowej medycznej bransoletce, którą noszę, i wszyscy muszą tolerować moją niesubordynację. Taka sytuacja nie może się jednak ciągnąć w nieskończoność. Cierpliwość miejscowych w kwestii Kosogłosa wreszcie się skończy. Prosto z płyty lądowiska idę z Gale'em schodami do komory 307. Moglibyśmy pojechać windą, ale za bardzo kojarzy mi się z urządzeniem, które wyniosło mnie na arenę. Trudno mi się przyzwyczaić do ciągłego przebywania pod ziemią, jednak po niepokojącym incydencie z różą po raz pierwszy czuję się bezpieczniej, schodząc pod powierzchnię.

Waham się przed drzwiami z numerem 307. Mama i Prim na pewno zaczną zadawać pytania.

— Co mam im powiedzieć o Dwunastce? — Patrzę na Gale'a.

— Wątpię, żeby chodziło im o szczegóły, widziały na własne oczy, jak wszystko idzie z dymem. Przede wszystkim będą chciały wiedzieć, jak ty to zniosłaś. — Dotyka mojego policzka. — Ja też chcę.

Na chwilę przyciskam twarz do jego dłoni.

— Poradzę sobie.

Potem biorę głęboki oddech i otwieram drzwi. Moja mama i siostra są w domu od *18.00 — Pory refleksji*. Mają pół godziny wolnego przed kolacją. Widzę na ich twarzach troskę, kiedy usiłują ocenić mój stan emocjonalny. Zanim zdążą zadać mi jakieś pytanie, otwieram myśliwską torbę i oto pojawia się nowy punkt programu: *18.00 — Adoracja kota*. Prim siedzi na podłodze, zalewa się łzami i kołysze tego paskudnego Jaskra, który od czasu do czasu przerywa mruczenie tylko po to, żeby na mnie syknąć. Posyła mi szczególnie zadowolone z siebie spojrzenie, kiedy Prim zawiązuje mu niebieską wstążkę na szyi.

Mama mocno tuli do piersi ślubne zdjęcie, po czym kładzie je razem z zielnikiem na przyznanej nam komodzie. Wieszam kurtkę po ojcu na oparciu krzesła i przez chwilę czuję się jak w domu. W sumie może ta wyprawa do Dwunastki nie była kompletną stratą czasu.

Idziemy do jadalni, jest *18.30 — Kolacja*, kiedy odzywa się telemankiet Gale'a. Popiskujące urządzenie wygląda jak za duży zegarek i można nim odbierać wiadomości tekstowe. Możliwość korzystania z takiego komunikatora jest szczególnym przywilejem zarezerwowanym dla tych, którzy są ważni dla sprawy. Gale otrzymał ten status za uratowanie obywateli Dwunastego Dystryktu.

— Dowództwo wzywa nas oboje — mówi.

Snuję się parę kroków za nim i staram wziąć się w garść, zanim trafię na jeszcze jedną niewątpliwie męczącą sesję poświęconą Kosogłosowi. Zwlekam z przekroczeniem progu pokoju Dowództwa, sali narad wyposażonej w supernowoczesny sprzęt, między innymi w skomputeryzowane, mówiące ściany i elektroniczne mapy z zaznaczonymi ruchami wojsk w różnych dystryktach. Na środku stoi ogromny prostokątny stół z panelami kontrolnymi, których nie wolno mi dotykać. Nikt jednak mnie nie zauważa, bo obecni zebrali się przed telewizorem w głębi pomieszczenia, na okrągło pokazującym obraz emitowany przez kapitolińską telewizję. Już myślę, że zdołam się wymknąć, kiedy Plutarch, którego krągła sylwetka zasłania ekran, dostrzega mnie kątem oka i energicznie przywołuje skinieniem ręki. Zbliżam się niechętnie i zastanawiam, co niby ma mnie zainteresować. Zawsze pokazują to samo: informacje wojenne, propagandę, powtórki scen z bombardowania Dwunastego Dystryktu, złowróżbne orędzie prezydenta Snowa. Dlatego niemal się cieszę na widok Caesara Flickermana w świecącym garniturze i o pomalowanej twarzy, odwiecznego gospodarza Głodowych Igrzysk, który przygotowuje się do wywiadu. Przestaję się jednak cieszyć, bo gdy kamera się odsuwa, widzę, że gościem jest Peeta.

Z moich ust mimowolnie wyrywa się dziwny odgłos, zarazem westchnienie i jęk, zupełnie jak wtedy, gdy ktoś zanurzy się w wodzie i z braku powietrza czuje przenikliwy ból. Roztrącam ludzi i staję tuż przed nim, z dłonią na ekranie. Zaglądam mu w oczy, wypatruję oznak cierpienia, choćby cienia udręki po torturach, ale niczego nie dostrzegam. Peeta wydaje się zdrowy, wręcz krzepki. Jego skóra promienieje, jest idealnie gładka, jakby wypolerowana na wysoki połysk. Zachowuje się z powagą i spokojem. Nie umiem pogodzić tego wizerunku ze zmasakrowanym, zakrwawionym chłopcem, który nawiedza mnie w snach.

Caesar poprawia się w fotelu naprzeciwko Peety i rzuca mu przeciągłe spojrzenie.

— Peeta... zatem witamy z powrotem.

Peeta uśmiecha się półgębkiem.

— Idę o zakład, Caesar, że kiedy rozmawialiśmy poprzednio, byłeś pewien, że to nasz ostatni wywiad.

— Szczerze powiedziawszy, i owszem — przyznaje Caesar.

— Ostatniego wieczoru przed Ćwierćwieczem Poskromienia... Kto by pomyślał, że się jeszcze spotkamy?

— Z pewnością nie miałem takich planów. — Peeta marszczy brwi.

Caesar lekko pochyla się ku niemu.

— Chyba wszyscy doskonale wiedzieliśmy, co sobie zaplanowałeś. Postanowiłeś poświęcić się na arenie, żeby ocalić Katniss Everdeen i swoje dziecko.

— Otóż to. Nic dodać, nic ująć. — Palce Peety głaszczą tapicerowany wzór na poręczy fotela. — Ale inni też mieli plany.

To fakt, myślę, inni mieli plany. Czy Peeta się domyślił, że rebelianci wykorzystali nas jak pionki w grze? Że moja ucieczka była zaaranżowana od samego początku? I wreszcie, czy wiedział o tym, że nasz mentor, Haymitch Abernathy, zdradził nas oboje dla sprawy, która pozornie wcale go nie interesowała?

Zapada milczenie i wówczas dostrzegam zmarszczki pomiędzy brwiami Peety. Domyślił się albo ktoś go poinformował — a jednak Kapitol go nie zabił ani nawet nie ukarał. To przechodzi moje najśmielsze wyobrażenia. Upajam się tym, że Peeta jest cały i zdrowy, na ciele oraz na umyśle. To działa na mnie niczym morfalina, którą podają mi w szpitalu, i tłumi ból ostatnich tygodni.

— Może opowiedziałbyś nam o ostatniej nocy na arenie —
proponuje Caesar. — Rozwiałbyś kilka wątpliwości, które nas
nachodzą.

Peeta kiwa głową, ale nie śpieszy się z wyjaśnieniami.

— Co do ostatniej nocy... Jakby to ująć... Po pierwsze, trzeba
sobie wyobrazić, jak się wtedy czuliśmy. Jak owady uwięzione
pod miską pełną pary wodnej. Wszędzie wokoło rozpościerała
się dżungla, zielona, żywa i tykająca. Trafiliśmy do gigantycznego
zegara, który odliczał sekundy do naszej śmierci. Każda godzina
była zapowiedzią nowego koszmaru. Spróbuj sobie wyobrazić,
że przez dwa poprzednie dni zginęło szesnaście osób, a część
z nich oddała za ciebie życie. W takim tempie do rana umarłaby
ostatnia ósemka, z wyjątkiem jednego jedynego uczestnika —
zwycięzcy. A ja przecież nie zamierzałem wygrać.

Na wspomnienie tamtych chwil oblewa mnie zimny pot.
Moja dłoń zsuwa się z ekranu i zwisa bezwładnie. Peeta nie potrzebuje pędzla, żeby odtworzyć obrazy z igrzysk, równie wier-
nie umie malować słowami.

— Gdy przebywasz na arenie, reszta świata staje się bardzo
odległa — dodaje. — Wszyscy ukochani ludzie i ulubione przedmioty, a także to, na czym nam zależy, przestaje istnieć. Ostatecz-
ną rzeczywistością staje się różowe niebo, potwory w dżungli
oraz trybuci łaknący twojej krwi. Okazuje się, że tylko to się liczy.
Nie ma znaczenia, jak człowiek się czuje — dobrze czy źle — po
prostu trzeba zabijać, bo na arenie ma się tylko jedno życzenie
i trzeba za nie słono zapłacić.

— Życiem — dopowiada Caesar.

— Och, skąd, to kosztuje znacznie więcej niż życie. Mordo-
wanie niewinnych ludzi? Żeby to robić, trzeba poświęcić wszystko, czym się jest.

— Wszystko, czym się jest — powtarza Caesar cicho.

W sali zapada milczenie i czuję, jak rozprzestrzenia się po
całym Panem. Naród pochyla się ku ekranom, bo dotąd nikt nie
opowiadał o tym, jak naprawdę jest na arenie.

— Więc trzeba trzymać się kurczowo tego życzenia — ciągnie Peeta. — A ostatniej nocy miałem jedno jedyne życzenie: uratować Katniss. Choć nie wiedziałem o rebeliantach, to i tak nie czułem się z tym dobrze. Wszystko się pogmatwało. Żałowałem, że nie uciekłem z nią wcześniej tego dnia, jak proponowała. Po prostu sprawy zaszły za daleko, klamka zapadła.

— Za bardzo zaangażowałeś się w plan Beetee'ego, który chciał porazić prądem słone jezioro — domyśla się Caesar.

— Byłem zbyt zajęty zabawą w przymierze z innymi. Nie powinienem był pozwolić na to, żeby nas rozdzielili! — wybucha Peeta. — Właśnie wtedy ją straciłem!

— Kiedy pozostałeś przy drzewie, a ona i Johanna Mason zabrały zwój drutu na dół, do wody — precyzuje Caesar.

— Wcale tego nie chciałem! — Peeta czerwienieje z przejęcia.

— Ale przecież nie mogłem się spierać z Beetee'em, bo wtedy zdradziłbym, że zamierzamy wyłamać się z przymierza. Po przecięciu drutu zapanował chaos, pamiętam tylko jakieś strzępki zdarzeń. Szukałem jej, potem Brutus zabił Chaffa, a ja Brutusa. Słyszałem, jak wykrzykiwała moje imię. Później błyskawica trafiła w drzewo, a pole siłowe wokół areny… wybuchło.

— Katniss je wysadziła, Peeta — dodaje Caesar. — Widziałeś materiał filmowy.

— Nie wiedziała, co robi, nikt z nas nie rozumiał do końca planu Beetee'ego. Przecież na ekranie widać, jak Katniss się zastanawia, co zrobić z drutem — denerwuje się Peeta.

— Niech ci będzie — zgadza się Caesar. — Ale przyznasz, że to wygląda podejrzanie. Zupełnie jakby od początku uczestniczyła w planie buntowników.

Peeta zrywa się na równe nogi i pochyla nad Caesarem, a dłonie zaciska na poręczach jego fotela.

— Czyżby? — warczy. — A czy zaplanowała, że Johanna omal jej nie zabije? Że prąd ją sparaliżuje? Niby że celowo sprowokowała bombardowanie? — krzyczy. — Caesar, ona nic nie wiedziała! Żadne z nas nie miało pojęcia o niczym z wyjątkiem tego, że chcemy nawzajem ocalić sobie życie! Caesar kładzie dłoń na piersi Peety, w geście zarówno samoobrony, jak i pojednania.

— W porządku, Peeta, wierzę ci.

— To dobrze. — Peeta cofa się i zabiera ręce, po czym przeczesuje palcami włosy, jednocześnie wichrząc starannie wystylizowaną blond fryzurę. Na koniec wzburzony opada z powrotem na fotel.

Caesar chwilę czeka, obserwując go uważnie.

— A co z twoim mentorem, Haymitchem Abernathym?

Twarz Peety tężeje.

— Nie mam pojęcia, co wiedział Haymitch.

— Czy mógł być uczestnikiem spisku?

— Nigdy o tym nie wspominał — mówi Peeta.

— A co podpowiada ci serce? — naciska Caesar.

— Teraz czuję, że nie powinienem był mu ufać. I tyle.

Nie widziałam Haymitcha, odkąd rzuciłam się na niego w poduszkowcu i przeorałam mu twarz paznokciami. Wiem, że ciężko mu się tutaj żyje. W Trzynastym Dystrykcie obowiązuje surowy zakaz produkcji i spożywania napojów wyskokowych i nawet skażony spirytus w szpitalu jest przedmiotem ścisłego zarachowania. Haymitch był w końcu zmuszony na dobre wytrzeźwieć i nie ma dostępu do żadnych ukrytych na boku zapasów ani pędzonych pokątnie trunków, które ułatwiłyby mu zmianę. Trzymają go w odosobnieniu i czekają, aż przejdzie odwyk, bo na razie nie nadaje się do zaprezentowania szerszej publiczności. To musi być dla niego tortura, ale wcale mi go nie żal, odkąd do mnie dotarło, jak nas oszukał. Mam nadzieję, że ogląda teraz program z Kapitolu i widzi, że Peeta również się go wyrzekł.

Caesar poklepuje Peetę po ramieniu.

— Możemy skończyć rozmowę, jeśli chcesz.

— A mieliśmy jeszcze o czymś rozmawiać? — Peeta uśmiecha się ironicznie.

— Zamierzałem spytać cię o przemyślenia związane z wojną, ale skoro jesteś zbyt zdenerwowany... — Caesar zawiesza głos.

— Och, nie jestem aż tak zdenerwowany, żeby o tym nie móc rozmawiać. — Peeta bierze głęboki oddech i patrzy prosto do kamery. — Chcę, żeby wszyscy widzowie, bez względu na to, czy są po stronie Kapitolu, czy rebeliantów, na moment przestali robić to, co robią, i pomyśleli, jakie znaczenie może mieć ta wojna, co ona oznacza dla ludzkości. Wcześniej walczyliśmy już ze sobą i niemal doprowadziliśmy do zagłady. Teraz jest nas jeszcze mniej. Żyjemy w trudniejszych warunkach. Czy naprawdę właśnie tego chcemy? Pozabijać się z kretesem? I co mielibyśmy w ten sposób osiągnąć? Żeby jakiś przyzwoity gatunek odziedziczył po nas dymiące szczątki Ziemi?

— Chyba... nie jestem pewien, czy dobrze rozumiem — wtrąca Caesar.

— Nie możemy toczyć ze sobą bojów, Caesar — wyjaśnia Peeta. — Pozostanie nas garstka, nie przetrwamy. Jeśli wszyscy nie złożą broni, i to w najbliższym czasie, to tak czy owak będzie nasz koniec.

— Jak rozumiem, wzywasz do rozejmu? — upewnia się Caesar.

— Tak. Wzywam do rozejmu — potwierdza Peeta ze znużeniem. — A teraz może poprosimy panów strażników o odprowadzenie mnie do mojego pokoju, żebym mógł zbudować następną setkę domków z kart?

— W porządku. — Caesar patrzy w kamerę. — To chyba tyle, wracamy do naszego normalnego programu.

Słychać muzykę, a potem na ekranie pojawia się prezenterka i odczytuje listę spodziewanych niedoborów — zabraknie świeżych owoców, baterii słonecznych i mydła. Wysłuchuję jej słów z nadmierną uwagą, bo wiem, że wszyscy chcą zobaczyć moją re-

30

akcję na wywiad. W żadnym razie nie uda mi się tak szybko przetrawić wszystkiego: radości, że Peeta żyje i jest zdrowy, faktu, że bronił mnie przed zarzutem współpracy z rebeliantami, a także tego, że niewątpliwie dogadał się z Kapitolem, skoro wezwał do zawieszenia broni. Och, zabrzmiało to tak, jakby potępiał obie strony, ale na tym etapie, przy śladowych sukcesach powstańców, wstrzymanie ognia oznaczałoby natychmiastowy powrót do dotychczasowej sytuacji albo nawet pogorszenie stanu rzeczy. Za plecami słyszę coraz śmielsze oskarżenia pod adresem Peety. Słowa „zdrajca", „kłamca", „wróg" odbijają się echem od ścian. Nie mogę podzielić złości rebeliantów ani stawić jej czoła, postanawiam zniknąć, bo w tej sytuacji to najlepsze rozwiązanie. Podchodzę do drzwi i w tym samym momencie słyszę donośny głos Coin, przebijający się przez kakofonię innych głosów.

— Żołnierzu Everdeen, nie było rozkazu odmaszerować.

Jeden z ludzi Coin kładzie mi dłoń na ręce. To nie jest agresywny gest, ani trochę, ale po doświadczeniach na arenie reaguję gwałtownie na każdy obcy dotyk. Wyrywam się i rzucam biegiem na korytarz. Słyszę za plecami odgłosy szamotaniny, ale nie przystaję ani na moment, tylko pośpiesznie podsumowuję w myślach wszystkie swoje kryjówki. W końcu wpadam do szkolnego schowka, osuwam się na podłogę i z podkulonymi nogami opieram o pudło kredy.

— Żyjesz — szepczę i przyciskam dłonie do policzków. Wyczuwam uśmiech, tak szeroki, że z pewnością wygląda jak grymas. Peeta żyje. Zdradził, ale w tej chwili nic mnie to nie obchodzi. Nie interesuje mnie, co mówi i w czyim imieniu, ważne, że w ogóle jest w stanie mówić.

Po chwili drzwi się otwierają i ktoś wślizguje się do środka. Gale. Opada na podłogę obok mnie, z nosa skapuje mu strużka krwi.

— Co się stało? — zdumiewam się.

— Podpadłem Boggsowi. — Wzrusza ramionami, a ja wycieram mu nos własnym rękawem. — Uważaj!

Staram się być delikatniejsza. Dotykam jego nosa, ale nie trę.

— Który to?

— Znasz go. Prawa ręka Coin, jej zaufany sługus. Ten sam, który usiłował cię zatrzymać. — Odpycha moją rękę. — Dość! Przez ciebie wykrwawię się na śmierć!

Strużka przemieniła się w jednostajny strumień, więc daję za wygraną i rezygnuję z dalszych prób pierwszej pomocy.

— Biłeś się z Boggsem?

— Nie, tylko stanąłem mu na drodze, kiedy usiłował cię gonić. Zawadził łokciem o mój nos.

— Pewnie cię ukarzą — zauważam.

— Już to zrobili. — Unosi nadgarstek, a ja wpatruję się w niego niepewnie. — Coin odebrała mi telemankiet.

Przygryzam wargę, żeby zachować powagę, ale sytuacja wydaje mi się absurdalnie komiczna.

— Przykro mi, żołnierzu Gale'u Hawthorn.

— Niepotrzebnie, żołnierzu Katniss Everdeen. — Uśmiecha się od ucha do ucha. — I tak czułem się jak palant, łażąc z tym wynalazkiem. — Oboje wybuchamy śmiechem. — To dopiero była degradacja.

To jedna z niewielu rzeczy, które podobają mi się w Trzynastce: odzyskałam Gale'a. Znikła wywierana przez Kapitol presja na to, żebym wyszła za Peetę, więc odnowiłam przyjaźń z Gale'em. On nie robi nic, żeby zacieśnić nasze relacje, nie próbuje mnie całować i nie mówi o miłości. Albo uznał, że dotąd zbyt kiepsko się czułam, albo chce mi po prostu ofiarować przestrzeń. Być może wie też, że próby zbliżenia się do mnie byłyby zbyt okrutne teraz, gdy Peeta pozostaje w rękach Kapitolu. Tak czy owak, znowu mam komu powierzać sekrety.

— Kim są ci ludzie? — pytam.

— Są nami, tyle że my mamy kilka brył węgla, a oni bomby atomowe.

— Wolę wierzyć, że podczas Mrocznych Dni Dwunastka nie porzuciłaby reszty rebeliantów — zauważam.

— Kto wie, co byśmy zrobili, mając do wyboru to, kapitulację albo wojnę jądrową — mówi Gale. — W pewnym sensie to niezwykłe, że w ogóle przetrwali.

Może dlatego, że jeszcze mam na butach popioły własnego dystryktu, po raz pierwszy czuję do mieszkańców Trzynastki coś, przed czym dotąd się wzbraniałam — uznanie. W końcu przetrwali wbrew wszelkim przeciwnościom. Te pierwsze lata musiały być koszmarem. Ludzie tłoczyli się w podziemnych komorach po tym, jak bomby obróciły ich miasto w perzynę. Ludność została zdziesiątkowana, brakowało sojusznika gotowego śpieszyć z pomocą. Przez ostatnich siedemdziesiąt pięć lat nauczyli się samowystarczalności, stworzyli armię złożoną ze wszystkich obywateli i bez pomocy z zewnątrz zbudowali nowe społeczeństwo. Byliby jeszcze potężniejsi, gdyby epidemia ospy nie ograniczyła ich rozrodu i nie zmusiła do desperackich poszukiwań nowej puli genetycznej oraz ludzi zdolnych do prokreacji. Zgoda, są militarystami, wiodą zaprogramowane życie i nieco brakuje im poczucia humoru. Ale są tutaj, na miejscu i chętnie rzucą rękawicę Kapitolowi.

— Mimo to długo trwało, zanim się ujawnili — zauważam.

— Łatwo nie było. Musieli zorganizować komórkę rebeliancką w Kapitolu, stworzyć coś w rodzaju podziemnej armii w dystryktach. Potem potrzebowali kogoś, kto da impuls do powszechnego powstania. Potrzebowali ciebie.

— Nie tylko mnie, Peety też, ale chyba o tym zapomnieli.

Gale marszczy czoło.

— Peeta mógł narobić dzisiaj mnóstwo szkód. Większość rebeliantów od razu machnie ręką na jego słowa, to jasne, ale są dystrykty, w których ruch oporu jeszcze nie okrzepł. Ten pomysł z zawieszeniem broni to z pewnością wymysł Snowa, jednak w ustach Peety zabrzmiał całkiem rozsądnie.

Boję się odpowiedzi Gale'a, lecz mimo to pytam:

— Jak myślisz, dlaczego o tym mówił?

— Mogli go torturować albo użyć siły perswazji, ale moim zdaniem zawarł z nimi jakiś układ, żeby cię chronić. Zgodził się zaprezentować ideę rozejmu pod warunkiem, że Snow pozwoli mu przedstawić cię jako zdezorientowaną, ciężarną dziewczynę, która nie miała pojęcia, co się dzieje, kiedy rebelianci brali ją do niewoli. Dzięki temu, jeśli dystrykty poniosą klęskę, będziesz miała szansę na łagodne potraktowanie. Pod warunkiem, że właściwie rozegrasz tę partię. — Z pewnością nadal wyglądałam na zdezorientowaną, bo następne słowa Gale wypowiedział bardzo powoli: — Katniss… on nadal usiłuje ocalić ci życie.

Ocalić mi życie? Nagle to do mnie dociera — igrzyska wciąż trwają. Opuściliśmy arenę, ale ponieważ nie zginęło żadne z nas — ani ja, ani Peeta, jego ostatnie życzenie, żeby uchronić mnie przed śmiercią, nie straciło aktualności. Jego zdaniem najlepiej będzie, jeśli ukryję się w cieniu, uwięziona i przez to bezpieczna aż do końca wojny, i w rezultacie żadna ze stron nie będzie miała powodu mnie zabić. A Peeta? Zwycięstwo rebeliantów dla niego będzie oznaczało katastrofę. Ale gdy sukces odniesie Kapitol, to kto wie? Może darują życie nam obojgu i będziemy mogli obserwować toczące się dalej igrzyska… Jeśli rozegram tę partię jak należy.

Przez głowę przelatują mi urywki wspomnień. Jestem na arenie i widzę, jak oszczep przeszywa ciało Rue. Wychłostany do nieprzytomności Gale zwisa przy słupie. Widzę usłane trupami gruzowisko wokół mojego domu. I po co? Dlaczego? Krew coraz mocniej tętni mi w żyłach, kiedy przypominam sobie inne obrazy — powstanie w Ósmym Dystrykcie, zwycięzców trzymanych pod kluczem wieczorem tuż przed Ćwierćwieczem Poskromienia. Myślę też o tym, że nie przypadkiem posłałam strzałę w barierę pola siłowego wokół areny. Gorąco pragnęłam wówczas zatopić ją w sercu wroga.

Gwałtownie zrywam się z miejsca i mimowolnie przewracam pudło pełne ołówków, które rozsypują się po całej podłodze.

— Co jest? — zdumiewa się Gale.

— Nie ma mowy o zawieszeniu broni. — Pochylam się i, kipiąc złością, zagarniam z powrotem do pudła ołówki z ciemnym grafitem. — Nie wolno nam wrócić do przeszłości.

— Racja. — Gale chwyta garść ołówków i stuka nimi o podłogę, żeby je wyrównać.

— Bez względu na powody, dla których Peeta mówił o rozejmie, na pewno jest w błędzie. — Durne ołówki nie mieszczą się w pudełku, więc w złości łamię kilka z nich.

— Wiem. Daj je tutaj, nie musisz ich niszczyć. — Wyjmuje mi pudło z rąk i szybkimi, pewnymi ruchami napełnia je od początku.

— On nie wie, co się stało z Dwunastką. Gdyby widział, jak to teraz wygląda... — zacinam się.

— Katniss, nie chcę kłótni. Gdybym mógł zabić jednym naciśnięciem guzika wszystkich, którzy pracują dla Kapitolu, zrobiłbym to bez wahania. — Wsuwa ostatni ołówek na miejsce i zamyka wieczko. — Pytanie brzmi: co ty zamierzasz zrobić?

Najwyraźniej istnieje tylko jedna możliwa odpowiedź na pytanie, które mnie dręczy. Potrzeba było jednak fortelu Peety, żebym ją dostrzegła.

Co mam zrobić?

Biorę głęboki oddech i machinalnie unoszę lekko ramiona, jakby na wspomnienie czarno-białych skrzydeł od Cinny. Po sekundzie ponownie je opuszczam i spoglądam w oczy Gale'a.

— Będę Kosogłosem.

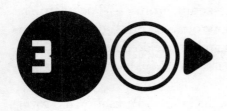

W ślepiach Jaskra odbija się blada poświata lampki bezpieczeństwa nad drzwiami. Kot leży w zgięciu łokcia Prim i znowu robi to, co zawsze: chroni ją przed nocą. Prim śpi przytulona do mamy i obie wyglądają tak jak rankiem w dniu dożynek, kiedy trafiłam na moje pierwsze igrzyska. Ja mam łóżko tylko dla siebie, bo jestem rekonwalescentką, a poza tym i tak nikt nie zdołałby ze mną spać. Nawiedzają mnie koszmary, a wtedy rzucam się jak oszalała.

Godzinami przewracam się z boku na bok, aż wreszcie godzę się z faktem, że czeka mnie bezsenna noc. Pod czujnym okiem Jaskra idę po zimnych kafelkach do komódki. W środkowej szufladzie przechowuję odzież z państwowego przydziału. Wszyscy noszą takie same szare spodnie oraz koszule wsunięte za pas. Pod ubraniem trzymam kilka drobiazgów, które miałam przy sobie, kiedy opuszczałam arenę. Jest tu broszka z kosogłosem i pamiątka od Peety, złoty medalion z ukrytymi w środku zdjęciami mamy, Prim i Gale'a. Srebrzysty spadochron, owinięty wokół sączka do czerpania wody z drzew, i jeszcze perła, którą ofiarował mi Peeta na kilka godzin przed tym, jak wysadziłam w powietrze pole siłowe. Władze Trzynastego Dystryktu skonfiskowały tubkę z maścią do leczenia skóry i odesłały ją do szpitala, a łuk i strzały trafiły do zbrojowni, bo tylko strażnicy mają zezwolenie na noszenie broni.

Po omacku wyszukuję spadochron i wsuwam palce do środka, żeby wyciągnąć perłę. Potem siadam po turecku na łóżku i bezmyślnie pocieram ustami gładką, opalizującą powierzchnię. Sama nie wiem czemu, ale ta czynność wpływa na mnie kojąco, jest niczym chłodny pocałunek ofiarodawcy perły.

— Katniss? — szepcze Prim. Nie śpi, wpatruje się we mnie w półmroku. — Co się stało?

— Nic takiego, to tylko zły sen. Śpij dalej. — Jak zawsze, odruchowo usiłuję odgrodzić Prim i mamę od niebezpieczeństwa.

Ostrożnie, żeby nie obudzić mamy, Prim wstaje z łóżka, podnosi Jaskra i siada obok mnie. Dotyka mojej dłoni zaciśniętej na perle.

— Zmarzłaś — zauważa. Bierze z łóżka zapasowy koc i zarzuca go na naszą trójkę, żebym rozgrzała się od ciepła jej ciała i futra Jaskra. — Możesz mi powiedzieć, naprawdę. Umiem dochować tajemnicy, nawet przed mamą.

A zatem na dobre zniknęła mała dziewczynka, z bluzką wyciągniętą z tyłu zza paska jak kaczy ogonek, dziewczynka, której trzeba było pomagać, bo nie sięgała do naczyń, i która błagała, żebyśmy koniecznie popatrzyły na lukrowane ciasta w witrynie piekarni. Czas i dramatyczne okoliczności sprawiły, że dorosła zbyt wcześnie, przynajmniej jak na mój gust, i stała się młodą kobietą, która umie zakładać szwy na otwartych ranach i rozumie, że mama nie udźwignie całej prawdy.

— Jutro rano zgodzę się zostać Kosogłosem — wyznaję.

— Dlatego, że chcesz, czy czujesz się do tego zmuszona? — pyta.

Śmieję się cicho.

— Chyba i jedno, i drugie. Nie, tak naprawdę chcę tego. Muszę, skoro to pomoże rebeliantom pokonać Snowa. — Mocniej zaciskam dłoń na perle. — Chodzi o Peetę. Boję się, że jeśli zwyciężymy, rebelianci zabiją go za zdradę.

Prim zastanawia się nad tym przez chwilę.

— Katniss, chyba nie rozumiesz, jak ważna jesteś dla sprawy, a ważni ludzie zwykle dostają, czego chcą — mówi w końcu. — Jeśli chcesz, żeby rebelianci nie skrzywdzili Peety, możesz postawić na swoim.

Chyba jestem ważna. Wielu ludzi zadało sobie mnóstwo trudu, żeby mnie uratować. A dziś zabrali mnie do Dwunastki.

— Myślisz, że... mogłabym zażądać od nich immunitetu dla Peety? I musieliby się zgodzić?

— Moim zdaniem możesz zażądać, czego tylko chcesz, a oni będą musieli się zgodzić. — Prim marszczy brwi. — Tylko skąd wiadomo, że dotrzymają słowa?

Przypominam sobie wszystkie kłamstwa, którymi Haymitch karmił Peetę i mnie, żeby dostać, czego chciał. Co zdołałoby powstrzymać rebeliantów od wycofania się z układu? Ustna obietnica za zamkniętymi drzwiami, a nawet deklaracja spisana na papierze — wszystko to mogłoby stracić znaczenie po wojnie. Ich istnienie albo ważność zawsze da się zakwestionować. Świadkowie w Dowództwie nie są wiarygodni, w końcu to zapewne właśnie oni podpiszą wyrok śmierci na Peetę. Potrzeba znacznie więcej świadków. Powinnam zgromadzić tylu ludzi, ilu się da.

— Muszą to obiecać publicznie — postanawiam, a Jaskier kiwa ogonem, jakby przyznawał mi słuszność. — Skłonię Coin do złożenia publicznej deklaracji przed wszystkimi mieszkańcami Trzynastki.

— Och, dobra myśl. — Prim się uśmiecha. — To nie jest gwarancja, ale znacznie trudniej będzie im wycofać się z obietnicy.

Oddycham z ulgą, jak zwykle kiedy znajduję dobre rozwiązanie.

— Powinnam częściej cię budzić, kaczuszko.

— Bardzo bym tego chciała — zgadza się Prim i całuje mnie w policzek. — A teraz postaraj się zdrzemnąć, zgoda?

Tak właśnie robię.

Rankiem widzę, że zaraz po punkcie 7.00 — *Śniadanie* następuje *7.30 — Dowództwo*, ale nie mam nic przeciwko temu, bo przecież mogę od razu ruszyć sprawę z miejsca. W jadalni przykładam do czytnika mój harmonogram, który zawiera również jakiś numer identyfikacyjny. Przesuwam tacę po metalowej ladzie, przed pojemnikami pełnymi żywności. Widzę, że śniadanie jest dokładnie takie jak zawsze i składa się z miski gorącej owsianki, kubka mleka i małej łyżki owoców lub warzyw. Dzisiaj dostajemy piure z rzepy, a wszystko to pochodzi z podziemnych farm Trzynastego Dystryktu. Siedzę przy stole przydzielonym naszej rodzinie i Hawthorne'om, a także paru innym uchodźcom. Energicznie zmiatam śniadanie i marzę o dokładce, ale tutaj dokładka to marzenie ściętej głowy. Zasady żywienia opracowano naukowo, więc wstaje się od stołu po spożyciu idealnie takiej liczby kalorii, jakiej potrzeba, żeby dotrwać do następnego posiłku. Wielkość porcji zależy od wieku, wzrostu, budowy ciała, stanu zdrowia i intensywności pracy fizycznej przewidzianej w indywidualnym harmonogramie. Mieszkańcy Dwunastki i tak otrzymują nieco większe porcje niż miejscowi, ponieważ cierpimy na niedowagę. Pewnie chodzi o to, że chuderlawi żołnierze za szybko się męczą. To działa, bo już po miesiącu wyglądamy zdrowiej, zwłaszcza dzieci.

Gale stawia tacę obok mojej, a ja usiłuję nie gapić się żałośnie tęsknym wzrokiem na jego rzepę. Naprawdę mam ochotę na więcej, a on aż zbyt chętnie dzieli się ze mną swoim przydziałem. Choć skupiam się na pieczołowitym składaniu serwetki, w mojej misce ląduje kopiasta łyżka piure.

— Musisz przestać mnie dokarmiać — protestuję, ale nie wypada to przekonująco, bo jednocześnie jem. — Poważnie. To pewnie jest nielegalne.

W Trzynastce obowiązują bardzo surowe reguły dotyczące żywności. Jeśli ktoś nie zje całego posiłku i chce zostawić resztki na później, nie ma prawa ich wynieść z jadalni. Zdaje się, że przed laty doszło do jakiegoś incydentu związanego z gromadzeniem pożywienia. Dla takich osób jak Gale i ja, latami odpowiedzialnych za dostarczanie żywności rodzinom, sytuacja jest trudna do zniesienia. Oboje wiemy, jak radzić sobie z głodem, ale nigdy nie rozkazywano nam w kwestii zapasów. Dystrykt Trzynasty jest w pewnym sensie bardziej opresyjny niż Kapitol.

— Co mi mogą zrobić? — bagatelizuje sprawę Gale. — Przecież już mi zabrali telemankiet.

Wyskrobuję miskę do czysta i nagle coś mi przychodzi do głowy.

— A może powinnam zrobić z tego warunek zostania Kosogłosem?

— Zażądasz, żeby pozwolili mi karmić cię rzepą? — pyta Gale.

— Nie, ale mogliby nam zezwolić na polowania. — To przykuwa jego uwagę. — Na pewno musielibyśmy zostawiać całą zdobycz w kuchni, za to...

Nie kończę, Gale i tak doskonale mnie rozumie. Wychodzilibyśmy na powierzchnię, żeby powłóczyć się po lasach i znowu być sobą.

— Zrób to — mówi. — To dobry moment. Możesz domagać się gwiazdki z nieba, a oni będą musieli znaleźć sposób na jej zdobycie.

Nie wie, że już zadecydowałam, o jaką gwiazdkę z nieba poproszę. Chcę zażądać, by oszczędzili Peetę. Zastanawiam się, czy wtajemniczyć Gale'a, kiedy rozbrzmiewa dzwonek na koniec posiłku. Denerwuję się myślą, że będę musiała samotnie stawić czoło Coin.

— Co masz teraz w rozpisce?

Gale zerka na przedramię.

— Zajęcia z historii nuklearnej. Tak na marginesie, zauważyli twoją nieobecność.

— Muszę iść do Dowództwa. Wybierzesz się ze mną? — pytam.

— Dobra, ale po wczorajszym mogą wyrzucić mnie za drzwi.

— Kiedy wstajemy, żeby odstawić tace, dodaje: — Chyba powinnaś dopisać Jaskra do listy żądań. Nie sądzę, żeby rozumieli tu potrzebę trzymania bezużytecznych udomowionych zwierzaków.

— Och, znajdą dla niego jakieś zajęcie. Każdego ranka będą mu robić tatuaż na prawej łapie — mówię, ale wiem, że muszę koniecznie o nim wspomnieć, dla dobra Prim.

W Dowództwie zastajemy już Coin, Plutarcha i wszystkich ich ludzi. Na widok Gale'a kilka osób unosi brwi, ale nikt go nie wyrzuca. Plączą mi się myśli do tego stopnia, że z miejsca proszę o kartkę papieru i ołówek. Moje pozorne zainteresowanie naradą, które okazuję po raz pierwszy, odkąd tutaj przybyłam, wyraźnie zaskakuje obecnych. Ludzie wymieniają spojrzenia. Pewnie zaplanowali dla mnie jakiś zupełnie wyjątkowy wykład, myślę. Tymczasem Coin osobiście wręcza mi przybory i wszyscy czekają w milczeniu, aż zasiądę przy stole i nabazgrzę listę. *Jaskier. Polowanie. Gwarancja bezpieczeństwa dla Peety. Ogłoszona publicznie.*

I tyle. To pewnie moja jedyna okazja, żeby się targować. Myśl, przykazuję sobie w duchu. Czego jeszcze chcesz? Tuż przy swoim ramieniu wyczuwam jego obecność. Gale. Dodaję go do listy, bo bez niego raczej nie dam sobie rady.

Nadciąga ból głowy, moje myśli plączą się coraz bardziej. Zamykam oczy i recytuję w milczeniu:

Nazywam się Katniss Everdeen. Mam siedemnaście lat. Pochodzę z Dwunastego Dystryktu. Uczestniczyłam w Głodowych Igrzyskach. Uciekłam. Kapitol mnie nienawidzi. Peeta trafił do niewoli. Żyje. Jest zdrajcą, ale żyje. Muszę go ocalić przed śmiercią...

Lista żądań nadal wydaje się za krótka. Powinnam myśleć szerszymi kategoriami, oderwać się od naszej obecnej sytuacji, w której odgrywam wyjątkową rolę, zastanowić się nad przyszłością, kiedy może będę bezwartościowa. Czy nie należałoby poprosić o więcej? Dla rodziny? Dla reszty mieszkańców mojego dystryktu? Skóra mnie swędzi od popiołów po zmarłych, niedobrze mi na wspomnienie czaszki pod butem. Woń krwi i róż atakuje moje nozdrza.

Ołówek sam przesuwa się po kartce. Otwieram oczy i widzę koślawe litery. *JA ZABIJĘ SNOWA.* Jeżeli go złapią, chcę mieć ten przywilej.

Plutarch chrząka dyskretnie.

— Kończysz już? — pyta

Podnoszę wzrok na zegar i dociera do mnie, że siedzę nieruchomo od dwudziestu minut. Widać nie tylko Finnick ma problemy z koncentracją.

— Już — oświadczam chrapliwym głosem i kaszlę cicho. — A więc tak: zostanę waszym Kosogłosem.

Czekam, aż umilkną westchnienia ulgi, wzajemne gratulacje i poklepywanie się po plecach. Tylko Coin, niewzruszona jak zawsze, wpatruje się we mnie obojętnym wzrokiem.

— Ale pod pewnymi warunkami. — Wygładzam papier dłonią. — Moja rodzina zatrzyma kota.

Najbłahsze z moich żądań wywołuje kłótnię. Rebelianci z Kapitolu w ogóle nie widzą problemu, co oczywiste, za to ci z Trzynastki wyliczają straszliwe kłopoty, jakie stwarza kot. Ostatecznie staje na tym, że przeniesiemy się na najwyższy poziom, z luksusowym oknem ćwierć metra nad ziemią. Jaskier będzie mógł wychodzić za potrzebą i wracać, i sam będzie zdobywał dla siebie pożywienie. Jeśli nie zdąży przed capstrzykiem, pozostanie na zewnątrz. Gdyby spowodował jakiekolwiek problemy z utrzymaniem bezpieczeństwa, zostanie natychmiast zastrzelony.

To mi odpowiada, w końcu od naszego zniknięcia mniej więcej tak właśnie żył, jedyny wyjątek to ten dotyczący zastrzelenia. Postanawiam, że jeżeli Jaskier wyda mi się zbyt chudy, podrzucę mu trochę podrobów, pod warunkiem, że przystaną na mój następny warunek.

— Chcę polować. Z Gale'em. W lesie — oznajmiam, a wszyscy nieruchomieją.

— Nie odejdziemy daleko i wystarczą nam nasze własne łuki. Dzięki temu dostaniecie mięso do kuchni — dodaje Gale. Muszę się śpieszyć, zanim stanowczo odmówią.

— Chodzi o to, że duszę się w zamknięciu, jak... Byłabym mocniejsza, szybsza, gdybym mogła polować.

Plutarch zaczyna wyliczać wady tego pomysłu. Mówi o niebezpieczeństwach, dodatkowych zabezpieczeniach, ryzyku obrażeń, ale Coin mu przerywa.

— Dość. Pozwólmy im. Niech mają dwie godziny dziennie, odjęte z czasu na trening. Mogą polować w promieniu pół kilometra, z komunikatorami i bransoletkami lokalizacyjnymi na kostkach. Co dalej?

Przeglądam listę.

— Gale. Będę go potrzebowała przy sobie.

— Jak to, przy sobie? Poza zasięgiem kamer? Przez cały czas pod ręką? Chcesz go zaprezentować jako nowego kochanka? — wypytuje mnie Coin.

Nie mówi tego ze zjadliwością. Przeciwnie, jej słowa brzmią bardzo rzeczowo, ale i tak z osłupieniem rozchylam usta.

— Co takiego?

— Myślę, że powinniśmy kontynuować historię romansu z Peetą. Gdyby szybko go porzuciła, publiczność z pewnością przestałaby jej współczuć — mówi Plutarch. — Zwłaszcza że zdaniem ludzi Katniss jest z Peetą w ciąży.

— Zgoda. Zatem na ekranie zaprezentujemy Gale'a jako jej towarzysza broni, uczestnika rebelii. Czy to będzie w porządku? — pyta Coin. Nadal tylko się na nią gapię bez słowa, więc zaczyna się niecierpliwić: — Czy to wystarczy Gale'owi?

— Zawsze możemy rozgłaszać, że jest twoim kuzynem — podsuwa Fulvia.

— Nie jesteśmy kuzynami — mówimy jednocześnie ja i Gale.

— To prawda, ale chyba powinniśmy tak utrzymywać dla dobra waszego wizerunku przed kamerami — zauważa Plutarch.

— Poza kamerą rób z nim, co chcesz. Coś jeszcze?

Jestem zdezorientowana przebiegiem rozmowy. Właśnie mi zasugerowano, że z lekkim sercem pozbyłabym się Peety, że kocham się w Gale'u i że to wszystko było jednym wielkim oszustwem. Moje policzki płoną. Sugestia, że w ogóle się zastanawiam, kogo chcę przedstawić jako kochanka, jest poniżająca. Złość popycha mnie do postawienia najważniejszego żądania.

— Jeśli wojna się skończy i zwyciężymy, Peeta ma zostać ułaskawiony.

Zapada grobowa cisza, a ja czuję, jak Gale napina mięśnie. Chyba powinnam była go uprzedzić, ale nie miałam pewności, jak zareaguje, przecież chodzi o Peetę.

— Nie spotka go żadna kara — ciągnę i wtedy przychodzi mi do głowy nowa myśl. — To samo dotyczy innych pojmanych trybutów, Johanny i Enobarii.

Szczerze powiedziawszy, ani trochę nie obchodzi mnie los Enobarii, groźnej trybutki z Drugiego Dystryktu, ale wykluczenie jej wydaje mi się nie w porządku.

— Nie — mówi Coin głucho.

— Tak — odparowuję. — To nie ich wina, że porzuciliście ich na arenie. Kto wie, co teraz robi z nimi Kapitol?

— Zostaną osądzeni wraz z innymi przestępcami wojennymi i potraktowani zgodnie z wolą trybunału — cedzi prezydent.

— Zostaną ułaskawieni! — Dociera do mnie, że wstaję z krzesła. Mówię głośno i dobitnie: — Osobiście ogłosi to pani na oczach wszystkich obywateli Trzynastego Dystryktu oraz uchodźców z Dwunastki. I to szybko, najlepiej dzisiaj. Pani oświadczenie zostanie odnotowane i zarejestrowane dla przyszłych pokoleń. Weźmie pani na siebie i na swój rząd odpowiedzialność za bezpieczeństwo tych ludzi, a jeśli nie, to radzę poszukać sobie innego Kosogłosa!

Moje słowa na moment zawisają w powietrzu.

— Cała ona! — syczy Fulvia do Plutarcha. — W pełnej krasie! Potrzeba tylko odpowiedniego stroju, wystrzałów w tle i odrobiny dymu.

— Tak jest, o to nam właśnie chodziło — przyznaje Plutarch półgłosem.

Chcę spiorunować ich wzrokiem, ale czuję, że popełniłabym błąd, odrywając spojrzenie od Coin. Zauważam, że oblicza w myślach koszt spełnienia warunków ultimatum i zestawia go z moją potencjalną wartością.

— Co pani na to, pani prezydent? — pyta Plutarch. — Mogłaby pani zastosować prawo łaski, dopuszczalne w takich okolicznościach. Ten chłopak... nie jest nawet pełnoletni.

— Zgoda — postanawia wreszcie Coin. — Ale lepiej odegraj swoją rolę jak należy.

— Zacznę, kiedy wygłosi pani oświadczenie.

— Proszę zwołać narodowe zgromadzenie w sprawach bezpieczeństwa — rozkazuje Coin. — Dzisiaj, w porze refleksji. Wtedy wygłoszę stosowne przemówienie. Katniss, czy na twojej liście są jeszcze jakieś żądania?

Zwiniętą w kulkę kartkę ściskam w prawej pięści. Powoli rozpościeram papier na stole i odczytuję koślawe litery.

— Tylko jedno. To ja zabiję Snowa.

Po raz pierwszy w życiu widzę na jej ustach cień uśmiechu.

— Gdy nadejdzie odpowiedni czas, dorzucę cię do puli chętnych — odpowiada.

Cóż, z pewnością nie ja jedna pragnę odebrać Snowowi życie. I chyba mogę wierzyć Coin, że doprowadzi sprawę do końca.

— Zgoda.

Coin zerka na przedramię i na zegar. Nawet prezydent musi przestrzegać harmonogramu.

— W takim razie zostawiam ją pod twoją pieczą — mówi do Plutarcha.

Wychodzi z pomieszczenia, a za nią jej ludzie. Pozostajemy tylko my: Plutarch, Fulvia, Gale i ja.

— Doskonale. Wyśmienicie. — Plutarch siada przy stole, opiera się łokciami o blat i pociera oczy. — Wiecie, czego mi brakuje najbardziej? Kawy. Pytam więc, czy to byłoby aż tak karygodne, żeby mieć czym spłukać owsiankę i rzepę?

— Nie sądziliśmy, że tutejsze warunki będą tak surowe — tłumaczy nam Fulvia i jednocześnie rozmasowuje barki Plutarcha. — Zwłaszcza na tak wysokim szczeblu.

— I liczyliśmy na to, że da się coś skombinować na boku — dodaje Plutarch. — Przecież nawet w Dwunastce funkcjonował czarny rynek, prawda?

— Fakt, handlowaliśmy na Ćwieku — potwierdza Gale.

— No właśnie. A przecież jesteście tacy etyczni, zdawałoby się nieprzekupni — wzdycha. — Ech, tak czy owak, wojny nie trwają wiecznie. Dobrze, że gramy w jednym zespole. — Sięga ręką w bok, a Fulvia od razu podaje mu duży szkicownik oprawiony w czarną skórę. — Katniss, z grubsza się orientujesz, czego od ciebie oczekujemy. Wiem, że masz mieszane uczucia w związku ze swoją rolą. Kto wie, może dzięki temu poczujesz się lepiej?

Podsuwa mi brulion, a ja przez moment walczę z podejrzliwością. W końcu ciekawość bierze górę, więc otwieram go i widzę szkic samej siebie, dumnie wyprostowanej, w czarnym mundurze. Tylko jedna jedyna osoba umiałaby zaprojektować taki strój. Na pierwszy rzut oka jest po prostu praktyczny, ale po uważniejszych oględzinach trzeba przyznać, że to dzieło sztuki. Atrakcyjny zarys hełmu, krzywizna napierśnika, łagodnie pełne rękawy, spod których wystają białe fałdy. W jego rękach znowu jestem Kosogłosem.

— Cinna — szepczę.

— Zgadza się. Kazał mi obiecać, że nie pokażę ci tego brulionu, dopóki z własnej woli nie postanowisz zostać Kosogłosem. Wierz mi, musiałem walczyć z pokusą — wyjawia Plutarch. — Śmiało, obejrzyj sobie.

Powoli przewracam kartki i wpatruję się we wszystkie detale munduru. Podziwiam starannie zaprojektowane warstwy pancerza, zauważam broń ukrytą w butach i w pasie, a także specjalną osłonę serca. Na ostatniej stronie, pod szkicem mojej broszki z kosogłosem, zauważam dopisek Cinny: *Ciągle na ciebie stawiam.*

— Kiedy on... — Głos więźnie mi w gardle.

— Niech pomyślę. Cóż, po ogłoszeniu zapowiedzi Ćwierćwiecza Poskromienia. Może kilka tygodni przed igrzyskami? Mamy nie tylko szkice, także mundury. Och, a Beetee przygotował dla ciebie coś zupełnie wyjątkowego, co czeka w zbrojowni. Nie powiem ani słowa więcej, żeby nie psuć niespodzianki.

— Będziesz najlepiej ubraną rebeliantką w historii — zauważa Gale z uśmiechem. Nagle uświadamiam sobie, że i on na nic nie nalegał. Jak Cinna, liczył na to, że samodzielnie podejmę decyzję.

— Mamy plan przeprowadzenia Ataku Antenowego — oznajmia Plutarch. — Nakręcimy serię filmów, które nazwaliśmy propagitami, czyli propagandowo-agitacyjnymi. Wystąpisz w nich ty, rzecz jasna, a pokażemy je wszystkim obywatelom Panem.

— Tylko jak? Kapitol ma całkowitą kontrolę nad emisją programu — zauważa Gale.

— Za to my mamy Beetee'ego. Jakieś dziesięć lat temu całkowicie przeprojektował podziemną sieć, która transmituje wszystkie programy. Jego zdaniem istnieje poważna możliwość zrealizowania projektu. Oczywiście potrzeba nam materiału do emisji, studio czeka, Katniss. Wystarczy twoja dobra wola. — Plutarch kieruje wzrok na asystentkę. — Fulvio?

— Razem z Plutarchem zastanawiałam się, jak się do tego zabrać. Naszym zdaniem najlepiej będzie, jeżeli stworzymy ciebie, naszą przywódczynię buntowników, od zewnątrz. Innymi słowy, wymyślimy najfantastyczniejszy wygląd dla Kosogłosa, a potem dorobimy osobowość, która będzie do niego pasowała — tłumaczy pogodnie.

— Już macie dla niej mundur — odzywa się Gale.

— Tak, ale musimy odpowiedzieć sobie na pytanie, czy ma być pokryta bliznami i cała we krwi? A może powinna jaśnieć ogniem rebelii? Do jakiego stopnia ją wybrudzić, żeby nie budziła wstrętu widzów? Tak czy owak, musi coś sobą reprezentować. — Nagle Fulvia wyciąga ku mnie ręce i otacza moją twarz ramką z dłoni. — Od razu widać, że coś takiego nie przejdzie. — Instynktownie szarpię głową do tyłu, ale Fulvia zbiera swoje rzeczy. — Skoro o tym mowa, mamy dla ciebie jeszcze jedną niespodziankę. No, chodź.

Kiwa na nas ręką, więc wszyscy troje wychodzimy na korytarz, najpierw Plutarch, potem ja i Gale.

— Niby ma dobre intencje, a jednak wali prosto między oczy — szepcze mi do ucha Gale.

— Witamy w Kapitolu — cicho odpowiadam.

Nie czuję się urażona słowami Fulvii. Mocno ściskam szkicownik i pozwalam sobie na odrobinę nadziei. Na pewno podjęłam słuszną decyzję, skoro Cinna tego chciał.

Wsiadamy do windy, a Plutarch zerka do notatek.

— Niech popatrzę… Szukamy komory 3908. — Wciska guzik z napisem 39, ale nic się nie dzieje.

— Musisz mieć klucz — przypomina mu Fulvia.

Plutarch wyjmuje spod koszuli klucz na cienkim łańcuszku i wsuwa go do otworu, którego wcześniej nie zauważyłam. Drzwi przesuwają się i zamykają.

— Proszę, gotowe. — Oddycha z ulgą.

Winda zjeżdża dziesięć, dwadzieścia, trzydzieści parę poziomów niżej. Nawet nie przypuszczałam, że Trzynasty Dystrykt sięga tak głęboko. Wychodzimy z kabiny na szeroki, biały korytarz z czerwonymi drzwiami, które wyglądają niemal ozdobnie w porównaniu do szarych na wyższych poziomach. Na wszystkich widnieją numery: 3901, 3902, 3903…

Spoglądam za siebie i patrzę, jak winda się zamyka, a metalowa krata sunie na miejsce przed zwykłymi drzwiami. Odwracam się z powrotem i wtedy dostrzegam strażnika, który wyłonił się z jednego z pomieszczeń na końcu korytarza. Drzwi kołyszą się i zamykają cicho za jego plecami, kiedy idzie prosto ku nam.

Plutarch wychodzi mu na spotkanie, przyjaznym gestem unosi rękę, a my ruszamy za nim. Dzieje się tutaj coś bardzo niedobrego. Nie chodzi tylko o dodatkowe zabezpieczenia windy ani o wrażenie klaustrofobii, wywołane przebywaniem na dużych głębokościach, ani też o żrącą woń środków dezynfekujących. Zerkam na Gale'a i od razu się orientuję, że on też to wyczuwa.

— Dzień dobry, szukamy... — odzywa się Plutarch.

— Pomylili państwo poziomy — przerywa mu strażnik natychmiast.

— Doprawdy? — Plutarch sprawdza w notatkach. — Mam tutaj zapisane, że chodzi o numer 3908. Czy w takiej sytuacji mógłby pan zadzwonić na górę...

— Niestety, muszą państwo natychmiast opuścić to miejsce. Rozbieżności związane z przydziałami należy wyjaśniać w Biurze Głównym — oświadcza strażnik.

Komora 3908 znajduje się idealnie naprzeciwko nas, wystarczy zrobić tylko kilka kroków. Drzwi, nie tylko te, wszystkie na tym poziomie, wyglądają na niekompletne. Brakuje im klamek. Na pewno kołyszą się na zawiasach, tak samo jak te, zza których wyszedł strażnik.

— A gdzie je można znaleźć? — pyta Fulvia.

— Biuro Główne mieści się na poziomie siódmym — objaśnia strażnik i wyciąga rękę, żeby zapędzić nas z powrotem do windy.

Zza drzwi 3908 dobiega dźwięk, ledwie słyszalne jęczenie. Podobnie mógłby zaskowyczeć wystraszony pies, żeby uniknąć ciosu, ale to głos ludzki i w dodatku brzmi znajomo. Przelotnie krzyżuję spojrzenie z Gale'em, ale to wystarcza, znamy się aż za dobrze. Upuszczam szkicownik Cinny prosto pod nogi strażnika. Uderza o podłogę z głośnym łupnięciem, sekundę później strażnik pochyla się po niego i w tej samej chwili pochyla się także Gale, żeby celowo zderzyć się z nim głową.

— Och, najmocniej przepraszam — mówi z cichym śmiechem i łapie strażnika za ręce, jakby próbował odzyskać równowagę, lecz jednocześnie lekko odwraca go ode mnie.

To moja szansa. Pędem omijam zdekoncentrowanego strażnika, pcham drzwi z numerem 3908 i wtedy ich odnajduję. Są na wpół nadzy, posiniaczeni i przykuci łańcuchami do ściany. Członkowie mojej ekipy przygotowawczej.

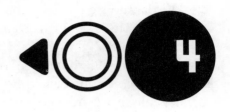

Fetor niemytych ciał, zatęchłego moczu i zakażonych ran przebija przez chmurę środka dezynfekującego. Trzy osoby można rozpoznać wyłącznie po wyjątkowo charakterystycznych, modnych atrybutach: Venia ma złote tatuaże na twarzy, Flavius pomarańczowe, sztywne loczki, a Oktavia jasną, wiecznie zieloną skórę, która teraz zwisa zbyt luźno, jakby jej ciało było balonem, z którego powoli uchodzi powietrze.

Na mój widok Flavius i Octavia wciskają się w wyłożoną kafelkami ścianę, jakby przewidywali atak, choć przecież nigdy ich nie skrzywdziłam. Najgorsze, co ich spotkało z mojej strony, to nieżyczliwe myśli, których i tak nie wypowiedziałam na głos. Dlaczego więc usiłują się ukryć?

Strażnik każe mi wyjść, ale za plecami słyszę odgłosy szamotaniny i wiem, że Gale zdołał go powstrzymać. Muszę się czegoś dowiedzieć, więc podchodzę do Venii, która zawsze była najsilniejsza z całej gromadki. Przykucam i chwytam jej lodowate dłonie, a ona zaciska palce na moich rękach, mocno, jak imadło.

— Venia, co się stało? — pytam. — Co wy tu robicie?

— Zabrali nas — wyjaśnia chrapliwie. — Wywieźli z Kapitolu.

Plutarch wchodzi do pomieszczenia.

— Co tu się dzieje, na litość boską?

— Kto was wywiózł? — naciskam.

— Ludzie — odpowiada niejasno. — Tej nocy, kiedy uciekłaś…

— Wydawało się nam, że obecność stałej ekipy wpłynie na ciebie krzepiąco — przyznaje Plutarch zza moich pleców. — Cinna o to prosił.

— Cinna prosił o coś takiego? — warczę. Wiem ponad wszelką wątpliwość, że Cinna przenigdy nie zgodziłby się na brutalne obchodzenie się z tą trójką. Zawsze odnosił się do nich łagodnie i cierpliwie. — Dlaczego są skuci jak przestępcy? Za co ich ukarano?

— Naprawdę nie wiem. — Coś w jego głosie sprawia, że mu wierzę, a bladość Fulvii tylko to potwierdza. Plutarch odwraca się do strażnika w drzwiach, za którym stoi Gale. — Mnie powiedziano tylko, że zostali zatrzymani. Za co ich ukarano?

— Za kradzież żywności — odzywa się strażnik. — Musieliśmy ich zatrzymać po awanturze o chleb.

Venia ściąga brwi, jakby ciągle usiłowała połapać się w tym, co ją spotkało.

— Nikt nam nic nie powiedział. Byliśmy strasznie głodni, a ona wzięła tylko jedną kromkę.

Octavia wybucha płaczem, zasłaniając usta podartą tuniką. Przypominam sobie, że kiedy wyszłam cało z pierwszych igrzysk, podrzuciła mi pod stołem bułkę, bo nie mogła znieść mojego głodu. Podpełzam do niej, cała się trzęsie.

— Octavia? — Wzdryga się, gdy jej dotykam. — Octavia, wszystko będzie dobrze. Wydostanę cię stąd, rozumiesz?

— To jakaś przesada — mówi Plutarch.

— Chodzi tylko o to, że wzięli kromkę chleba? — zdumiewa się Gale.

— Kradzież była poprzedzona serią wykroczeń. Otrzymali ostrzeżenie, a mimo to znowu wzięli pieczywo. — Strażnik milknie na moment, jakby zdumiony naszą tępotą. — Nie wolno brać chleba.

Nie udaje mi się skłonić Octavii do odsłonięcia twarzy, ale przynajmniej lekko unosi głowę. Kajdany na jej nadgarstkach przesuwają się o kilka centymetrów i dopiero teraz widzę otwarte rany na przegubach.

— Octavia, zabieram cię do mojej mamy — szepczę i spoglądam na strażnika. — Proszę ich rozkuć.

Kręci głową.

— Nie mam takich uprawnień.

— Rozkuć ich! Natychmiast! — ryczę.

Mój wybuch zbija go z tropu. Zwykli obywatele nie zwracają się tak do strażników.

— Nie polecono mi uwolnić więźniów, a tobie brak uprawnień…

— Proszę to zrobić na moją odpowiedzialność — wtrąca się Plutarch. — I tak przyszliśmy po tych troje, są potrzebni w Obronie Specjalnej. Biorę na siebie wszelkie konsekwencje.

Strażnik wychodzi zatelefonować i zaraz powraca z pękiem kluczy. Członkowie mojej ekipy tak długo tkwili skuleni w jednym miejscu, że nawet po zdjęciu łańcuchów mają problemy z chodzeniem. Gale, Plutarch i ja musimy im pomagać. Flavius zahacza nogą o metalową kratkę nad okrągłym otworem w podłodze, a mnie ściska w brzuchu na myśl o tym, po co jest tu odpływ. Z białych kafelków trzeba było wężem spłukiwać plamy świadczące o ludzkiej niedoli…

Odszukuję w szpitalu mamę, bo tylko jej mogę powierzyć opiekę nad moją ekipą. Ze względu na ich stan chwilę to trwa, zanim mama sobie przypomni, kim są, i widzę konsternację na jej twarzy. Wiem, że to nie przez zmaltretowane ciała, bo w Dwunastym Dystrykcie codziennie trafiali do niej zmasakrowani ludzie. Po prostu uświadomiła sobie, że takie rzeczy zdarzają się również w Trzynastce.

Mamę bez problemów zatrudniono w szpitalu, ale jest tam traktowana raczej jak pielęgniarka niż jak lekarz, choć ma ogromne doświadczenie w leczeniu ludzi. Mimo to nikt się nie wtrąca, kiedy kieruje trójkę kapitolińczyków na badanie stanu zdrowia. Sadowię się na ławce na korytarzu przed wejściem do szpitala i czekam na diagnozę. Mama zdoła odczytać z ciał, jak wielki ból im zadano.

Gale siada obok i kładzie rękę na moich ramionach.

— Postawi ich na nogi — pociesza mnie, a ja kiwam głową. Zastanawiam się, czy myśli teraz o brutalnej chłoście, której doświadczył w Dwunastce.

Plutarch i Fulvia zajmują miejsce na ławce naprzeciwko, lecz ani słowem nie komentują stanu zdrowia mojej ekipy przygotowawczej. Skoro nie mieli pojęcia o tym nadużyciu, to co teraz sądzą o roli prezydent Coin w tej sprawie? Postanawiam pomóc im wybrnąć z kłopotu.

— Najwyraźniej wszyscy otrzymaliśmy ostrzeżenie — odzywam się.

— Co takiego? Skąd? Jak to? — dopytuje się Fulvia.

— Ukaranie mojej ekipy jest ukrytą groźbą — informuję ją. — Nie tylko pod moim adresem. Wy również zostaliście poinformowani o tym, co was może spotkać. Mamy pamiętać, kto tak naprawdę rozdaje karty i co się dzieje, kiedy ktoś nie zechce się podporządkować. Jeżeli roiło się wam, że macie jakąkolwiek władzę, to lepiej wróćcie na ziemię. Nawet ktoś z Kapitolu nie powinien liczyć tutaj na szczególne względy. Przeciwnie, chyba ma gorzej od pozostałych.

— Nie ma porównania między Plutarchem, który opracował plan ucieczki rebeliantów, a tym trojgiem z salonu piękności — odzywa się Fulvia lodowatym tonem.

Wzruszam ramionami.

— Skoro tak uważasz, Fulvio. Ale co się stanie, jeżeli kiedyś nadepniesz Coin na odcisk? Moją ekipę porwano, jednak wszyscy troje mogą przynajmniej liczyć na to, że któregoś dnia wrócą do Kapitolu. My, ja i Gale, przeżyjemy w lesie. Ale wy? Dokąd byście uciekli?

— Może nieco bardziej się przydajemy podczas prowadzenia działań wojennych, niż jesteś gotowa przyznać — odpiera Plutarch ze stoickim spokojem.

— Oczywiście, że jesteście potrzebni. Także trybuci byli niezbędni do urządzenia igrzysk. A potem przestali być — mówię. — I można było się nas pozbyć, prawda, Plutarch? Rozmowa się urywa. Czekamy w milczeniu, aż wreszcie odnajduje nas mama.

— Wyzdrowieją — oświadcza na wstępie. — Nie mają żadnych trwałych urazów.

— Świetnie. Doskonale — mruczy Plutarch. — Kiedy mogą zabrać się do pracy?

— Pewnie jutro — odpowiada mama. — Ale dużo przeszli, więc raczej należy liczyć się z ich emocjonalnym rozchwianiem. Zważywszy na to, jakie życie wiedli w Kapitolu, są zupełnie nieprzygotowani na zmianę otoczenia.

— Jak my wszyscy — zauważa Plutarch.

Czy to z powodu niezdolności ekipy do pracy, czy to ze względu na moje zdenerwowanie Plutarch do końca dnia zwalnia mnie z obowiązków Kosogłosa. Razem z Gale'em idę na lunch, gdzie dostajemy potrawkę z fasoli i cebuli oraz po pajdzie chleba i kubku wody. Po tym, co przytrafiło się Venii, chleb utyka mi w gardle, więc podrzucam resztę kromki na tacę Gale'a. Niewiele rozmawiamy podczas posiłku, ale gdy nasze miski są puste, Gale podciąga rękaw i odsłania rozpiskę.

— Według planu zaraz mam trening.

Podwijam rękaw i porównujemy harmonogramy na przedramionach.

— Ja też. — Przypominam sobie, że trening oznacza teraz polowanie.

Tak bardzo pragnę wyrwać się do lasu, choćby na dwie godziny, że przestaję myśleć o bieżących problemach. Chcę zagłębić się w gęstwinie i zanurzyć w promieniach słońca, bo wtedy z pewnością lepiej sobie poradzę z uporządkowaniem myśli. Po opuszczeniu głównych korytarzy ścigam się z Gale'em, jakbyśmy byli dziećmi w szkole. Pędzimy do zbrojowni, a gdy jesteśmy już na miejscu, ledwie mogę oddychać i kręci mi się w głowie. To mi przypomina, że jeszcze nie w pełni odzyskałam siły. Strażnicy wręczają nam naszą starą broń oraz noże i jutowy worek na zdobycze. Godzę się na lokalizator na kostce i staram się udawać, że uważnie słucham, kiedy wyjaśniają, jak korzystać z przenośnego komunikatora. Zapamiętuję tylko tyle, że jest w nim zegar i że musimy być z powrotem w Trzynastce przed ustaloną godziną, gdyż w przeciwnym razie stracimy przywilej chodzenia na łowy. Myślę, że akurat tej zasady będę starała się przestrzegać. Wychodzimy na zewnątrz i trafiamy na otoczony ogrodzeniem teren szkoleniowy pod lasem. Strażnicy bez słowa otwierają przed nami starannie naoliwioną bramę. Tylko w absolutnej ostateczności próbowalibyśmy sforsować takie ogrodzenie — ma wysokość dziesięciu metrów i przez cały czas buczy pod napięciem. Na szczycie znajdują się pętle stalowego drutu, najeżonego ostrymi jak brzytwa kawałkami metalu. Zagłębiamy się w las, wkrótce ogrodzenie znika nam z oczu. Zatrzymujemy się na małej polanie i unosimy twarze do słońca, żeby się nim nacieszyć. Obracam się wokół własnej osi, rozkładam ręce i wiruję powoli, żeby nie zakręciło mi się w głowie.

Susza, którą odczułam w Dwunastym Dystrykcie, także tutaj wyniszczyła wiele roślin, na niektórych zauważamy poskręcane liście. Kroczymy po kruchym, zeschniętym dywanie, więc postanawiamy ściągnąć buty. Moje i tak nie pasują, bo zgodnie z obowiązującym w Trzynastce duchem wszechobecnej oszczędności otrzymałam parę, z której ktoś już wyrósł. Jedno z nas, mój poprzednik albo ja, najwyraźniej dziwacznie stawia nogi podczas chodzenia, bo buty rozlazły się i są koszmarnie niewygodne.

Polujemy, jak za dawnych czasów, w milczeniu. Nie musimy porozumiewać się słowami, bo tutaj, w lesie, jesteśmy jak dwie połówki jednej osoby, zawczasu wiemy, które z nas jaki ruch wykona, wzajemnie się osłaniamy. Ile czasu już minęło? Osiem miesięcy, dziewięć? Kiedy ostatnio cieszyliśmy się wolnością? Nie jest dokładnie tak samo jak dawniej, bo przecież sporo się wydarzyło, mamy teraz bransoletki na kostkach, a ja muszę co rusz przystawać na odpoczynek, lecz mimo to w tych okolicznościach chyba nie mogłabym być bliższa pełni szczęścia. Zwierzęta w tych okolicach prawie wcale nie są podejrzliwe. Ta dodatkowa sekunda zwłoki na wyczucie naszego obcego zapachu oznacza ich śmierć. W półtorej godziny wypełniamy worek tuzinem rozmaitej zwierzyny: są tu króliki, wiewiórki i indyki. Pozostały czas postanawiamy spędzić nad stawem, z pewnością zasilanym przez podziemne źródło, bo woda w nim jest zimna i słodka.

Nie protestuję, kiedy Gale mówi, że oczyści zwierzynę. Przylepiam do języka kilka listków mięty, zamykam oczy, po czym opieram się o głaz, aby wsłuchiwać się w dźwięki i rozkoszować palącymi promieniami popołudniowego słońca na skórze. Niemal całkiem się uspokajam, kiedy głos Gale'a wyrywa mnie z zadumy.

— Katniss, dlaczego tak bardzo się przejmujesz swoją ekipą przygotowawczą?

Uchylam powieki, żeby sprawdzić, czy to żart, ale Gale marszczy brwi nad królikiem, którego obdziera ze skóry.

— Dlaczego nie miałabym się nią przejmować?

— Hm. Niech pomyślę. Może dlatego, że przez ostatni rok upiększali cię przed rzezią? — sugeruje.

— To nie takie proste. Znam tych ludzi i wiem, że nie są ani źli, ani okrutni, ani nawet bystrzy. Krzywdzenie ich przypomina dręczenie dzieci. Nie dostrzegają... nie wiedzą... — Plączą mi się słowa.

— Czego nie wiedzą, Katniss? — drąży. — Nie wiedzą, że trybutów, czyli zwykłe dzieci, a nie to trio dziwolągów, zmusza się do walki na śmierć i życie? Że szłaś na arenę dla rozrywki ludu? Czy to była wielka tajemnica w Kapitolu?

— Nie. Ale oni nie widzą tego tak jak my — tłumaczę mu. — Od dzieciństwa są z tym oswajani i...

— Powiedz szczerze, czy ty ich bronisz? — Jednym szybkim ruchem zdziera futro z królika.

To mnie boli, bo rzeczywiście ich bronię, co jest idiotyczne, więc usiłuję znaleźć logiczne uzasadnienie.

— W takich okolicznościach chyba wzięłabym w obronę każdego, kogo potraktowano by w ten sposób za zwinięcie kromki chleba. Może za bardzo mi to przypomina o tym, co się zdarzyło tobie w związku z indykiem.

Mimo wszystko Gale ma rację. Ta moja głęboka troska o ekipę przygotowawczą wydaje się dziwna. Powinnam ich nienawidzić i marzyć o tym, żeby ich powieszono na suchej gałęzi. Tyle że są kompletnie oderwani od rzeczywistości, no i poza tym kierował nimi Cinna, a on był po mojej stronie, prawda?

— Nie szukam pretekstu do awantury — zapewnia mnie Gale. — Po prostu nie uważam, żeby Coin ukarała ich za złamanie miejscowych reguł tylko po to, aby akurat tobie dać coś do zrozumienia. Pewnie sądziła, że uznasz to za życzliwy gest. — Wpycha królika do worka i wstaje. — Lepiej ruszajmy, jeśli mamy wrócić na czas.

Ignoruję jego wyciągniętą rękę i sama chwiejnie wstaję z ziemi.

— Jasne.

W drodze żadne z nas nie odzywa się ani słowem, ale gdy przekraczamy bramę, coś mi przychodzi do głowy.

— Podczas Ćwierćwiecza Poskromienia Octavia i Flavius musieli zrezygnować, bo nie mogli przestać nade mną płakać, tak bardzo się przejęli, że wracam na arenę. A Venia pożegnała się ze mną z najwyższym trudem.

— Postaram się mieć to w pamięci, kiedy zabiorą się do… przerabiania ciebie.

— Postaraj się — mówię.

Niesiemy mięso do kuchni, do Śliskiej Sae. Całkiem polubiła Trzynasty Dystrykt, choć uważa, że miejscowym kucharzom trochę brakuje wyobraźni. Cóż, kobieta, która wymyśliła całkiem smaczną potrawkę z dzikiego psa i rabarbaru musi czuć się tutaj tak, jakby miała związane ręce.

Wyczerpana polowaniem oraz brakiem snu wracam do swojej komory i odkrywam, że pod moją nieobecność została całkowicie opróżniona. Dopiero po kilku sekundach przypominam sobie o przeprowadzce z powodu Jaskra, ruszam więc na najwyższy poziom i odszukuję komorę E. Wygląda dokładnie tak samo jak nasze poprzednie mieszkanie, z wyjątkiem okna na szczycie zewnętrznej ściany. Zauważam ciężką, metalową płytę do zasłaniania okna, ale w tej chwili jest otwarte i nigdzie nie widać kota. Wyciągam się na łóżku, a snop popołudniowego światła słonecznego tańczy na mojej twarzy. Następne, co pamiętam, to moja siostra, która budzi mnie na *18.00 — Porę refleksji.*

Prim informuje mnie, że zawiadomienie o zgromadzeniu jest powtarzane od lunchu. Wszyscy mieszkańcy, z wyjątkiem tych, którzy wykonują niezbędne prace, muszą uczestniczyć w zebraniu. Podążamy za znakami do Sali Wspólnoty, olbrzymiego pomieszczenia, w którym bez trudu mogą się pomieścić tysiące ludzi. Od razu widać, że zbudowano je z myślą o wielkich zgromadzeniach, być może właśnie tutaj ludzie zbierali się przed epidemią ospy. Prim dyskretnie zwraca mi uwagę na widoczne ślady po katastrofie — na twarzach ludzi zauważam blizny po wypryskach, dzieci są lekko zdeformowane.

— Dużo tutaj wycierpieli — mówi.

Ale po dzisiejszym poranku nie jestem w nastroju na użalanie się nad Trzynastką.

— Nie więcej niż my w Dwunastce — mamroczę.

Widzę, że mama prowadzi grupę pacjentów zdolnych do poruszania się, ciągle ubranych w szpitalne koszule i szlafroki. Finnick stoi wśród nich, chyba jest oszołomiony, ale piękny jak zawsze. W dłoniach trzyma kawałek cienkiej linki, długości co najwyżej trzydziestu centymetrów, czyli nawet on nie zdoła zrobić z niej użytecznej pętli. Energicznie porusza palcami, machinalnie splątuje i rozwiązuje najróżniejsze węzły, a przy tym rozgląda się dookoła. Przypuszczam, że robienie węzłów to element jego terapii. Podchodzę bliżej.

— Hej, Finnick — odzywam się, ale chyba mnie nie zauważa, więc szturcham go, żeby zwrócić na siebie uwagę. — Finnick! Co u ciebie?

— Katniss — mówi i chwyta mnie za rękę. Widok znajomej twarzy przynosi mu chyba ulgę. — Dlaczego zbieramy się tutaj?

— Powiedziałam Coin, że zostanę jej Kosogłosem, ale postawiłam warunki. Zażądałam, żeby uniewinniła resztę trybutów, jeśli zwyciężą rebelianci. Ma to obiecać publicznie, żeby było mnóstwo świadków.

— Och. To dobrze, bo się boję, co będzie z Annie. Przecież może nieświadomie powiedzieć coś, co zostanie uznane za zdradę — niepokoi się Finnick. Annie. A niech to. Na śmierć o niej zapomniałam.

— Bez obaw, zajęłam się tym. — Ściskam dłoń Finnicka i zmierzam wprost ku podium z przodu sali. Coin zerka znad tekstu oświadczenia i unosi brwi na mój widok. — Chciałabym, żeby dodała pani Annie Crestę do listy objętych immunitetem — oświadczam bez ogródek.

Prezydent lekko marszczy czoło.

— Kto to taki?

— To… — Zawieszam głos, bo nie wiem, jak ją określić. — To przyjaciółka Finnicka Odaira z Czwartego Dystryktu, jedna ze zwyciężczyń. Aresztowano ją i zabrano do Kapitolu, kiedy wybuchła arena.

— Och, ta wariatka. Naprawdę, niepotrzebnie się przejmujesz — zapewnia mnie. — Nie mamy w zwyczaju karania aż tak słabych ludzi.

Przypominam sobie, na co natrafiłam dzisiejszego ranka — Octavię wtuloną w ścianę. Wygląda na to, że Coin zupełnie inaczej niż ja rozumie słabość, jednak mówię tylko:

— Tak? Wobec tego nie będzie problemu z dopisaniem Annie do listy.

— Zgoda. — Prezydent skrobie ołówkiem imię Annie. — Chcesz być tutaj przy mnie, kiedy będę wygłaszała oświadczenie?

— Kręcę głową. — Tak myślałam. Zatem pośpiesz się i zniknij w tłumie, zaraz zaczynam. — Natychmiast wracam do Finnicka. W Trzynastce oszczędza się wszystko, także słowa. Coin prosi publiczność o uwagę i informuje zebranych, że zgodziłam się zostać Kosogłosem pod warunkiem, że inni zwycięzcy, czyli Peeta, Johanna, Enobaria i Annie nie będą rozliczeni ze szkód, których się dopuszczają w stosunku do rebeliantów oraz ich sprawy. Przez tłum przetacza się pomruk, doskonale wyczuwam niezadowolenie ludzi. Chyba nikt nie wątpił, że zechcę być Kosogłosem, więc rozzłościło ich, że za swoją decyzję wyznaczyłam konkretną cenę, czyli darowanie kary ewentualnym wrogom. Stoję spokojnie, nie zwracam uwagi na niechętne spojrzenia.

Prezydent bez emocji czeka, aż sala się uspokoi, a potem kontynuuje, jak zwykle zwięźle i rzeczowo. Tyle tylko, że słowa, które teraz wydobywają się z jej ust, to dla mnie zupełna nowość.

— W zamian za tę bezprecedensową prośbę żołnierz Everdeen obiecała poświęcić się naszej sprawie. W konsekwencji każde odstępstwo od jej misji, mające związek zarówno z motywacją, jak i z czynem, będzie traktowane jako złamanie porozumienia. Tym samym nienaruszalność wymienionych osób przestanie obowiązywać, a o losie czterech zwycięzców zadecyduje prawo Trzynastego Dystryktu. To samo dotyczy żołnierza Everdeen. Dziękuję.

Innymi słowy, wystarczy jedno moje potknięcie i już po nas.

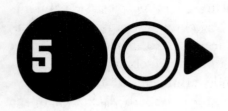

5

Jeszcze jedna siła, z którą trzeba się zmagać. Jeszcze jeden potężny gracz, który postanowił wykorzystać mnie jako pionek we własnej rozgrywce, chociaż przecież nic nigdy nie idzie zgodnie z planem. Najpierw organizatorzy igrzysk zrobili ze mnie gwiazdę, a potem pośpiesznie usiłowali dojść do siebie po numerze z trującymi jagodami. Prezydent Snow próbował wykorzystać mnie do stłumienia zarzewia rebelii i w rezultacie każdy mój ruch przyczynia się do wybuchu pożaru. Rebelianci uwięzili mnie w metalowych szczypcach i wyciągnęli z areny, abym została ich Kosogłosem, lecz przeżyli szok, kiedy się okazało, że mogę nie zechcieć skrzydeł. Teraz Coin, ze swoją garścią cennych bomb atomowych i świetnie funkcjonującą państwową machiną, przekonała się, że ma więcej trudności z oswojeniem Kosogłosa niż z jego złapaniem. Ale to właśnie ona najszybciej się zorientowała, że mam własne plany i dlatego nie wolno mi ufać. Pierwsza publicznie napiętnowała mnie jako zagrożenie.

Przejeżdżam palcami przez gęstą pianę w wannie. Dokładne mycie to tylko pierwszy krok na drodze do stworzenia mojego nowego wyglądu. Mam przeżarte kwasem włosy, spaloną słońcem skórę oraz brzydkie blizny, więc ekipa przygotowawcza będzie musiała najpierw zrobić mnie na bóstwo i dopiero potem pobrzydzić, poprzypalać i poorać bliznami w znacznie bardziej atrakcyjny niż ten obecny sposób.

— Trzeba ją przywrócić do stanu bazowego zero — nakazała Fulvia z samego rana. — To będzie nasz punkt wyjściowy.

Stan bazowy zero to wygląd osoby, która właśnie wstała z łóżka i prezentuje się nienagannie, lecz zwyczajnie. Innymi słowy, moje paznokcie są idealnie przycięte, ale bez grama lakieru, włosy miękkie i lśniące, ale niewymodelowane, skóra gładka i czysta, ale niepomalowana. Depilacja woskiem i maskowanie cieni pod oczami mnie nie ominie, jednak zauważalnych korekt nie będzie. Cinna zapewne wydał takie same polecenia pierwszego dnia po moim przybyciu do Kapitolu, ale wówczas było inaczej, bo występowałam w roli trybutki. Sądziłam, że jako rebeliantka będę bardziej podobna do zwykłej siebie, najwyraźniej jednak modelowa telewizyjna buntowniczka musi spełniać określone standardy.

Spłukuję pianę z ciała, odwracam się i widzę, że Octavia czeka na mnie z ręcznikiem. Bez krzykliwego stroju, ciężkiego makijażu, farb, biżuterii i ozdób we włosach ani trochę nie przypomina kobiety znanej mi z Kapitolu. Pamiętam, jak pewnego dnia pojawiła się w jaskraworóżowych przypinanych włosach, które poprzetykała migoczącymi światełkami w kształcie wielobarwnych myszek. Mówiła mi, że hoduje kilka w domu. Wtedy poczułam obrzydzenie, bo w Dwunastce uważaliśmy myszy za szkodniki, nadające się co najwyżej do ugotowania i zjedzenia. Octavia zapewne lubiła je dlatego, że były małe, miękkie i pisklіwe, zupełnie jak ona. Poklepuje mnie ręcznikiem, żebym wyschła, a ja staram się przyzwyczaić do Octavii z Trzynastego Dystryktu. Jej prawdziwe włosy są w ładnym kasztanowym odcieniu. Ma banalną twarz, ale nie brak jej uroku. Jest młodsza, niż sądziłam, pewnie dopiero po dwudziestce. Bez ośmiocentymetrowych, wymuskanych paznokci jej palce wyglądają trochę jak pieńki, a na dodatek ciągle się trzęsą. Chcę jej powiedzieć, że wszystko w porządku, że dopilnuję, aby Coin nigdy już jej nie skrzywdziła, jednak wielobarwne siniaki pod zieloną skórą Octavii przypominają mi, jak bardzo jestem bezradna.

Flavius też jest jakiś wypłowiały, bo nie ma swojej fioletowej szminki i jaskrawego ubrania, ale przynajmniej udało mu się doprowadzić pomarańczowe loczki do względnego porządku. Najmniej zmieniła się Venia. Niebieskie włosy, które wcześniej sterczały jak kolce, są przylizane, a na dodatek wyraźnie widać siwy odrost. Jednak zawsze najbardziej rzucały się w oczy jej tatuaże, a teraz są równie złote i szokujące jak dawniej. Podchodzi i wyjmuje ręcznik z rąk Octavii.

— Katniss nie zrobi nam krzywdy — przypomina jej cicho, ale stanowczo. — Nawet nie wiedziała, że tu jesteśmy. Odtąd będzie lepiej.

Octavia lekko kiwa głową, ale brakuje jej śmiałości, żeby spojrzeć mi w oczy.

Przywrócenie mnie do stanu bazowego zero nie jest prostym zadaniem, nawet przy użyciu baterii wyrafinowanych produktów, przyborów i gadżetów, które Plutarch przewidująco sprowadził z Kapitolu. Ekipa radzi sobie jednak całkiem nieźle do czasu, gdy biorą na warsztat bliznę na mojej ręce, tam gdzie Johanna wydłubała mi spod skóry lokalizator. Nikt z zespołu medycznego nie brał pod uwagę względów estetycznych, kiedy trzeba było połatać otwartą dziurę w przedramieniu. Teraz widnieje tam grudowata, poszarpana szrama wielkości jabłka. Zwykle zasłaniam ją rękawem, ale w zaprojektowanym przez Cinnę kostiumie Kosogłosa rękawy wypadają nieco powyżej łokcia. Problem okazuje się na tyle poważny, że trzeba wezwać na konsultację Fulvię i Plutarcha. A niech mnie, widok mojej blizny wywołuje u Fulvii odruch wymiotny. Okropnie jest wrażliwa jak na współpracownicę organizatorów igrzysk. Mogę tylko zgadywać, że nieprzyjemne rzeczy widywała dotąd jedynie na ekranie telewizora.

— Wszyscy wiedzą, że mam tę bliznę — zauważam ponuro.

— Wiedzieć a widzieć to dwie różne rzeczy — wzdycha Fulvia. — To jest autentycznie odrażające. Razem z Plutarchem wymyślę coś w czasie lunchu.

— Damy sobie radę. — Plutarch macha ręką, bagatelizując sprawę. — Przecież wystarczy jakaś opaska, czy coś takiego. Pełna niesmaku ubieram się, żeby wyjść do jadalni. Moja ekipa zbiła się w małą grupkę przy drzwiach.

— Przyniosą wam tutaj jedzenie? — pytam.

— Nie — odpowiada Venia. — Mamy iść do jadalni.

Wzdycham w głębi duszy, bo wyobrażam sobie, co będzie, kiedy wmaszeruję do sali z tą trójką. Inna sprawa, że ludzie i tak się na mnie gapią, więc w sumie nic się nie zmieni.

— Pokażę wam, jak tam trafić — oznajmiam. — Chodźmy.

Dyskretne spojrzenia i ciche szepty, które zwykle prowokuję, są niczym w porównaniu z reakcją wywołaną widokiem mojej dziwnie wyglądającej ekipy przygotowawczej. Ludzie szeroko otwierają usta, pokazują ich palcami, coś tam głośno mamroczą.

— Nie zwracajcie na nich uwagi — mówię do ekipy.

Opuszczają wzrok i sztywno przesuwają się za mną w kolejce. Po chwili bierzemy po misce szarawej potrawki z ryb i okry i wodę w kubkach do picia.

Zajmujemy miejsca przy moim stole, obok grupy ze Złożyska. Moi rodacy są nieco bardziej powściągliwi niż mieszkańcy Trzynastki, ale to może wynikać z zażenowania. Leevy, mój sąsiad w Dwunastym Dystrykcie, niepewnie wita się z ekipą, a matka Gale'a, Hazelle, która z pewnością wie już o ich uwięzieniu, unosi łyżkę z potrawką.

— Uszy do góry — mówi. — Smakuje lepiej, niż wygląda.

W rozładowaniu napiętej atmosfery najbardziej pomaga Posy, pięcioletnia siostra Gale'a. Nieoczekiwanie przesuwa się na ławce, siada bliżej Octavii i niepewnie dotyka jej skóry.

— Jesteś zielona — mówi. — Zachorowałaś?

— Posy, to taka moda — wyjaśniam. — Tak samo jak smarowanie ust szminką.

— Chciałam ładnie wyglądać — szepcze Octavia i widzę w jej oczach łzy.

Posy zastanawia się przez moment.

— Moim zdaniem ładnie byś wyglądała w każdym kolorze — oświadcza rzeczowo.

— Dziękuję. — Na ustach Octavii pojawia się ledwie zauważalny uśmiech.

— Jeśli naprawdę chcesz zrobić wrażenie na Posy, musisz ufarbować się na jasnoróżowo. — Gale z hukiem stawia tacę obok mojej. — To jej ulubiony kolor. — Posy chichocze i wraca do mamy, a Gale ruchem głowy wskazuje miskę Flaviusa. — Lepiej nie czekaj, aż wystygnie. Zimne ma jeszcze gorszą konsystencję.

Wszyscy zabieramy się do jedzenia. Potrawka nie smakuje źle, ale jest śluzowata i trudno do tego przywyknąć. Czasem człowiek ma wrażenie, że musi trzy razy przełknąć każdy kęs, żeby trafił do żołądka.

Gale, który zwykle niewiele mówi podczas posiłków, tym razem bierze na siebie ciężar prowadzenia rozmowy i pyta o zmianę mojego wizerunku. Wiem, że w ten sposób usiłuje podreperować nasze stosunki. Wczoraj wieczorem pokłóciliśmy się, kiedy oświadczył, że nie pozostawiłam Coin wyboru. Jego zdaniem musiała wysunąć własne żądania w odpowiedzi na mój warunek gwarancji bezpieczeństwa dla zwycięzców.

— Katniss, ona tu rządzi. Przestaną jej słuchać, jeśli pomyślą, że możesz jej rozkazywać.

— Chcesz powiedzieć, że nie toleruje żadnego sprzeciwu, nawet jeśli jest uzasadniony — odparłam.

— Posłuchaj, postawiłaś ją w kłopotliwej sytuacji. Kazałaś jej zagwarantować ochronę Peecie i pozostałym, choć nawet nie wiemy, jakich problemów mogli narobić — zauważył Gale.

— W takim razie powinnam po prostu robić to, co nakazuje plan, i zostawić resztę trybutów samym sobie? W zasadzie to bez znaczenia, bo właśnie tak się zachowujemy!

Zatrzasnęłam mu drzwi przed nosem. Nie siedziałam obok niego przy śniadaniu, a kiedy Plutarch przysłał go dzisiaj rano na trening, bez słowa pozwoliłam mu odejść. Wiem, że powodowała nim wyłącznie troska o mnie, ale przecież naprawdę potrzebuję go u swojego boku. Nie chcę, żeby bronił Coin. Dlaczego Gale tego nie rozumie? Zgodnie z rozpiską po lunchu mam iść z Gale'em do Wydziału Obrony Specjalnej na spotkanie z Beetee'em.

— Nadal się wściekasz — zauważa, kiedy jedziemy windą.

— A ty nadal nie żałujesz swoich słów — odpieram.

— Fakt, obstaję przy swoim. Mam cię okłamywać?

— Nie, ale powinieneś przemyśleć swoje słowa i wyciągnąć odpowiednie wnioski — sugeruję, ale tylko go rozśmieszam. Muszę odpuścić, nie da się dyktować Gale'owi, co ma myśleć. Szczerze mówiąc, między innymi dlatego mu ufam.

Poziom Wydziału Obrony Specjalnej ulokowany jest niemal tak głęboko jak lochy, w których znaleźliśmy ekipę przygotowawczą. Naszym oczom ukazuje się tętniąca życiem sieć pomieszczeń pełnych komputerów, laboratoriów, sprzętu badawczego i strzelnic.

Gdy pytamy o Beetee'ego, prowadzą nas przez labirynt sal, aż wreszcie docieramy do ogromnej szyby z walcowanego szkła. Za oknem rozpościera się pierwszy piękny widok, jaki napotykam w Trzynastym Dystrykcie — replika łąki pełnej prawdziwych drzew, kwitnących roślin i kolibrów. Beetee siedzi nieruchomo na wózku inwalidzkim na samym środku łąki i obserwuje jasnozielonego ptaka, który zawisł w powietrzu, żeby sączyć nektar z dużego kwiatu pomarańczy. Kiedy koliber nagle się płoszy na nasz widok i momentalnie odfruwa, Beetee nas zauważa i macha przyjaźnie ręką, żebyśmy do niego dołączyli.

W środku powietrze jest chłodne i przyjemne, a nie wilgotne i parne, jak się spodziewałam. Ze wszystkich stron dobiega brzęczenie maleńkich skrzydełek, które kiedyś myliło mi się z bzyczeniem owadów w naszych lasach w Dwunastce. Zastanawiam się, jakim zrządzeniem losu powstało tutaj tak miłe miejsce.

Beetee ciągle jest blady jak kreda i wygląda jak typowy rekonwalescent, ale za niedopasowanymi okularami jego oczy lśnią entuzjazmem.

— Czy one nie są fantastyczne? W Trzynastce od lat trwają badania nad ich aerodynamiką. Te ptaki umieją latać do przodu i do tyłu, a osiągają prędkość do stu kilometrów na godzinę. Ech, gdybym mógł zbudować dla ciebie takie skrzydła, Katniss!

— Raczej nie poradziłabym sobie z ich obsługą, Beetee — śmieję się.

— Kolibry potrafią zniknąć w mgnieniu oka. Dałabyś radę upolować któregoś z łuku?

— Nigdy nie próbowałam — mówię. — Mięsa na nich tyle, co kot napłakał.

— Fakt. A ty nie jesteś z tych, co zabijają dla zabawy — dodaje.

— Tak czy owak, idę o zakład, że niełatwo byłoby je ustrzelić.

— Ale można by spróbować schwytać je w pułapkę — odzywa się Gale. Wydaje się błądzić myślami gdzieś daleko, jak zawsze, kiedy rozważa jakiś problem. — Potrzeba by siatki o bardzo drobnych oczkach. Należałoby ogrodzić teren i pozostawić tylko mały otwór wylotowy, jakieś kilkadziesiąt centymetrów kwadratowych. Zwabiłoby się je kwiatami z nektarem, a kiedy kolibry przyleciałyby się najeść, wystarczyłoby zatrzasnąć otwór. Odfrunęłyby od źródła hałasu, ale zaplątały w przeciwległy fragment siatki.

— Sprawdziłoby się to w praktyce? — powątpiewa Beetee.

— Bo ja wiem? To tylko pomysł — oświadcza Gale. — Może by nas przechytrzyły.

— Fakt. Ale bazujesz na ich naturalnym instynkcie, pragnieniu ucieczki przed niebezpieczeństwem. Myślisz tak jak twoja zwierzyna... W ten sposób dostrzegasz jej słabe punkty — rozumuje Beetee.

Przypominam sobie coś, o czym wolałabym nie myśleć. W trakcie przygotowań do Ćwierćwiecza oglądałam film, na którym Beetee, jeszcze jako chłopak, uczestnik igrzysk przed wielu laty, połączył dwa przewody i w ten sposób śmiertelnie poraził prądem bandę dzieciaków, które na niego polowały. Pamiętam ich podrygujące w konwulsjach ciała, groteskowo powykrzywiane twarze. Ostatnie chwile przed zwycięstwem w tamtych igrzyskach Beetee spędził na obserwowaniu umierających. To nie była jego wina, działał w obronie własnej. Jak my wszyscy...

Nagle nabieram ochoty, żeby opuścić pomieszczenie z kolibrami, zanim ktoś zacznie zastawiać pułapki na ptaki.

— Beetee, wiem od Plutarcha, że masz coś dla mnie — mówię.

— Racja, mam. Twój nowy łuk. — Dotyka przycisku kontrolnego na poręczy wózka i wyjeżdża na zewnątrz. Podążamy za nim przez plątaninę sal Obrony Specjalnej, a on wyjaśnia sprawę fotela na kółkach. — Jestem w stanie chodzić, ale niezbyt długo, bo szybko się męczę, a w ten sposób łatwiej mi się przemieszczać z miejsca na miejsce. Jak się miewa Finnick?

— Ma... ma problemy z koncentracją — tłumaczę. Nie chcę powiedzieć, że psychicznie kompletnie się załamał.

— Problemy z koncentracją, co? — Beetee uśmiecha się ponuro. — Gdybyście wiedzieli, przez co przeszedł w ciągu ostatnich lat, bylibyście zdumieni, że w ogóle jest jeszcze z nami. Powtórz mu, że pracuję nad nowym trójzębem dla niego, dobrze? To go trochę oderwie od codzienności. — Oderwanie od codzienności wydaje się ostatnim, czego potrzeba Finnickowi, ale mimo to obiecuję przekazać informację.

Czterech żołnierzy stoi na warcie przy wejściu do sali oznaczonej napisem „Arsenał broni specjalnej". Strażnicy zaczynają od skontrolowania naszych nadruków na przedramionach. Skanują odciski palców, wzór na siatkówce oraz DNA, a potem musimy przejść przez bramkę wykrywacza metalu. Beetee ma zostawić wózek inwalidzki na zewnątrz, ale dostaje inny, gdy w końcu przechodzimy przez wartownię. Cała ta kontrola wydaje mi się dziwaczna, bo nie wyobrażam sobie, żeby ktoś wychowany w Trzynastym Dystrykcie stwarzał zagrożenie, przed którym rząd musiałby się tak drobiazgowo chronić. Czy środki bezpieczeństwa wprowadzono ze względu na ostatni napływ licznych imigrantów?

Przy drzwiach zbrojowni napotykamy następny punkt kontrolny, zupełnie jakby moje DNA mogło się zmienić w czasie potrzebnym do pokonania dwudziestu metrów korytarza. W końcu jednak wpuszczają nas do środka i muszę przyznać, że na widok imponującej kolekcji broni zapiera mi dech w piersiach. Przed nami rozciągają się długie rzędy najrozmaitszych rodzajów broni palnej, wyrzutni, materiałów wybuchowych, pojazdów opancerzonych.

— Rzecz jasna, zasoby broni lotniczej zmagazynowano gdzie indziej — informuje nas Beetee.

— Oczywiście — przytakuję, jakby to się rozumiało samo przez się.

Nie wiem, czy wśród tego supernowoczesnego sprzętu jest miejsce dla prostego łuku i strzał, lecz wkrótce podchodzimy do ściany zabójczej broni łuczniczej. Podczas szkolenia w Kapitolu miałam sporo do czynienia z doskonałą bronią, ale ogólnie biorąc, nie była ona przeznaczona do walki zbrojnej. Skupiam uwagę na groźnie wyglądającym łuku, do tego stopnia nafaszerowanym celownikami i urządzeniami pomocniczymi, że pewnie nawet nie wolno mi go podnieść, a co dopiero wypróbować.

— Gale, może miałbyś chęć wypróbować parę z nich? — proponuje Beetee.

— Poważnie? — zdumiewa się Gale.

— I tak dostaniesz broń, naturalnie, ale skoro masz występować w propagitach jako członek drużyny Katniss, to łuk wypadnie pewnie bardziej widowiskowo. Może znajdziesz taki, który najbardziej ci odpowiada.

— Tak, na pewno — przytakuje Gale i zaciska dłonie na broni, która przed chwilą wpadła mi w oko. Podnosi ją, opiera na ramieniu, po czym mierzy do różnych miejsc w pomieszczeniu, zerkając przez celownik.

— Wygląda na to, że to niezbyt w porządku, jeleń nie ma żadnych szans — zauważam.

— Przecież to nie na jelenie, prawda? — odpiera.

— Zaraz wracam. — Beetee wystukuje kod na klawiaturze w ścianie, a wtedy otwierają się małe drzwi. Patrzę, jak się zamykają, gdy Beetee mija próg.

— Czyli nie będziesz miał z tym problemu? Ze strzelaniem z tego do ludzi? — dopytuję się.

— Tego nie powiedziałem. — Gale opiera łuk o podłogę. — Ale gdybym miał broń, która powstrzymałaby to, co widziałem w Dwunastce... Albo mogła uchronić cię przed trafieniem na arenę... Użyłbym jej.

— Ja też — przyznaję. Nie wiem jednak, co mu powiedzieć o konsekwencjach zabijania ludzi i o tym, że oni nigdy nie odchodzą.

Beetee wtacza się z powrotem z podłużną, czarną, prostokątną walizką, którą nieporadnie opiera o ramię i podtrzymuje na podnóżku wózka. Po chwili zatrzymuje się i przechyla walizkę w moją stronę.

— To dla ciebie.

Kładę ją na podłodze i odpinam zamki po jednej stronie. Wieczko otwiera się na bezszelestnie działających zawiasach, a w środku, na kasztanowym aksamicie, leży olśniewający czarny łuk.

— Och — wzdycham z podziwem.

Ostrożnie unoszę broń i zachwycam się doskonałym wyważeniem, eleganckim projektem i krzywizną ramion, które kojarzą mi się z rozpostartymi skrzydłami szybującego ptaka. Zauważam coś jeszcze. Muszę znieruchomieć, żeby mieć pewność, że wyobraźnia nie płata mi figla. Tak, łuk naprawdę ożywa w moich rękach. Przyciskam go do policzka i czuję delikatne wibracje, głęboko, aż w kościach policzkowych.

— Co on wyprawia? — zdumiewam się.

— Wita się — wyjaśnia Beetee z szerokim uśmiechem. — Usłyszał twój głos.

— Rozpoznaje mnie po głosie?

— Tylko ciebie — mówi. — Bo widzisz, kazali mi tutaj zaprojektować łuk, którego jedynym atutem będzie wygląd. Miał pasować do twojego kostiumu. Ale ja nie mogłem uwolnić się od myśli, że to straszne marnotrawstwo. No bo jeśli kiedyś będziesz naprawdę potrzebowała tego łuku jako broni, nie tylko jako modnego dodatku? Postanowiłem zatem, że będzie wyglądał skromnie, ale poszedłem na całość z wnętrzem. Najlepiej, jeśli przekonasz się o tym w praktyce. Macie ochotę sobie postrzelać?

Mamy. Strzelnica jest już przygotowana na nasze przybycie. Strzały stworzone przez Beetee'ego okazują się równie fenomenalne jak sam łuk. Dzięki temu kompletowi udaje mi się celnie strzelać na odległość ponad stu metrów. Strzały mają różnorodne zastosowania — jedne są ostre jak brzytwa, inne zapalające, nie brak i wybuchowych — dzięki nim łuk jest niezwykle uniwersalną bronią. Poza tym kolorowe brzechwy pozwalają łatwo odróżnić je od siebie. Przez cały czas dysponuję możliwością wydawania komend głosowych, ale nie wiem, po co miałabym to robić. Żeby wyłączyć specjalne funkcje łuku, muszę powiedzieć tylko: „Dobranoc". Wtedy broń idzie spać i budzi się dopiero wtedy, gdy znowu do niej przemówię.

W dobrym nastroju żegnam się z Gale'em oraz Beetee'em i wracam do ekipy przygotowawczej. Następnie siadam i cierpliwie czekam, aż zrobią mi makijaż i dopasują kostium, do którego dodatkiem jest zakrwawiony bandaż wokół blizny na przedramieniu. To ma być dowód, że niedawno uczestniczyłam w walce. Venia przypina mi nad sercem broszkę z kosogłosem, a ja biorę swój łuk oraz kołczan ze zwykłymi strzałami od Beetee'ego. Wiem, że i tak nikt by mi nie pozwolił paradować ze zmodyfikowaną amunicją. Potem przechodzimy do studia filmowego, gdzie stoję całymi godzinami, podczas gdy ludzie wokoło poprawiają mi makijaż, zmieniają ustawienie świateł oraz natężenie dymu. W końcu coraz rzadziej słyszę polecenia wydawane za pośrednictwem interkomu przez niewidoczne osoby w tajemniczych, oszklonych kabinach. Fulvia i Plutarch spędzają więcej czasu na obserwowaniu mnie, a mniej na korektach. Ostatecznie na planie zapada cisza i przez okrągłe pięć minut wszyscy tylko przyglądają mi się z uwagą.

— O to chyba chodzi — oznajmia wreszcie Plutarch.

Ktoś przywołuje mnie do monitora kontrolnego, na którym oglądam kilka ostatnich minut nagrania. Moim oczom ukazuje się jakaś kobieta, o większej, potężniejszej sylwetce niż moja. Jej umorusana twarz wygląda seksownie, a czarne brwi są buntowniczo ściągnięte. Z ubrania sączą się smużki dymu, co ma sugerować, że właśnie ugaszono na niej odzież albo że lada moment stanie w płomieniach. Nie wiem, kim jest ta kobieta.

Finnick, który już od kilku godzin wędruje po planie, przystaje za moimi plecami.

— Teraz będą chcieli cię zabić, pocałować albo być tobą — mówi ze szczyptą typowego dla siebie poczucia humoru.

Panuje powszechny entuzjazm, wszyscy są zachwyceni efektami swojej pracy. Dochodzi pora kolacji, a mimo to upierają się, żebyśmy nie przerywali. Jutro skupimy się na przemówieniach, wywiadach, i będę udawała, że uczestniczę w rebelianckich bitwach. Dzisiaj mam wygłosić tylko jedno hasło, zwięzłą kwestię, którą zamierzają wmontować do krótkiej propagity i pokazać Coin.

— Ludu Panem, walczymy śmiało i nasycimy głód sprawiedliwości!

Oto cały slogan. Recytują te słowa z ogromnym namaszczeniem, więc od razu wiem, że dobierali je miesiącami, może latami, i są z nich naprawdę dumni. Jak dla mnie, hasło jest przydługie, trudne do wymówienia i sztywne. Nie wyobrażam sobie, że mogłabym je powiedzieć w normalnym życiu — chyba że z kapitolińskim akcentem, w ramach wygłupu, tak samo jak wtedy, gdy razem z Gale'em naśladowałam Effie Trinket: „I niech los zawsze wam sprzyja!" Ale Fulvia zagląda mi w twarz i opisuje bitwę, w której właśnie uczestniczyłam. Wszędzie wokoło walają się zwłoki moich towarzyszy broni, a ja mam wezwać żywych do boju! W tym celu muszę się odwrócić do kamery i wykrzyczeć swoją kwestię. Zostaję pośpiesznie zaprowadzona na wyznaczone miejsce, rusza maszyna do dymienia. Ktoś krzykiem wymusza ciszę, operatorzy uruchamiają kamery.

— Akcja! — słyszę.

Unoszę łuk nad głową i ryczę z całą złością, na jaką mnie stać:

— Ludu Panem, walczymy śmiało i nasycimy głód sprawiedliwości!

Na planie zapada grobowa cisza, która trwa i trwa.

W końcu przerywa ją trzask interkomu oraz donośny, zgryźliwy śmiech Haymitcha. Udaje mu się w końcu zapanować nad sobą na tyle, by wykrztusić:

— I tak oto, przyjaciele, umiera rewolucja.

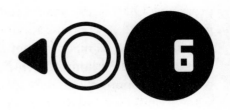

Wstrząs wywołany wczorajszym objawieniem się Haymitcha i świadomością, że nie tylko jest całkiem sprawny, ale znowu do pewnego stopnia kontroluje moje życie, doprowadził mnie do szału. Natychmiast wyszłam ze studia, a dzisiaj odmówiłam przyjmowania do wiadomości jego uwag z kabiny. Mimo to z miejsca zrozumiałam, że trafnie ocenił mój występ.

Przez cały dzisiejszy ranek przekonywał ludzi, że z tymi ograniczeniami, które mam, na pewno mi się nie uda. Nie mogą się domagać, abym stała w studiu telewizyjnym w makijażu i kostiumie, otoczona chmurą sztucznego dymu, i w takich warunkach mobilizowała dystrykty do zwycięskiej walki. To zdumiewające, jak długo dawałam sobie radę przed kamerami — a zawdzięczam to Peecie, rzecz jasna. Samotna nie sprawdzę się jako Kosogłos.

Zbieramy się wokół wielkiego stołu w Dowództwie. Jest prezydent Coin i jej ludzie, Plutarch, Fulvia i moja ekipa przygotowawcza. Grupa z Dwunastki, między innymi Haymitch i Gale, ale także kilka innych osób, których obecności nie potrafię wyjaśnić, czyli choćby Leevy'ego i Śliskiej Sae. W ostatniej chwili Finnick wtacza Beetee'ego, a towarzyszy im Dalton, specjalista od bydła z Dziesiątki. Podejrzewam, że Coin zgromadziła to dziwnie dobrane towarzystwo, żeby było świadkiem mojej klęski.

Jak się jednak okazuje, nie kto inny jak Haymitch wita przybyłych, a z jego słów wnioskuję, że zjawili się na jego osobiste zaproszenie. Od momentu kiedy rzuciłam się na niego z pazurami, nie przebywaliśmy w tym samym pomieszczeniu. Unikam spoglądania wprost na niego, ale zerkam na jego odbicie w jednym z lśniących paneli kontrolnych pod ścianą. Ma trochę żółtawą cerę i stracił sporo kilogramów, przez co sprawia wrażenie, jakby się skurczył. Przez moment boję się, że umiera, i muszę sobie przypomnieć, że przecież nic mnie to nie obchodzi. Haymitch zaczyna od zademonstrowania nam właśnie nagranego materiału. Wygląda na to, że pod kierunkiem Plutarcha i Fulvii zdołałam osiągnąć dno i zapukać od spodu. I głos, i ciało mi drżą, przypominam marionetkę potrząsaną niewidzialną ręką.

— No dobrze — odzywa się Haymitch po zakończeniu seansu. — Czy ktoś z obecnych uważa, że to, co widzieliśmy, pomoże nam w wygraniu wojny? — Nikt się nie zgłasza. — Świetnie, oszczędzimy czas. W takim razie proszę o chwilę ciszy. Chcę, żeby każdy spróbował przypomnieć sobie sytuację, w której Katniss Everdeen zachowała się naprawdę poruszająco. Nie chodzi mi o takie chwile, kiedy to zazdrościliście jej fryzury, ani o to, jak gdy sukienka stanęła w płomieniach czy nie udał się jej strzał z łuku. Nie mam też na myśli sytuacji, w których lubiliście ją dzięki Peecie. Chcę się dowiedzieć, kiedy sama sprawiła, że naprawdę coś poczuliście.

Zapada milczenie i wkrótce nabieram przekonania, że będzie trwało wiecznie, ale nieoczekiwanie głos zabiera Leevy:

— Pamiętam, jak podczas dożynek Katniss zgłosiła się dobrowolnie, żeby zastąpić Prim. Musiała wtedy myśleć, że idzie na pewną śmierć.

— Dobrze. Doskonały przykład — zgadza się Haymitch. Sięga po fioletowy flamaster i zapisuje na kartce w notatniku: „Z własnej woli zastąpiła siostrę na dożynkach". Rozgląda się wokół stołu. — Ktoś jeszcze?

Zdumiewa mnie, że następną osobą jest Boggs, którego uważam za muskularnego robota na usługach Coin.

— Kiedy śpiewała piosenkę. Jak umarła ta mała dziewczynka.

Gdzieś w głębi umysłu pojawia mi się wspomnienie Boggsa z małym chłopcem, który przycupnął mu na biodrze. Chyba widziałam ich w jadalni. Może jednak Boggs nie jest robotem.

— Komu wtedy nie zaszkliły się oczy? — Haymitch zapisuje następny punkt.

— Płakałam, kiedy podała Peecie środek nasenny, żeby iść po lekarstwo dla niego, i jak pocałowała go na pożegnanie! — wyrzuca z siebie Octavia i zasłania usta dłonią, jakby była przekonana, że popełniła okropny błąd.

— O, tak. — Haymitch kiwa głową. — Podała Peecie środek nasenny, żeby uratować mu życie. Doskonale.

Szybko pojawiają się coraz to nowe przykłady, jeden za drugim. Kiedy postanowiłam, że Rue zostanie moją sojuszniczką. Kiedy wyciągnęłam rękę do Chaffa podczas wieczornego wywiadu, kiedy usiłowałam nieść Mags. Ciągle powtarza się sytuacja z jagodami, która dla każdego jest symbolem czegoś innego. Dla jednych to miłość do Peety, dla innych odmowa poddania się pomimo beznadziejnej sytuacji, dla jeszcze innych wyraz buntu przeciwko nieludzkiej polityce Kapitolu.

Haymitch unosi notatnik.

— A teraz musimy sobie odpowiedzieć na pytanie, co te wszystkie sytuacje mają ze sobą wspólnego.

— Katniss była ich bohaterką — mówi Gale cicho. — Nikt jej nie powiedział, co ma robić ani co ma mówić.

— Tak jest, nie było tam scenariusza! — przytakuje Beetee. Wyciąga rękę i klepie mnie po dłoni. — Zatem powinniśmy dać ci święty spokój, tak?

Ludzie wybuchają śmiechem, nawet ja lekko się uśmiecham.

— Wszystko to bardzo miłe, ale niespecjalnie pomocne — odzywa się nadąsana Fulvia. — Niestety, tutaj, w Trzynastce, raczej nie będzie miała okazji zaprezentować się z cudownej strony. Jeśli więc nie sugerujecie, że powinniśmy rzucić ją w sam środek bitwy…

— Jeśli o mnie chodzi, właśnie to sugeruję — przerywa jej Haymitch. — Trzeba ją wprowadzić na plac boju i uruchomić kamery.

— Przecież ludzie myślą, że jest w ciąży — zauważa Gale.

— Upowszechnimy wersję, że straciła dziecko w wyniku porażenia elektrycznego na arenie — tłumaczy Plutarch. — Bardzo smutne... Co za pech.

Pomysł z rzuceniem mnie w wir walki jest kontrowersyjny, ale Haymitch ma rację. Skoro zachowuję się jak trzeba tylko w prawdziwym życiu, należy to wykorzystać.

— Gdy ją szkolimy albo dajemy nową kwestię do nauczenia się na pamięć, możemy tylko mieć nadzieję, że w najlepszym wypadku wyjdzie jako tako — zauważa Haymitch. — Tymczasem to musi płynąć z niej, ze środka, wtedy to porusza ludzi.

— Nawet jeśli będziemy ostrożni, nie zdołamy zagwarantować jej bezpieczeństwa — wtrąca Boggs. — Będzie celem dla wszystkich...

— Ale ja chcę walczyć — przerywam mu. — Tutaj nie pomagam rebeliantom.

— A jeśli zginiesz? — pyta Coin.

— Wszystko nagrywajcie i w razie czego zrobicie użytek z materiału — odpowiadam.

— Zgoda. Ale będziemy działali stopniowo, krok po kroku. Znajdziemy sytuację, niezbyt niebezpieczną, która wyzwoli w tobie nieco spontaniczności. — Coin spaceruje po Dowództwie i ogląda podświetlone mapy dystryktów z obrazem aktualnego rozmieszczenia wojsk. — Po południu zabierzecie ją do Ósemki. Dzisiaj rano było tam intensywne bombardowanie, ale wygląda na to, że atak minął się z celem. Chcę, żeby znalazła się tam razem z drużyną uzbrojonych strażników. Obsługa kamery ma się znajdować na ziemi. Haymitch, proszę pozostać w powietrzu i utrzymywać stały kontakt z żołnierzem Everdeen. Jakieś uwagi?

— Trzeba jej umyć twarz — odzywa się Dalton. Wszyscy kierują na niego spojrzenia. — To dziewczyna, a wy zrobiliście z niej trzydziestopięciolatkę. Niedobrze, bardzo w stylu Kapitolu.

Coin kończy zebranie, a Haymitch pyta ją, czy może porozmawiać ze mną na osobności. Wychodzą wszyscy z wyjątkiem Gale'a, który niepewnie kręci się u mojego boku.

— Czym się przejmujesz? — pyta go Haymitch. — To ja potrzebuję goryla.

— Dam sobie radę — zwracam się do Gale'a, który dopiero wtedy odchodzi.

Zapada cisza, zakłócana wyłącznie mruczeniem urządzeń i łagodnym warkotem systemu wentylacyjnego. Haymitch zajmuje miejsce naprzeciwko mnie.

— Znowu będziemy razem pracowali, i to ciężko. Więc śmiało, mów, co ci leży na wątrobie.

Przypominam sobie ostrą i pełną okrucieństwa rozmowę na pokładzie poduszkowca, a także wrogość, która po niej zapanowała.

— Nie mogę uwierzyć, że nie uratował pan Peety — mówię jednak spokojnie.

— Wiem — kiwa głową.

Czuję niedosyt. Nie chodzi o to, że Haymitch nie przeprasza mnie za to, co zrobił, ale o to, że byliśmy jedną drużyną. Zawarliśmy porozumienie, żeby wspólnie dbać o bezpieczeństwo Peety. To był pijacki, mało realny układ pod osłoną nocy, ale zawsze.

— Teraz pan — decyduję. — Niech pan mówi.

— Nie mogę uwierzyć, że tamtej nocy spuściłaś go z oczu — wyjawia Haymitch.

Potwierdzam skinieniem głowy. W tym rzecz.

— Odtwarzam w myślach tamtą sytuację, chwila po chwili. Zastanawiam się, co mogłam zrobić, żeby go utrzymać przy sobie bez zrywania porozumienia. Ale nie znajduję żadnego rozwiązania.

— Nie miałaś wyboru. Nawet gdybym zdołał przekonać Plutarcha, że trzeba zostać na miejscu i uratować Peetę, to przecież doszłoby do katastrofy poduszkowca. I tak wydostaliśmy się z najwyższym trudem. — W końcu patrzę Haymitchowi w oczy. Oczy mieszkańca Złożyska, szare i głębokie, a teraz podkrążone po nieprzespanych nocach. — Katniss, on jeszcze nie umarł.

— Ciągle jesteśmy w grze. — Usiłuję wykrzesać z siebie optymizm, ale łamie mi się głos.

— Zgadza się. A ja wciąż jestem twoim mentorem. — Haymitch mierzy do mnie flamastrem. — Na ziemi pamiętaj, że będę cię obserwował z powietrza. Z poduszkowca jest lepszy widok, więc rób to, co ci każę.

— Zobaczymy — odcinam się.

Wracam do sali i patrzę, jak makijaż znika w odpływie umywalki, kiedy szoruję twarz do czysta. Osoba w lustrze jest wymizerowana, ma plamy na skórze i zmęczone oczy, niemniej wygląda jak ja. Zdzieram opaskę z przedramienia i odsłaniam paskudną bliznę po usunięciu lokalizatora. I już. To też część prawdziwej mnie.

Ponieważ trafię do strefy objętej działaniami wojennymi, Beetee pomaga mi włożyć zaprojektowany przez Cinnę pancerz. Hełm jest z metalowej plecionki, która gładko przylega do głowy, i elastyczny jak tkanina. Mogę go zsunąć na plecy niczym kaptur, jeśli będę chciała. Dostaję kamizelkę, dla ochrony organów wewnętrznych, i jeszcze małą białą słuchawkę połączoną drutem z kołnierzem. Beetee zawiesza mi u pasa maskę, której nie muszę nosić, chyba że dojdzie do ataku gazowego.

— Jeżeli zobaczysz, że ktoś z niezrozumiałych powodów osuwa się na ziemię, natychmiast ją załóż — instruuje mnie. Na koniec zapina mi na plecach kołczan, podzielony na trzy cylindryczne segmenty ze strzałami. — Tylko pamiętaj: z prawej strony zapalające, z lewej wybuchowe, a pośrodku tradycyjne. Nie powinny być potrzebne, ale przezorny zawsze ubezpieczony.

Zjawia się Boggs, żeby odprowadzić mnie do Wydziału Lotnictwa. Zjeżdża winda, pojawia się również wyraźnie poruszony Finnick.

— Katniss, oni nie chcą mnie puścić! Powiedziałem im, że ze mną wszystko w porządku, ale nie pozwalają mi nawet wejść na pokład poduszkowca!

Uważnie patrzę na Finnicka. Ma gołe nogi, widoczne między skrajem szpitalnej koszuli a kapciami, jest nieuczesany, wokół palców okręcił splątaną linkę, wodzi dookoła rozkojarzonym wzrokiem. Od razu dociera do mnie, że jakiekolwiek wstawiennictwo nie ma sensu, sama zresztą uważam, że zabieranie go nie byłoby dobrym pomysłem. W takiej sytuacji strzelam się dłonią w czoło.

— Kompletnie zapomniałam — mówię. — Miałam przekazać ci, że musisz się zgłosić do Beetee'ego, do arsenału broni specjalnej. Zaprojektował dla ciebie nowy trójząb.

— Poważnie? — Mam wrażenie, że słowo „trójząb" wskrzesiło dawnego Finnicka. — Ma jakieś nietypowe funkcje?

— Tego nie wiem, ale jeśli choć trochę przypomina mój łuk i strzały, to z miejsca się zakochasz — zapewniam go. — Ale musisz trochę potrenować.

— Jasne. Oczywiście. No to chyba od razu tam pójdę — postanawia.

— Finnick? — powstrzymuję go. — Może w spodniach?

Opuszcza wzrok na nogi, jakby pierwszy raz zauważył swój strój, po czym jednym ruchem ściąga długą koszulę i zostaje w samej bieliźnie.

— Dlaczego? — Przybiera absurdalnie prowokującą pozę. — Czy mój wygląd nie pozwala ci się skupić?

Śmieję się mimowolnie, bo żart jest zabawny, a na dodatek wprawia Boggsa w wyraźne zakłopotanie. Cieszy mnie, że Finnick znowu zachowuje się jak facet, którego poznałam podczas Ćwierćwiecza Poskromienia.

— Odair, jestem tylko człowiekiem. — Wsiadam do windy tuż przed zamknięciem drzwi. — Przepraszam — mówię do Boggsa.

— Nie ma za co. Moim zdaniem... dobrze sobie poradziłaś — przyznaje. — Niewiele brakowało, a musiałbym go aresztować.

— Tak — przyznaję i zerkam na niego dyskretnie. Ma chyba po czterdziestce, siwe włosy ostrzyżone na jeża i niebieskie oczy. Jest fantastycznie zbudowany. Już dwa razy jego dzisiejsze wypowiedzi wskazywały na to, że wolałby być moim przyjacielem niż wrogiem. Może powinnam dać mu szansę. Problem w tym, że wydaje się całkowicie oddany prezydent Coin...

Rozbrzmiewa seria głośnych stukotów, winda nieruchomieje na moment, a potem rusza poziomo w lewo.

— Jedziemy bokiem? — zdumiewam się.

— Tak. W podziemiach Trzynastki windy mają rozbudowaną sieć połączeń. Teraz przemieszczamy się tuż ponad korytarzem transportowym piątej platformy lotniczej. Niedługo dotrzemy do hangaru.

Hangar. Lochy. Wydział Obrony Specjalnej. Poza tym gdzieś tutaj uprawia się rolę, wytwarza prąd, uzdatnia wodę i powietrze.

— Trzynastka jest jeszcze większa, niż sądziłam.

— W większości to nie nasza zasługa — wyjaśnia Boggs. — Przecież odziedziczyliśmy to miejsce i przede wszystkim musimy dbać o to, żeby wszystko sprawnie funkcjonowało.

Znowu rozlega się stukot i przez chwilę opadamy. Pokonujemy kilka poziomów, a potem drzwi otwierają się na hangar.

— Rety... — Mimowolnie wzdycham głęboko na widok floty pojazdów. Widzę niezliczone rzędy najrozmaitszych poduszkowców. — Odziedziczyliście także te maszyny?

— Część wyprodukowaliśmy. Część należała do sił powietrznych Kapitolu, ale je zmodernizowano, rzecz jasna — odpowiada.

Ponownie ogarnia mnie nienawiść do Trzynastki.

— A więc dysponowaliście takim arsenałem, a mimo to pozostawiliście resztę dystryktów bez żadnej możliwości obrony przed Kapitolem?

— To nie jest takie proste, jak się wydaje — mówi Boggs. — Dopiero od niedawna jesteśmy w stanie wyprowadzić skuteczny kontratak, wcześniej z trudem walczyliśmy o przetrwanie. Po tym, jak pokonaliśmy ludzi Kapitolu i straciliśmy wrogów, tylko garstka z nas umiała pilotować. Jak wiadomo, mogliśmy dokonać ataku nuklearnego. To fakt, ale w takich wypadkach zawsze trzeba odpowiedzieć sobie na zasadnicze pytanie. Czy tego typu wojna z Kapitolem nie doprowadzi do całkowitego wyniszczenia ludzkości?

— Mówi pan tak jak Peeta. Tyle że jego okrzyknięto tutaj zdrajcą — zauważam.

— Bo wzywał do zawieszenia broni — przypomina Boggs.

— Pamiętaj, żadna ze stron nie sięgnęła po arsenał jądrowy. Załatwiamy porachunki w staromodnym stylu. Tutaj, żołnierzu Everdeen. — Wskazuje jeden z mniejszych poduszkowców.

Wdrapuję się po schodkach i widzę, że w środku czeka ekipa telewizyjna ze sprzętem, a także grupa innych osób w ciemnoszarych wojskowych kombinezonach Trzynastego Dystryktu. Nawet Haymitch ma na sobie ten strój, choć najwyraźniej przeszkadza mu obcisły kołnierz.

Fulvia Cardew podchodzi szybkim krokiem i wydaje jęk rozczarowania na widok mojej czystej twarzy.

— Tyle roboty poszło do ścieków — wzdycha. — Nie winię cię za to, Katniss, problem w tym, że bardzo niewiele osób rodzi się z fotogenicznymi twarzami. Takimi jak jego. — Chwyta Gale'a, pogrążonego w rozmowie z Plutarchem, i obraca go ku nam. — Przystojniak z niego, co?

Gale naprawdę wygląda olśniewająco w mundurze, przynajmniej ja tak uważam. Fulvia wprawia nas jednak w zakłopotanie, zwłaszcza ze względu na naszą przeszłość. Zastanawiam się nad ciętą ripostą, kiedy Boggs oświadcza obcesowo:

— Nie spodziewaj się, że będziemy pod wrażeniem. Przed chwilą widzieliśmy Finnicka Odaira w samych majtkach. Postanawiam zaryzykować i polubić Boggsa.

Z głośników pada informacja o starcie, więc przypinam się pasem na fotelu obok Gale'a, twarzą w twarz z Haymitchem i Plutarchem. Suniemy labiryntem tuneli, aż w końcu docieramy do platformy. Poduszkowiec nieruchomieje, a winda unosi go powoli, przez kolejne poziomy, i wkrótce jesteśmy na rozległym polu otoczonym lasem, a po oderwaniu się od platformy znikamy w chmurach.

Teraz, kiedy minęło zamieszanie, które zaowocowało tą wyprawą, dociera do mnie, że nie mam zielonego pojęcia, co mnie spotka na miejscu, w Ósmym Dystrykcie. Właściwie bardzo mało wiem o aktualnym przebiegu konfliktu, a także o tym, co trzeba zrobić, aby zwyciężyć. Trudno mi też powiedzieć, co się stanie, jeśli wygramy.

Plutarch próbuje mnie pokrótce wtajemniczyć. Najważniejsze jest to, że obecnie prawie wszystkie dystrykty toczą wojnę z Kapitolem. Wyjątek to Dwójka, która zawsze utrzymywała dobre relacje z naszymi wrogami, pomimo przymusowego udziału w Głodowych Igrzyskach. Mieszkańcy Dwójki dostają więcej żywności i mają zagwarantowane lepsze warunki życia niż obywatele innych dystryktów. Po Mrocznych Dniach i domniemanym zniszczeniu Trzynastki Drugi Dystrykt stał się nowym ośrodkiem przemysłu zbrojeniowego Kapitolu, choć publicznie prezentuje się go jako narodowe źródło zaopatrzenia w surowce kamienne, podobnie jak Trzynastka słynęła z wydobycia grafitu. Drugi Dystrykt jest odpowiedzialny nie tylko za produkcję broni, ale także za szkolenie, a nawet rekrutację Strażników Pokoju.

— To znaczy, że część Strażników Pokoju to osoby urodzone w Dwójce? — upewniam się. — A więc nie wszyscy pochodzą z Kapitolu?

Plutarch potwierdza skinieniem głowy.

— Nie wszyscy, choć ludzie mają myśleć inaczej. Poza tym część Strażników Pokoju naprawdę wywodzi się z Kapitolu, tyle że mieszka tam za mało ludzi, aby możliwe było utrzymanie tak potężnej armii. Istnieje też problem rekrutacji wychowanych w Kapitolu obywateli, którzy na ogół nie są zainteresowani nudną służbą w surowych warunkach dystryktów. Strażnicy podpisują kontrakty na dwadzieścia lat i w tym czasie nie mogą sobie pozwolić ani na ślub, ani na dzieci. Część mundurowych przystaje na takie warunki ze względów honorowych, inni uciekają do służby przed karą. Wśród Strażników Pokoju jest bardzo wielu bankrutów, którym darowano długi. W Kapitolu mnóstwo ludzi tonie w długach, ale nie wszyscy są zdolni do służby wojskowej, dlatego prowadzimy nabór w Drugim Dystrykcie. Dla jego mieszkańców to szansa na wyjście z biedy i alternatywa dla pracy w kamieniołomie. Obywatele Dwójki są wychowywani na wojowników. Sama widziałaś, jak chętnie miejscowe dzieci zgłaszają się do igrzysk.

Cato i Clove. Brutus i Enobaria. Oczywiście, że zwróciłam uwagę na ich zapał i żądzę mordu.

— Jak rozumiem, wszystkie pozostałe dystrykty są po naszej stronie? — pytam dla pewności.

— Tak. Naszym celem jest przejęcie władzy we wszystkich po kolei, kończąc na Dwójce. W rezultacie chcemy odciąć źródła zaopatrzenia Kapitolu w surowce. Kiedy wróg będzie dostatecznie osłabiony, zaatakujemy go bezpośrednio — tłumaczy Plutarch.

— Wtedy stawimy czoło zupełnie nowemu wyzwaniu, ale uporamy się z nim, gdy przyjdzie co do czego.

— Kto stanie na czele rządu, jeśli zwyciężymy? — chce wiedzieć Gale.

— My wszyscy — oświadcza Plutarch. — Stworzymy republikę, w której mieszkańcy każdego z dystryktów oraz Kapitolu będą mogli wybierać własnych przedstawicieli i mieć prawo głosu we władzach centralnych. Nie rób takiej podejrzliwej miny, to rozwiązanie sprawdzało się w przeszłości.

— W książkach — mamrocze Haymitch.

— W książkach historycznych — mówi Plutarch. — Skoro nasi przodkowie umieli sobie radzić w taki sposób, to i my możemy. Szczerze mówiąc, nasi przodkowie raczej nie mają się czym chwalić. Wystarczy popatrzeć, w jakim stanie zostawili nasz świat — nieustanne wojny i wyniszczona planeta. To jasne, że ich nie obchodziło, co się stanie z następnymi pokoleniami, ale pomysł z republiką i tak wydaje się zapowiadać lepszą przyszłość od tego, jak w tej chwili funkcjonują nasze władze.

— A jeśli przegramy? — zastanawiam się.

— Jeśli przegramy? — Plutarch patrzy na chmury, a na jego ustach błąka się ironiczny uśmieszek. — Wówczas w przyszłym roku można się spodziewać niezapomnianych Głodowych Igrzysk. A właśnie — dodaje, jakby sobie coś przypomniał. Wyjmuje z kamizelki fiolkę i wytrząsa z niej kilka intensywnie fioletowych kapsułek, które podaje nam na otwartej dłoni. — Katniss, na twoją cześć nazwaliśmy je łykołakami. Rebelianci nie mogą sobie teraz pozwolić na to, żeby ktokolwiek z nas trafił do niewoli. Obiecuję jednak, problem rozwiąże się całkiem bezboleśnie.

Biorę do ręki truciznę i przez sekundę zastanawiam się, gdzie ją schować. Plutarch wymownie stuka mnie w ramię, z przodu lewego rękawa. Uważnie oglądam wskazane miejsce i dostrzegam maleńką kieszonkę, która jednocześnie zabezpiecza i ukrywa kapsułkę. Nawet ze związanymi rękami mogłabym pochylić głowę i wyciągnąć preparat zębami.

Wygląda na to, że Cinna pomyślał o wszystkim.

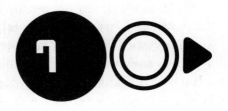

Poduszkowiec prędko opada spiralnym lotem nad drogą na przedmieściach Ósemki. Niemal natychmiast po otwarciu drzwi wysuwają się schody i zostajemy wyrzuceni na asfalt. Gdy ostatnia osoba opuszcza pokład, sprzęt chowa się w pojeździe, który wzbija się w niebo i znika. Pozostaję z ochroną w osobach Gale'a, Boggsa i jeszcze dwóch żołnierzy. Ekipa telewizyjna składa się z pary potężnie zbudowanych kamerzystów z Kapitolu, wyposażonych w ciężkie, przenośne kamery, których obudowa otacza ich ciała niczym pancerze owadów, reżyserki o imieniu Cressida o gładko ogolonej głowie z wytatuowanymi zielonymi winoroślami oraz jej asystenta, Messalli, szczupłego, młodego mężczyzny z kilkoma kompletami kolczyków w uszach. Przyglądam mu się uważnie i dostrzegam, że ma także przekłuty język, w którym nosi srebrny ćwiek wielkości szklanej kulki do gry.

Boggs przegania nas z jezdni i kieruje ku szeregowi magazynów, kiedy pojawia się drugi poduszkowiec. Tym razem na ziemię trafiają skrzynki z artykułami medycznymi i zespół sześciu lekarzy — rozpoznaję ich po charakterystycznych białych strojach. Wszyscy podążamy za Boggsem bocznym przesmykiem między dwoma brudnoszarymi magazynami. Porysowane metalowe ściany tylko od czasu do czasu urozmaica prowadząca na dach drabina. Gdy wychodzimy na ulicę, czujemy się tak, jakbyśmy wkroczyli do innego świata.

Ze wszystkich stron, na naprędce skleconych noszach, taczkach, wózkach, na ramionach i rękach innych znoszeni są ludzie poszkodowani w porannym bombardowaniu — zakrwawieni, z poobrywanymi kończynami, nieprzytomni. Kto może, dostarcza ich do magazynu z koślawo namalowanym SZ nad wejściem. Widzę scenę jak z mojej dawnej kuchni, gdzie mama leczyła umierających, tyle że teraz są ich dziesiątki i setki. Spodziewałam się ujrzeć zburzone budynki, a tymczasem wszędzie widzę okaleczone ludzkie ciała.

Czy właśnie tutaj zamierzają mnie nagrywać? Odwracam się do Boggsa.

— Nic z tego nie będzie — zauważam. — Nie sprawdzę się tutaj.

Z pewnością dostrzegł panikę w moich oczach, bo zatrzymuje się na moment i kładzie mi dłonie na ramionach.

— Sprawdzisz się doskonale — mówi. — Tylko poczekaj, aż cię zobaczą. Żaden lekarz na świecie nie pomoże im tak jak ty.

Zauważa nas kobieta, która kieruje nowych pacjentów do środka. Zerka na nas ponownie, jakby dla pewności, i podchodzi bliżej. Ma opuchnięte ze zmęczenia, ciemnobrązowe oczy, czuć od niej metal i pot. Bandaż otaczający jej szyję powinien być zmieniony ze trzy dni temu. Pasek pistoletu maszynowego, zarzuconego na plecy, wpija się jej w ramię. Kobieta unosi go, żeby poprawić broń, i kciukiem wskazuje lekarzom wejście do magazynu. Posłusznie znikają w środku.

— Oto dowódca Paylor z Ósemki — przedstawia ją Boggs. — A to żołnierz Katniss Everdeen.

Wygląda zaskakująco młodo jak na dowódcę. Ma niewiele po trzydziestce, ale mówi nieznoszącym sprzeciwu głosem, przez co czuję, że jej awans nie był bezpodstawny. U jej boku, w lśniącym nowością stroju, wymuskana i elegancka, czuję się jak ledwie wykluty kurczak, który nie zna prawdziwego życia i dopiero się uczy, jak sobie radzić na świecie.

— Tak, wiem, kim ona jest — potwierdza Paylor. — Zatem żyjesz. Nie mieliśmy pewności.

Czy mylę się, rozpoznając w jej słowach oskarżycielski ton?

— Sama nie mam pewności — odpowiadam.

— Długo dochodziła do siebie. — Boggs klepie się po głowie.

— Doznała silnego wstrząsu. — Na moment ścisza głos. — Poronienie. Ale uparła się, żeby tutaj przylecieć i zobaczyć waszych rannych.

— Ich akurat nam nie brak — zauważa Paylor.

— Myśli pani, że to dobry pomysł? — Gale marszczy brwi i wskazuje wzrokiem szpital. — Tak zgromadzić rannych? Jak dla mnie, pomysł nie jest dobry. Byle zakaźna choroba rozprzestrzeniłaby się tutaj jak ogień w lesie.

— Moim zdaniem to odrobinę lepsze niż pozostawienie tych ludzi na pewną śmierć — cedzi Paylor.

— Nie o to mi chodziło — protestuje Gale.

— Chwilowo to jedyne wyjście. Ale jeśli przyjdzie ci do głowy lepsze rozwiązanie, a w dodatku uzyskasz wsparcie Coin, to zamienię się w słuch. — Paylor kiwa na mnie dłonią, żebym weszła. — Zapraszam, Kosogłosie. Twoi przyjaciele są też mile widziani.

Odwracam się i spoglądam na paradę dziwolągów składających się na moją ekipę, przygotowuję się na najgorsze i idę za Paylor do szpitala.

Wzdłuż całej długości budynku wisi ciężka, przemysłowa zasłona, tworząc przestronny korytarz. Trupy leżą jeden obok drugiego, zasłona ociera się o ich głowy, twarze mają zasłonięte białym materiałem.

— Kilka przecznic na zachód stąd kopiemy masowy grób, ale brakuje mi siły roboczej, więc nie ma komu przenieść zwłok — wyjaśnia Paylor. Wkrótce odszukuje szczelinę w zasłonie i rozchyla ją szeroko.

Zaciskam palce na nadgarstku Gale'a.

— Nie odchodź ani na moment — szepczę ledwie słyszalnym głosem.

— Będę tuż obok — zapewnia mnie cicho.

Wsuwam się za zasłonę i nagle mam wrażenie, że moje zmysły oszalały. W pierwszym odruchu chcę zatkać nos, żeby odgrodzić się od upiornego fetoru brudnej pościeli, gnijącego mięsa i wymiotów. Wszystkie te okropieństwa dojrzewają w cieple magazynu. Personel pootwierał świetliki, symetrycznie rozmieszczone na wysokim, metalowym suficie, ale z trudem napływające świeże powietrze nie ma szansy przebić się przez smrodliwą mgłę na dole. Jedynym źródłem światła są cienkie snopki promieni słonecznych, a gdy mój wzrok przyzwyczaja się do półmroku, zauważam liczne rzędy rannych, którzy leżą na łóżkach polowych, słomianych materacach i na podłodze. Jest ich mnóstwo, zajmują całą wolną przestrzeń. Słyszę brzęczenie czarnych much, jęki cierpiących ludzi, szlochy ich bliskich, którzy usiłują opiekować się ukochanymi. Te dźwięki łączą się w jeden wstrząsający chór.

W dystryktach nie ma prawdziwych szpitali, umieramy w domu, co w tej chwili wydaje się znacznie bardziej pożądaną alternatywą dla tego, co widzę. Potem przypominam sobie, że wielu z tych ludzi zapewne straciło domy podczas nalotów.

Po moich plecach spływa pot, mam zupełnie mokre dłonie. Oddycham przez usta, żeby aż tak nie czuć smrodu. Przed oczami latają mi czarne plamy i chyba niewiele brakuje, żebym zemdlała. Wtedy jednak zauważam spojrzenie Paylor, która chce sprawdzić, z jakiej gliny jestem ulepiona i czy się przypadkiem nie pomylili, myśląc, że można na mnie polegać. Puszczam więc Gale'a i zmuszam się do wejścia głębiej w półmrok magazynu, w wąskie przejście między dwoma rzędami łóżek.

— Katniss? — chrypi głos z lewej strony, wyraźnie słyszalny na tle ogólnego harmidru. — Katniss? — Przez mgłę dostrzegam wyciągniętą ku mnie rękę, którą chwytam, żeby zachować równowagę. Ręka należy do młodej kobiety z raną na nodze. Krew przesączyła się przez grube bandaże, gęsto pokryte muchami. Na twarzy nieznajomej widzę grymas bólu, ale także coś innego, co ani trochę nie pasuje do sytuacji. — To naprawdę ty?

— Tak, to ja — potwierdzam z trudem.

Radość. Na jej twarzy maluje się radość. Cieszy się, słysząc mój głos, na moment zapomina o cierpieniu.

— Żyjesz! Nie wiedzieliśmy. Ludzie mówili, że dałaś sobie radę, ale nie mieliśmy pewności — mówi z entuzjazmem.

— Nieźle oberwałam, ale już jest lepiej — wyjaśniam. — Ty też staniesz na nogi.

— Koniecznie muszę powiedzieć bratu! — Siada z wysiłkiem i woła do kogoś parę łóżek dalej: — Eddy! Eddy! Ona tu jest! Katniss Everdeen!

Chłopiec, na oko dwunastolatek, odwraca ku nam twarz do połowy poowijaną bandażami. Rozchyla częściowo zasłonięte usta, chyba chce coś wykrzyknąć. Pochodzę bliżej i odgarniam wilgotne, brązowe loki z jego czoła, witam się półgłosem. Nie może mówić, ale zdrowym okiem wpatruje się we mnie z taką uwagą, jakby chciał zapamiętać każdy fragment mojej twarzy.

Słyszę, jak moje imię i nazwisko niesie się w rozgrzanym powietrzu po całym szpitalu.

— Katniss! Katniss Everdeen!

Odgłosy bólu i cierpienia powoli cichną, zastępują je słowa pełne nadziei. Głosy przyzywają mnie ze wszystkich stron. Idę przed siebie, ściskam wyciągnięte dłonie, dotykam zdrowych części ciała tych, którzy nie mogą ruszać kończynami, pozdrawiam ich, pytam, jak się miewają, cieszę się, że mam okazję ich poznać. Nie mówię nic ważnego, nie podnoszę ich na duchu górnolotnymi sformułowaniami, ale to bez znaczenia. Boggs ma słuszność. Inspiracją dla nich jest moja obecność, świadomość, że żyję.

Zagarniają mnie zaborcze ręce, pragną dotknąć mojego ciała. Gdy jeden z ciężko rannych obejmuje moją twarz dłońmi, w myślach dziękuję Daltonowi za sugestię, żebym zmyła makijaż.

Jak niedorzecznie, jak nie na miejscu czułabym się, prezentując tym ludziom wypacykowaną kapitolińską twarz. Blizny, zmęczenie, niedoskonałości — tak właśnie mnie rozpoznają, dlatego jestem jedną z nich.

Pomimo kontrowersyjnej rozmowy z Caesarem wiele osób dopytuje się o Peetę i podkreśla, że ich zdaniem mówił pod naciskiem. Robię, co w mojej mocy, aby z optymizmem opowiadać o przyszłości, ale ludzie są naprawdę zdruzgotani na wieść o tym, że straciłam dziecko. Pragnę wyjawić prawdę, wyznać pewnej zapłakanej kobiecie, że to było tylko oszustwo, element gry, ale nie chcę teraz przedstawiać Peety jako kłamcy. Wolę nie psuć ani jego wizerunku, ani swojego, nie chcę też zaszkodzić sprawie.

Zaczynam rozumieć, dlaczego zostałam objęta tak ścisłą ochroną. Teraz wiem, jak wiele znaczę dla rebeliantów. Nie byłam i nie jestem odosobniona w nieustającej walce z Kapitolem, w której niejednokrotnie czułam się jak samotny podróżnik. Tysiące, dziesiątki tysięcy ludzi z różnych dystryktów wspiera mnie w boju. Byłam ich Kosogłosem na długo, nim zgodziłam się odegrać tę rolę.

Kiełkuje we mnie nowe uczucie, ale rozpoznaję je dopiero wtedy, gdy stoję na stole i macham na pożegnanie ludziom, którzy chrapliwie skandują moje imię. Mam poczucie władzy. Nigdy nie podejrzewałam, że dysponuję taką mocą. Snow zrozumiał to w chwili, gdy wyciągnęłam rękę z jagodami, Plutarch, gdy uratował mnie z areny, a Coin wie o tym teraz. Jest o tym przekonana do tego stopnia, że musi publicznie przypominać ludziom, że to nie ja rządzę.

Kiedy wychodzimy na zewnątrz, opieram się o ścianę magazynu i z trudem łapię oddech. Boggs podaje mi manierkę z wodą.

— Świetnie się spisałaś — mówi.

Cóż, nie straciłam przytomności, nie zwymiotowałam i nie wybiegłam z wrzaskiem. Po prostu dałam się ponieść fali emocji, która przetoczyła się przez szpital.

— Mamy kilka niezłych kawałków — zauważa Cressida. Spoglądam na kamerzystów w owadzich pancerzach, spod których wypływają strużki potu. Messalla sporządza notatki. Zupełnie zapomniałam, że mnie filmują.

— Tak naprawdę niewiele zrobiłam — mówię.

— Musisz uznać swoje zasługi z przeszłości — oświadcza Boggs.

Moje zasługi z przeszłości? Myślę o serii dramatów, które ciągną się za mną od dawna, i czuję, że nogi mam jak z waty. Osuwam się i siadam na chodniku.

— Różnie bywało — mówię.

— Do doskonałości ci daleko — przyznaje Boggs. — Ale żyjemy w takich czasach, że musisz wystarczyć.

Gale przykuca obok mnie i kręci głową.

— Nie mogę uwierzyć, że dałaś się dotykać tym wszystkim ludziom. Czekałem, aż rzucisz się do ucieczki.

— Przymknij się — radzę mu ze śmiechem.

— Twoja mama będzie bardzo dumna, kiedy obejrzy nagranie.

— Mama nawet mnie nie zauważy, będzie zbyt wstrząśnięta warunkami, jakie tu panują. — Odwracam się do Boggsa. — Czy w innych dystryktach jest podobnie?

— Tak, większość nieustannie bombardują. Usiłujemy nieść pomoc wszędzie tam, gdzie się da, ale to za mało. — Milknie na minutę, zasłuchany w dźwięki ze słuchawki. Uświadamiam sobie, że ani razu nie słyszałam głosu Haymitcha. Dłubię przy słuchawce, zastanawiam się, czy na pewno jest sprawna.

— Musimy iść na lotnisko. Natychmiast! — Boggs jedną ręką dźwiga mnie z ziemi. — Mamy problem.

— Jaki problem? — chce wiedzieć Gale.

— Nadlatują bombowce. — Boggs sięga mi do karku i naciąga hełm Cinny na głowę. — W drogę!

Nie jestem pewna, co się dzieje, ale biegnę pod frontową ścianą magazynu ku uliczce prowadzącej do lądowiska. Nie zauważam bezpośredniego zagrożenia, niebo jest puste, bezchmurne i błękitne, a na ulicy widzę tylko ludzi, którzy transportują rannych do szpitala. Nie ma wroga, nikt nie wszczyna alarmu. Nagle jednak odzywają się syreny i po paru sekundach objawia się nad nami klucz kapitolińskich poduszkowców w szyku bojowym. Lecą nisko, od razu przystępują do bombardowania. Siła wybuchu zwala mnie z nóg i posyła wprost na ścianę magazynu, czuję przeszywający ból tuż ponad zgięciem prawego kolana. Coś grzmotnęło mnie także w plecy, chyba jednak nie przebiło kamizelki. Usiłuję wstać, ale Boggs przyciska mnie do chodnika, osłania własnym ciałem. Ziemia drży od kolejnych wstrząsów, kiedy bomby jedna za drugą spadają z samolotów i eksplodują.

Z nieba sypie się grad pocisków, a ja z przerażeniem wciskam się w ścianę. Jak mówił ojciec, kiedy zwierzyna sama pchała mu się w ręce? „Jakbym strzelał do ryb w beczce". My jesteśmy rybami, ulica beczką.

— Katniss! — Wzdrygam się, słysząc w uchu głos Haymitcha.

— Co? Tak, co? Jestem tu! — odpowiadam.

— Słuchaj uważnie. Nie możemy wylądować w trakcie nalotu, więc pamiętaj: przede wszystkim musisz pozostać niezauważona.

— To oni nie wiedzą, że tu jestem? — Jak zwykle założyłam, że swoją obecnością sprowadziłam na wszystkich nieszczęście.

— Wywiad uważa, że to nie ma z tobą nic wspólnego. Podobno ten nalot był zaplanowany wcześniej — tłumaczy Haymitch.

W słuchawce rozlega się teraz głos Plutarcha, spokojny, ale stanowczy. Takim tonem posługuje się Główny Organizator Igrzysk, nawykły do wydawania rozkazów w krytycznych sytuacjach.

— Trzy budynki od was znajduje się jasnoniebieski magazyn ze schronem — w odległym północnym rogu. Spróbujecie tam dotrzeć?

— Zrobimy, co w naszej mocy — odzywa się Boggs.

Wygląda na to, że Plutarch przemawia do wszystkich, bo moja ochrona i ekipa wstają. Odruchowo wyszukuję wzrokiem Gale'a i widzę, że zrywa się z ziemi, najwyraźniej cały i zdrowy.

— Macie co najwyżej czterdzieści pięć sekund do następnej fali — uprzedza nas Plutarch.

Jęczę z bólu, przenosząc ciężar ciała na prawą nogę, ale idę przed siebie. Brakuje mi czasu na oglądanie rany, poza tym, teraz lepiej nie patrzeć. Na szczęście mam buty zaprojektowane przez Cinnę. Doskonale trzymają się asfaltu, a gdy unoszę nogę, odskakują od podłoża. Byłabym do niczego w niedopasowanym obuwiu przyznanym przez Trzynastkę. Boggs idzie przodem, ale poza nim nikt mnie nie wyprzedza. Inni dostosowują tempo marszu, chronią mnie z boków i z tyłu. Czas nas goni, więc zmuszam się do biegu. Mijamy drugi, szary magazyn i pędzimy wzdłuż ziemiście brązowego budynku. Przed nami dostrzegam spowiałą, niebieską fasadę, tam jest nasz schron. Właśnie znaleźliśmy się przy następnym przesmyku, wystarczy przejść na drugą stronę, żeby dotrzeć do drzwi wejściowych, ale w tym momencie spada następna fala bomb. Machinalnie daję nura i przetaczam się po uliczce ku niebieskiej ścianie. Tym razem to Gale rzuca się, żeby zapewnić mi dodatkową ochronę przed odłamkami. Wydaje się, że ten nalot trwa dłużej, ale jesteśmy dalej.

Obracam się na bok i spoglądam w oczy Gale'a. Na ułamek sekundy świat przestaje istnieć i widzę tylko jego zarumienioną twarz, żyłę pulsującą na skroni, a także lekko rozchylone usta, gdy usiłuje złapać oddech.

— Nic ci nie jest? — pyta, a ja ledwie słyszę przez huk eksplozji.

— Nic. Chyba mnie nie zauważyli. Nie śledzą nas, prawda?

— Na pewno nie — zaprzecza. — Bombardują inne miejsce.

— Przecież tam, dokąd polecieli, jest tylko... — Oboje w tym samym momencie pojmujemy straszną prawdę.

— Szpital. — Gale gwałtownie zrywa się na równe nogi i krzyczy do pozostałych: — Wzięli szpital na cel!

— To nie wasz problem — powstrzymuje go Plutarch. — Idźcie do schronu.

— Przecież w szpitalu są wyłącznie ranni! — krzyczę.

— Katniss. — Słyszę ostrzegawczą nutę w głosie Haymitcha i wiem, co zaraz powie. — Nawet o tym nie myśl...

Wyszarpuję słuchawkę z ucha i puszczam ją, żeby zwisała na przewodzie. Teraz nic mnie nie rozprasza, więc słyszę jeszcze jeden dźwięk. Ktoś strzela z karabinu maszynowego z dachu brązowego budynku. Jacyś ludzie odpowiadają ogniem na atak poduszkowców. Zanim ktokolwiek zdoła mnie powstrzymać, szybko dobiegam do zewnętrznej drabiny magazynu i ruszam na górę. Wspinaczka. To jedna z moich najważniejszych umiejętności.

— Nie zatrzymuj się! — woła Gale pode mną, a potem domyślam się, że kopie kogoś butem w twarz. Jeżeli potraktował tak Boggsa, to później słono za to zapłaci. Docieram do dachu i wciągam się na papę, potem czekam chwilę, aż Gale do mnie dołączy. Pomagam mu wejść na górę i oboje biegniemy do rzędu karabinów maszynowych od strony ulicy. Kilku rebeliantów obsługuje każde ze stanowisk. Dopadamy do gniazda obsadzonego przez dwóch powstańców i kulimy się za osłoną.

— Boggs wie, że tu jesteście? — Przy karabinie z lewej zauważam Paylor, która wpatruje się w nas z ciekawością.

Staram się nie mówić prawdy, ale i nie kłamać w żywe oczy.

— Boggs doskonale wie, gdzie przebywamy.

Paylor parska śmiechem.

— W to nie wątpię. Przyuczyli was do obsługi czegoś takiego? — Klepie rozpylacz po kolbie.

— Mnie tak, w Trzynastce — potwierdza Gale. — Ale wolałbym korzystać z własnej broni.

— Tak, mamy z czego strzelać. — Unoszę łuk i nagle dociera do mnie, że wygląda bardziej jak ozdoba niż broń. — Jest bardziej niebezpieczny, niż mogłoby się wydawać.

— Oby — mówi Paylor. — No dobrze. Spodziewamy się jeszcze co najmniej trzech nalotów. Przed zrzuceniem bomb samoloty muszą wyłączyć urządzenia maskujące, tylko wtedy mamy szansę skutecznie kontratakować. Trzymajcie się możliwie blisko dachu.

Przyklękam na jedno kolano, żeby strzelać w tej pozycji.

— Lepiej zacząć od zapalających — proponuje Gale.

Kiwam głową i wyciągam strzałę z prawego kołczana. Jeśli nie trafimy do celu, amunicja będzie musiała gdzieś wylądować, zapewne na magazynach po drugiej stronie ulicy. Ogień można ugasić, ale zniszczenia spowodowane wybuchem mogą się okazać o wiele poważniejsze.

Nagle pojawiają się na niebie, dwie przecznice dalej, na wysokości nie większej niż sto metrów. Siedem małych bombowców w szyku bojowym.

— Gęsi! — krzyczę do Gale'a, a on od razu się orientuje, w czym rzecz. Podczas polowań w okresie migracji ptactwa zawsze dzielimy zwierzynę tak, żeby nie strzelać do tego samego celu. Dlatego ja mierzę do odległego ramienia klucza, Gale celuje do bliższego, a do ptaka na czele strzelamy na przemian. Nie ma czasu na dyskusję. Szacuję czas wyprzedzenia i wypuszczam strzałę tam, gdzie za moment powinien się znaleźć jeden z pojazdów. Trafiam w skrzydło, które momentalnie staje w płomieniach. Gale minimalnie chybia, jego strzała mija samolot i spada na dach pustego magazynu naprzeciwko nas. Na budynku natychmiast wybucha pożar, a Gale klnie pod nosem.

Trafiona przeze mnie maszyna gwałtownie zbacza z kursu, ale i tak zrzuca bomby. Po wykonaniu zadania nie znika jednak, podobnie jak inny pojazd, zapewne uszkodzony ogniem z karabinów maszynowych. Wygląda na to, że udało nam się zniszczyć systemy maskujące obu samolotów.

— Strzał w dziesiątkę — chwali mnie Gale.

— Nie celowałam do niego — mamroczę, bo mierzyłam do sąsiedniego pojazdu. — Są szybsze, niż sądziliśmy.

— Na miejsca! — wrzeszczy Paylor.

Na niebie materializuje się następny klucz.

— Ogień to za mało — mówi Gale.

Kiwam głową i oboje szykujemy strzały z materiałem wybuchowym w grotach. Magazyny po drugiej stronie ulicy i tak wyglądają na opuszczone.

Gdy samoloty bezszelestnie nadlatują, podejmuję następną decyzję.

— Wstaję! — krzyczę do Gale'a i zrywam się z miejsca.

W takiej pozycji najcelniej strzelam, a że teraz robię to z większym wyprzedzeniem niż poprzednio, trafiam idealnie. Strzała eksploduje w podbrzuszu samolotu, wyrywając potężny otwór. Gale zdmuchuje ogon drugiej maszynie. Uszkodzona, obraca się w powietrzu i rozbija na ulicy, a katastrofie towarzyszy seria wybuchów bomb na pokładzie.

Niespodziewanie ujawnia się trzeci klucz. Tym razem Gale trafia idealnie, a ja pakuję strzałę w skrzydło następnego pojazdu, który, wirując, zderza się z maszyną z tyłu. Obie spadają na dach magazynu po drugiej stronie ulicy od szpitala. Czwarty samolot wali się na ziemię, skutecznie ostrzelany z broni palnej.

— No dobra, to tyle — oznajmia Paylor.

Płomienie i gęsty, czarny dym z wraków skutecznie przesłaniają nam widok.

— Zbombardowali szpital? — niepokoję się.

— Z pewnością — cedzi Paylor ponuro.

Pędzę do drabin na przeciwległej ścianie magazynu, a po drodze ze zdumieniem widzę Messallę oraz jednego z kamerzystów, którzy wyłaniają się zza komina wentylacyjnego. Byłam pewna, że nadal kryją się gdzieś w bocznej uliczce.

— Zaczynam się do nich przekonywać — oświadcza Gale.

Pośpiesznie pokonuję szczeble, skaczę na chodnik i widzę, że mój ochroniarz, Cressida i drugi owad-kamerzysta już na mnie czekają. Spodziewam się oporu, lecz Cressida tylko macha ręką, żebym biegła do szpitala.

— Nic mnie to nie obchodzi, Plutarch! — krzyczy do mikrofonu przy słuchawce. — Daj mi jeszcze pięć minut!

Nie mam kogo prosić o pozwolenie, więc wybiegam na ulicę.

— O nie — szepczę na widok szpitala, a raczej tego, co po nim zostało. Mijam rannych, płonące wraki samolotów, skupiona wyłącznie na dramacie, który rozgrywa się przede mną. Ludzie wrzeszczą, biegają, jakby postradali zmysły, ale nie mogą pomóc. Bomby spadły na dach szpitala i magazyn stanął w płomieniach, całkowicie uniemożliwiając chorym opuszczenie budynku. Zebrała się grupa ratowników, którzy próbują wedrzeć się do środka, ale i tak wiem, co tam napotkają. Jeśli walące się gruzy i płomienie nie wykończyły pacjentów, to na pewno podusili się w dymie.

Gale stoi tuż obok mnie i nic nie robi, co tylko potwierdza moje podejrzenia. Górnicy nie rezygnują z akcji ratunkowej, jeśli nie są pewni jej bezużyteczności.

— Chodź, Katniss. Haymitch dał znać, że teraz już mogą podstawić nam poduszkowiec — mówi, ale nadal stoję jak skamieniała.

— Dlaczego to zrobili? — pytam wreszcie. — Jak można wziąć na cel ludzi, którzy i tak umierają?

— Żeby wystraszyć innych. Żeby zniechęcić rannych do szukania pomocy — tłumaczy Gale. — Ludzie, których spotkałaś, byli zbędni, przynajmniej z punktu widzenia Snowa. Jeśli Kapitol zwycięży, to po co mu wielka gromada niesprawnych niewolników?

Przypominam sobie lata spędzone w lesie i wielogodzinne przemowy Gale'a, jego oskarżenia wymierzone w Kapitol. Nie zwracałam wówczas szczególnej uwagi na to, co mówił, zastanawiałam się, po co w ogóle analizuje motywację wroga. Wątpiłam, aby rozumowanie kategoriami kapitolińskimi mogło nam pomóc. Dzisiaj wiem, że miał rację. Kiedy Gale podważał sens istnienia szpitala, nie miał na myśli niebezpieczeństwa epidemii, ale właśnie to. Zawsze wychodził z założenia, że nie wolno zapominać o okrucieństwie wroga.

Powoli odwracam się plecami do szpitala i widzę Cressidę oraz kamerzystów owady po jej bokach. Stoi zaledwie parę metrów ode mnie i wydaje się kompletnie nieporuszona, wręcz zblazowana.

— Katniss — odzywa się. — Prezydent Snow polecił nadać w telewizji transmisję z bombardowania. Na żywo. Potem wystąpił, aby oznajmić, że w ten sposób chce dać rebeliantom do myślenia. A ty? Czy chciałabyś teraz coś im powiedzieć?

— Tak — szepczę. Zauważam czerwoną, mrugającą lampkę na jednej z kamer i dociera do mnie, że jestem nagrywana. — Tak — powtarzam głośniej. Gale, Cressida, kamerzyści owady — wszyscy się odsuwają, żeby zrobić mi miejsce, a ja skupiam uwagę na czerwonym światełku. — Chcę powiedzieć rebeliantom, że żyję. Jestem tutaj, w Ósmym Dystrykcie, gdzie Kapitol właśnie zbombardował szpital pełen bezbronnych mężczyzn, kobiet i dzieci. Nikt nie przeżył nalotu. — Szok, z którego dotąd nie mogłam się otrząsnąć, ustępuje pola furii. — Chcę się zwrócić do wszystkich ludzi: jeśli uwierzyliście Kapitolowi i macie nadzieję na sprawiedliwe potraktowanie po rozejmie, tylko się oszukujecie. Wiecie, kim oni są i do czego są zdolni. — Machinalnie unoszę ręce, jakbym chciała zademonstrować otaczającą mnie grozę. — To właśnie robią! A my musimy odpowiedzieć na atak!

Podchodzę do kamery, zagrzewana własną wściekłością.

— Prezydent Snow mówi, że daje nam do myślenia? Więc i ja mu dam do myślenia. Możesz nas torturować, możesz nas zasypywać bombami i puszczać z dymem nasze domy, ale spójrz na to. — Jeden z kamerzystów wycelowuje obiektyw we wskazane przeze mnie samoloty, które płoną na dachu jednego z magazynów naprzeciwko. Emblemat Kapitolu na skrzydle wyraźnie jaśnieje wśród płomieni. — Ogień się rozprzestrzenia! — krzyczę, żeby nie umknęło mu ani jedno słowo. — Jeśli spłoniemy, ty spalisz się razem z nami!

Moje ostatnie słowa zawisają w powietrzu, mam wrażenie, że czas się zatrzymał. Tkwię w obłoku gorąca, które bije nie z otoczenia, lecz ode mnie.

— Cięcie! — Ten głos przywraca mnie do rzeczywistości, gasi. Cressida z aprobatą kiwa głową. — Koniec nagrania.

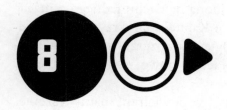

Zjawia się Boggs i mocno chwyta mnie za ramię, ale teraz nie zamierzam uciekać. Spoglądam na szpital i w tej samej chwili budynek się wali, a ze mnie całkiem uchodzi para. Już nie ma tamtych ludzi, setek rannych, ich krewnych ani lekarzy z Trzynastki. Odwracam się do Boggsa i widzę opuchliznę na jego twarzy po kontakcie z butem Gale'a. Nie znam się na tym, ale idę o zakład, że ma złamany nos. Mimo to w jego głosie pobrzmiewa raczej rezygnacja niż gniew.

— Wracamy na lądowisko — mówi.

Posłusznie wykonuję pierwszy krok i krzywię się, bo dopiero teraz odzywa się ból w zgięciu prawego kolana. Przypływ adrenaliny mnie znieczulił, ale w tej chwili przypominają o sobie rozmaite części ciała. Jestem poobijana, zakrwawiona i mam wrażenie, że ktoś w głowie łupie mi młotkiem w lewą skroń. Boggs szybko zagląda mi w twarz, a potem nagle bierze mnie na ręce i biegnie w kierunku lądowiska. W połowie drogi obrzyguję mu kuloodporną kamizelkę. Chyba westchnął, ale nie jestem pewna, bo dyszy z wysiłku.

Czeka na nas mały poduszkowiec, inny niż ten, którym przybyliśmy do Ósemki. Startujemy sekundę po wejściu całego zespołu na pokład. W środku nie mamy co liczyć ani na komfortowe fotele, ani na okna. Wygląda na to, że przyleciał po nas pojazd transportowy. Boggs udziela pierwszej pomocy najbardziej potrzebującym, żeby przetrwali drogę powrotną do Trzynastki. Chciałabym ściągnąć kamizelkę, bo przywarła do niej spora porcja wymiocin, ale jest na to zbyt zimno. Leżę na podłodze z głową na kolanach Gale'a, a ostatnie, co pamiętam, to to, że Boggs przykrywa mnie dwoma jutowymi workami.

Budzę się rozgrzana i otulona kołdrą na moim starym łóżku w szpitalu, a mama właśnie sprawdza stan moich zasadniczych funkcji życiowych.

— Jak się czujesz?

— Trochę poobijana, ale w sumie dobrze — mówię.

— Nikt nas nie uprzedził o twoim wyjeździe. Dowiedziałyśmy się po czasie — skarży się.

Mam wyrzuty sumienia. Jeśli rodzina już dwa razy wysyłała człowieka na Głodowe Igrzyska, raczej powinien pamiętać o takich szczegółach.

— Przepraszam. Nie spodziewaliśmy się ataku, miałam tylko odwiedzić pacjentów szpitala — wyjaśniam. — Następnym razem powiem, żeby to z tobą skonsultowali.

— Katniss, nikt ze mną niczego nie konsultuje — wzdycha.

Fakt, nawet ja tego nie robię od śmierci ojca. Po co to udawanie?

— W każdym razie… poproszę ich, żeby cię zawiadomili.

Na stoliku przy łóżku leży odłamek usunięty z mojej nogi. Jednak lekarze bardziej się przejmują uszkodzeniami, których w wyniku eksplozji mógł doznać mózg, w końcu jeszcze nie wydobrzałam po wstrząsie na arenie. Nie widzę jednak podwójnie i jestem w stanie całkiem trzeźwo myśleć. Przespałam całe późne popołudnie i noc, a teraz umieram z głodu. Z rozczarowaniem patrzę na śniadanie, które mi podano — zaledwie kilka kostek chleba rozmoczonych w ciepłym mleku. Wzywają mnie na poranne zebranie w Dowództwie, więc postanawiam wstać i wtedy orientuję się, że personel szpitala zamierza przetransportować mnie na miejsce razem z łóżkiem. Chcę iść o własnych siłach, lecz to nie wchodzi w grę, więc udaje mi się wynegocjować przewiezienie na wózku. Naprawdę czuję się nieźle, jeśli nie liczyć obolałej głowy, rany na nodze, licznych siniaków oraz mdłości, które dopadły mnie parę minut po śniadaniu. Może jednak wózek to dobry pomysł.

Jadę na zebranie i coraz bardziej się niepokoję tym, co mnie tam czeka. Razem z Gale'em jawnie złamałam wczorajsze rozkazy, a obrażenia Boggsa to potwierdzają. Niewątpliwie będą reperkusje, ale czy aż tak poważne, jak się obawiam? Czy Coin wycofa się z umowy i odbierze zwycięzcom immunitet? Czy pozbawiłam Peetę tego minimum ochrony, które mogłam mu ofiarować?

Gdy wjeżdżam do Dowództwa, w sali widzę tylko Cressidę, Messallę i owady.

— Oto nasza mała gwiazda! — oznajmia rozpromieniony Messalla, a pozostali uśmiechają się tak szczerze, że mimowolnie odwzajemniam uśmiech.

W Ósemce zrobili na mnie wrażenie, bo mimo nalotu wdrapali się za mną na dach, dzięki czemu Plutarch się nie wtrącał, i mogli nakręcić taki materiał, jakiego potrzebowali. Świetnie wykonują swoją robotę i są z tego dumni, zupełnie jak Cinna.

Przychodzi mi od głowy dziwna myśl: gdybyśmy razem trafili na arenę, wybrałabym ich na sojuszników. Cressida, Messalla oraz…

— Muszę przestać nazywać was owadami — zwracam się do kamerzystów i wyjaśniam, że nie znam ich imion, ale ich sprzęt kojarzył mi się z pancerzykami insektów.

Chyba nie przejmują się tym porównaniem. Nawet bez skorup z kamerami są bardzo do siebie podobni. Mają takie same piaskowe włosy, rude brody, niebieskie oczy. Kamerzysta z mocno poobgryzanymi paznokciami przedstawia się jako Castor i mówi, że ten drugi jest jego bratem i ma na imię Pollux. Czekam, aż Pollux się przywita, ale on tylko kiwa głową. Z początku myślę, że jest nieśmiały albo niezbyt rozmowny, lecz zauważam coś niepokojącego. Jego usta układają się nienaturalnie i przełyka ślinę z wyraźnym wysiłkiem. Zanim Castor zdąży mi cokolwiek wyjaśnić, sama domyślam się prawdy. Pollux jest awoksą. Wycięto mu język i już nigdy nie wypowie ani słowa. Nie muszę dłużej się zastanawiać, dlaczego tyle ryzykuje, żeby pomóc w pokonaniu Kapitolu. Pokój się zapełnia, a ja zbieram siły na mniej życzliwe powitanie. Okazuje się jednak, że negatywnie usposobiony jest tylko Haymitch, jak zwykle nie w sosie, i Fulvia Cardew, która zjawia się z kwaśną miną. Oblicze Boggsa jest częściowo ukryte pod plastikową maską w cielistym kolorze, sięgającą od górnej wargi do brwi — złamany nos, moje przypuszczenia były trafne — więc nie sposób wywnioskować, jaki ma wyraz twarzy. Coin i Gale prowadzą rozmowę, która wygląda na całkiem przyjacielską.

Po chwili Gale wślizguje się na miejsce obok mojego wózka.

— Znalazłeś sobie nowych przyjaciół? — pytam.

Zerka na prezydent Coin, a potem znowu na mnie.

— Jedno z nas musi być bardziej otwarte na ludzi. — Delikatnie dotyka mojego policzka. — Jak się czujesz?

Na śniadanie z pewnością była potrawka z czosnku i kabaczka, bo im więcej ludzi się zbiera, tym silniejszy czuję odór. Żołądek mi się przewraca, a lampy nagle świecą zbyt jaskrawo.

— W głowie mi się kręci. A co z tobą?

— W porządku. Wydłubali ze mnie parę odłamków, drobiazg — bagatelizuje.

Coin prosi o uwagę.

— Oficjalnie przystąpiliśmy do Ataku Antenowego. Jeśli ktoś przegapił naszą pierwszą propagitę wyemitowaną wczoraj o dwudziestej, jak również siedemnaście powtórek, które potem zdołał nadać Beetee, to zaczniemy od przypomnienia programu.

Przypomnienia? To znaczy, że ekipa telewizyjna nie tylko nagrała, co trzeba, ale w dodatku posklejała z tego film i wielokrotnie go puściła. Dłonie mi wilgotnieją, gdy tak czekam, aż zobaczę siebie w telewizji. A jeśli nadal jestem beznadziejna? A może wypadłam tak sztywno i okropnie jak w studiu, a realizatorzy zwyczajnie machnęli ręką, bo wiadomo, że nic więcej nie da się zrobić? Przed każdym uczestnikiem zebrania wysuwa się z blatu ekran, światła lekko przygasają, a w sali zapada milczenie. Mój monitor jest z początku czarny. W pewnej chwili pośrodku pojawia się maleńka, migotliwa iskierka, która rośnie, rozprzestrzenia się i w ciszy pochłania mrok, aż wreszcie cały ekran staje w płomieniach, tak realistycznych i intensywnych, że niemal wyczuwam bijący od nich żar. Zauważam zarys mojej broszki z kosogłosem, jaśniejącej złocistoczerwoną barwą, a potem rozlega się głęboki, dźwięczny głos, który nawiedza mnie w snach.

— Katniss Everdeen, dziewczyna, która igra z ogniem, dalej wznieca pożar — oznajmia Claudius Templesmith, oficjalny komentator Głodowych Igrzysk.

Nagle się pojawiam, zastępuję kosogłosa, stoję przed prawdziwymi płomieniami i dymem Ósmego Dystryktu. „Chcę powiedzieć rebeliantom, że żyję. Jestem tutaj, w Ósmym Dystrykcie, gdzie Kapitol właśnie zbombardował szpital pełen bezbronnych mężczyzn, kobiet i dzieci. Nikt nie przeżył nalotu". Cięcie i zmiana kadru na walący się szpital, a także na zrozpaczonych świadków dramatu. W tle rozbrzmiewają moje słowa: „Chcę się zwrócić do wszystkich ludzi: jeśli uwierzyliście Kapitolowi i macie nadzieję na sprawiedliwe potraktowanie po rozejmie, tylko się oszukujecie. Wiecie, kim oni są i do czego są zdolni". Znowu widać mnie, jak unoszę ręce, żeby zademonstrować rozgrywające się tuż obok potworności. „To właśnie robią! A my musimy odpowiedzieć na atak!" Teraz widzę naprawdę fantastycznie zmontowany materiał z pola walki. Spadają pierwsze bomby, biegniemy, podmuch rzuca nas na ziemię. Kamera najeżdża na moją ranę, dużą i krwawą, potem wspina się na dach, aby wreszcie zanurkować w gniazda karabinów maszynowych. Oglądamy kilka rewelacyjnych ujęć rebeliantów, Gale'a, a przede wszystkim mnie, z różnych stron i perspektyw, gdy strącam samoloty z nieba. Znowu cięcie i znowu najazd na mnie, gdy przemawiam do kamery: „Prezydent Snow mówi, że daje nam do myślenia? Więc i ja mu dam do myślenia. Możesz nas torturować, możesz nas zasypywać bombami i puszczać z dymem nasze domy, ale spójrz na to". Kamera prześlizguje się po samolotach płonących na dachu magazynu i nieruchomieje na emblemacie Kapitolu na skrzydle, który rozpływa się i zmienia w moją twarz, kiedy krzyczę do prezydenta: „Ogień się rozprzestrzenia! Więc jeśli spłoniemy, ty spalisz się razem z nami!" Płomienie znowu ogarniają ekran, na którym pojawiają się czarne, grube litery, układające się w słowa:

JEŚLI SPŁONIEMY,
TY SPALISZ SIĘ Z NAMI

Ogień trawi słowa i po sekundzie czerń zastępuje cały obraz.

Przez chwilę wszyscy siedzą w nabożnym milczeniu, a potem rozbrzmiewają oklaski, ludzie domagają się ponownej emisji. Coin ochoczo wciska przycisk powtórki, a ponieważ tym razem wiem, co się stanie, próbuję udawać, że oglądam to na ekranie starego telewizora w domu, w Złożysku. Widzę deklarację sprzeciwu wobec Kapitolu. Nigdy nie pokazywali niczego podobnego, na pewno nie za mojego życia.

Gdy ekran ponownie czernieje, postanawiam dowiedzieć się więcej.

— Pokazaliście to w całym Panem? Widzieli w Kapitolu?

— Nie, w Kapitolu nie — zaprzecza Plutarch. — Nie udało się nam włamać do ich systemu, choć Beetee wciąż próbuje. Film pojawił się jednak we wszystkich dystryktach, nawet w Dwójce, co na tym etapie walki może być cenniejsze niż emisja w Kapitolu.

— Claudius Templesmith jest z nami? — dopytuję się, czym rozbawiam Plutarcha do łez.

— Tylko jego głos — wyjaśnia. — Możemy z niego korzystać do woli, nie musieliśmy nawet niczego zmieniać ani montować. Wypowiedział właśnie te słowa podczas twoich pierwszych igrzysk. — Wali otwartą dłonią w stół. — A teraz pora na ponowne brawa dla Cressidy, jej fantastycznej ekipy oraz, rzecz jasna, naszej utalentowanej gwiazdy!

Klaszczę razem ze wszystkimi, aż wreszcie dociera do mnie, że to ja jestem tą utalentowaną gwiazdą, a owacja dla samej siebie to chyba idiotyzm, ale na szczęście nikt nie zwraca na mnie uwagi. Mimowolnie zauważam napięcie na twarzy Fulvii i myślę o tym, jak trudne chwile przeżywa teraz, gdy pomysł Haymitcha święci triumfy za sprawą Cressidy, a jej własna koncepcja kręcenia w studiu okazała się kompletnym niewypałem.

Wygląda na to, że Coin nie jest już w stanie dłużej znosić tego powszechnego samozachwytu.

— Zasłużyliście na pochwałę — oznajmia. — Rezultat przeszedł nasze oczekiwania. Muszę jednak wyrazić dezaprobatę dla rozległego marginesu ryzyka, który zaaprobowaliście. Wiem, nalot był niespodziewany, niemniej w zaistniałych okolicznościach powinniśmy przedyskutować decyzję skierowania Katniss do bezpośredniej walki.

Decyzję? Skierowania mnie do walki? Czyli Coin nie wie, że ostentacyjnie zignorowałam rozkazy, wyciągnęłam słuchawkę z ucha i uciekłam ochronie? Jakie jeszcze informacje przed nią zataili?

— To była trudna chwila. — Plutarch marszczy brwi. — Wszyscy jednak uznaliśmy, że nie zdobędziemy żadnego wartościowego materiału, jeśli zamkniemy naszą bohaterkę w schronie, gdy tylko ktoś puści serię z automatu.

— I nie masz z tym problemu? — pyta pani prezydent.

Gale wymierza mi kopniaka pod stołem i dopiero wtedy uświadamiam sobie, że Coin zwraca się do mnie.

— Och! Nie, nie mam z tym najmniejszego problemu. Dobrze się tam czułam, dla odmiany mogłam się czymś zająć.

— W takim razie oczekuję, że z nieco większą starannością zaczniemy dobierać akcje, w których Katniss będzie uczestniczyć.

Kapitol wie teraz, do czego jest zdolna, i nie wolno o tym zapominać — podsumowuje Coin, a zebrani przy stole pomrukują z aprobatą.

Nikt nie wydał ani Gale'a, ani mnie. Nawet Plutarch trzymał język za zębami, choć zlekceważyliśmy jego rozkazy. Nie wsypał nas także Boggs, któremu Gale złamał nos, ani kamerzyści owady, których naraziliśmy na śmierć. Ani Haymitch... Zaraz, zaraz. Haymitch uśmiecha się do mnie jak psychopata.

— Właśnie, przecież nie chcielibyśmy stracić naszego małego Kosogłosa teraz, kiedy w końcu zaśpiewał — cedzi z udawaną słodyczą, a ja odnotowuję w pamięci, żeby nie zostawać z nim sam na sam, bo najwyraźniej przez tę durną słuchawkę nachodzą go mordercze myśli.

— Co jeszcze zaplanowaliście? — pyta prezydent.

Plutarch skinieniem głowy daje znak Cressidzie, która zerka do notatek przypiętych na tabliczce.

— Mamy trochę doskonałych ujęć Katniss w szpitalu w Ósemce. Powinniśmy zmontować z nich jeszcze jedną propagitę na temat: „Wiecie, kim oni są i do czego są zdolni". Skupimy się na Katniss zajętej rozmową z pacjentami, zwłaszcza z dziećmi, pokażemy bombardowanie szpitala i wraki samolotów. Messalla już to klei i przycina. Poza tym myślimy o kawałku z Kosogłosem. Przemieszamy najmocniejsze zdjęcia Katniss ze scenami powstańczymi i materiałem wojennym. Nazwiemy go „Ogień się rozprzestrzenia". I jest jeszcze jeden pomysł Fulvii, naprawdę świetny.

Fulvia wciąż ma minę, jakby najadła się kwaśnych winogron, ale wywołana do tablicy natychmiast dochodzi do siebie.

— Nie wiem, czy ta myśl rzeczywiście jest świetna, ale chyba moglibyśmy zmontować serię propagit pod tytułem: „Nie zapomnimy". W każdej z nich występowałby któryś z nieżyjących trybutów, na przykład mała Rue z Jedenastki albo stara Mags z Czwórki. Chodzi o to, żeby każdy dystrykt dostał coś dla siebie, coś bardzo prywatnego.

— Hołd oddany trybutom — dodaje Plutarch.

— Fulvia, to fantastyczny pomysł — mówię szczerze. — Najlepszy sposób na przypomnienie ludziom, dlaczego walczą.

— To mogłoby się sprawdzić — potakuje Fulvia. — Pomyślałam sobie, żeby obsadzić Finnicka we wprowadzeniu do filmu i w roli narratora, jeśli wzbudziłoby to zainteresowanie.

— Myślę, że możemy bez wahania przystąpić do produkcji tej serii propagit — ocenia Coin. — Weźmiesz się do pracy jeszcze dzisiaj?

— Oczywiście — potwierdza Fulvia, niewątpliwie udobruchana reakcją na swoją koncepcję.

Tym gestem Cressida sprawnie załagodziła napiętą sytuację w dziale kreatywnym. Pochwaliła Fulvię za naprawdę dobry pomysł i otworzyła sobie drogę do dalszej produkcji filmów o Kosogłosie. Co ciekawe, Plutarch najwyraźniej nie jest łasy na pochwały i wystarcza mu świadomość, że Atak Antenowy odnosi skutek. Przypominam sobie, że Plutarch jest Głównym Organizatorem Igrzysk, a nie członkiem ekipy. Nie jest tylko pionkiem i dlatego jego wartości nie wolno oceniać na podstawie jednego elementu, lecz ogólnego sukcesu produkcji. Plutarch zbierze pochwały, gdy odniesiemy zwycięstwo w wojnie. Wtedy również będzie oczekiwał nagrody.

Prezydent odsyła wszystkich do pracy, więc Gale odwozi mnie z powrotem do szpitala. Trochę się śmiejemy ze zmowy milczenia. Gale twierdzi, że nie chcieli się przyznać do utraty kontroli nad nami, bo wyszliby na nieudaczników. Jestem łagodniejsza w ocenie, moim zdaniem woleli nie zaprzepaszczać szansy na następny wypad, skoro udało im się nakręcić przyzwoity materiał. Pewnie jedno i drugie jest prawdą. Gale musi iść do arsenału broni specjalnej na spotkanie z Beetee'em, więc ucinam sobie drzemkę.

Mam wrażenie, że zamknęłam oczy na zaledwie kilka minut, ale kiedy unoszę powieki, wzdrygam się na widok Haymitcha, który siedzi tuż przy moim łóżku. Czeka, i to już od ładnych paru godzin, jeśli zegar się nie śpieszy. Zastanawiam się, czy zacząć wrzeszczeć, by zwabić świadków, ale dochodzę do wniosku, że prędzej czy później i tak będę musiała stawić mu czoło.

Haymitch pochyla się i macha mi przed nosem czymś na cienkim białym drucie. Trudno mi się skupić, ale niemal na pewno wiem, co to takiego. W końcu ciska ten przedmiot na kołdrę.

— Twoja słuchawka — mówi. — Dam ci tylko jeszcze jedną szansę noszenia jej jak należy. Jeżeli znowu wyciągniesz ją z ucha, każę cię ustroić w coś takiego. — Demonstruje metalową obręcz, którą natychmiast nazywam w myślach uprzężą na głowę. — To alternatywna wersja urządzenia nadawczo-odbiorczego. Zatrzaskuje się na czaszce i pod brodą i daje się rozpiąć wyłącznie odpowiednim kluczem. Jestem w jego posiadaniu. Jeśli okażesz się na tyle sprytna, że wyłączysz urządzenie... — rzuca uprząż na łóżko i macha maleńkim, srebrnym mikronadajnikiem — ...wówczas wydam zgodę na chirurgiczne wszczepienie ci do ucha tego transmitera i będę mógł do ciebie gadać na okrągło, dzień i noc.

Haymitch w mojej głowie, dwadzieścia cztery godziny na dobę. Upiorne.

— Nie będę wyciągała słuchawki — mamroczę.

— Słucham? — pyta głośno.

— Nie wyciągnę słuchawki! — odpowiadam tak głośno, jakbym chciała postawić na nogi połowę szpitala.

— Na pewno? Bo jeśli o mnie chodzi, to każda z trzech opcji mi odpowiada.

— Na pewno — burczę. Mocno zaciskam palce na słuchawce, a wolną ręką ciskam uprząż prosto w twarz Haymitcha. Bez trudu chwyta urządzenie, pewnie się tego po mnie spodziewał.

— Jeszcze coś?

Wstaje, zbiera się do wyjścia.

— Czekałem, aż się obudzisz... i w tym czasie zjadłem ci lunch.

Spoglądam na tacę i pustą miskę po potrawce, stojące na stoliku przy łóżku.

— Złożę na pana doniesienie — odgrażam się do poduszki.

— Koniecznie, skarbie. — Wychodzi, przekonany o własnej bezkarności. Wie, że nie jestem typem donosiciela.

Chcę znowu zasnąć, ale dręczy mnie niepokój. Wspomnienia wczorajszych wydarzeń mieszają mi się z teraźniejszością. Bombardowanie, ogniste eksplozje towarzyszące katastrofom samolotów, twarze rannych, którzy nie przeżyli — wszędzie dookoła czai się śmierć. Mam wizję swoich ostatnich chwil przed uderzeniem pocisku o ziemię. Czuję, jak mój samolot traci skrzydło i nurkuję prosto w niebyt. Dach magazynu wali się na mnie, a ja nic nie mogę zrobić, bo leżę bezbronna, przykuta do składanego łóżka. Wszystko to widziałam na własne oczy lub na ekranie telewizora. Wszystko spowodowałam, gdy zwolniłam cięciwę łuku. Tych chwil już nigdy nie zdołam wymazać z pamięci.

W porze kolacji przychodzi Finnick z tacą i siada przy moim łóżku, żebyśmy mogli wspólnie obejrzeć w telewizji najnowszą propagitę. Przyznano mu miejsce na tym samym poziomie, na którym wcześniej mieszkałam, ale tak często cierpi na zaburzenia pracy mózgu, że praktycznie ciągle przebywa w szpitalu. Rebelianci emitują propagitę z serii: „Wiecie, kim oni są i do czego są zdolni", zmontowaną przez Messallę. Materiał przeplata się z krótkimi, studyjnymi nagraniami z Gale'em, Boggsem i Cressidą, którzy opisują incydent. Trudno mi oglądać sceny z mojego przybycia do szpitala w Ósemce, bo przecież wiem, co się za moment zdarzy. Kiedy grad bomb zasypuje dach magazynu, ukrywam twarz w poduszce i patrzę ponownie w telewizor dopiero przy końcowym ujęciu, gdy wszyscy ranni już nie żyją, a kamera przez chwilę koncentruje się tylko na mnie.

Przynajmniej Finnick nie klaszcze i nie podskakuje z radości po ostatniej scenie.

— Ludzie powinni wiedzieć, że to się zdarzyło — mówi krótko. — I teraz już wiedzą.

— Wyłącz to, Finnick, zanim puszczą powtórkę — nalegam, ale gdy jego dłoń sunie w kierunku pilota, krzyczę: — Czekaj! — W telewizji kapitolińskiej właśnie rozbrzmiewa zapowiedź programu specjalnego, który wygląda dziwnie znajomo. Tak, to Caesar Flickerman. Bez trudu mogę się domyślić, kto będzie jego gościem.

Jestem wstrząśnięta fizyczną przemianą Peety. Zdrowy chłopak o lśniących oczach, którego widziałam kilka dni temu, stracił co najmniej sześć kilogramów, a na dodatek nerwowo drżą mu dłonie. Wypacykowali go przed występem, ale pod warstwą farby, która nie maskuje już worków pod oczami, i pod eleganckim ubraniem, które nie może ukryć bólu ciała, widzę okaleczonego człowieka.

Kręci mi się w głowie, usiłuję połapać się w sytuacji. Przecież Peetę oglądałam zaledwie cztery, nie, pięć dni temu. Tak, pięć dni temu. Jak to możliwe, że w tak krótkim czasie stał się wrakiem człowieka? Co mu zrobili przez tych parę dni? Nagle dociera do mnie prawda. Odtwarzam w myślach wszystko to, co zapamiętałam z pierwszego wywiadu z Caesarem, poszukuję wskazówek, które pomogłyby mi umiejscowić go w czasie. Nie wpadam na żaden trop. Innymi słowy, mogli nagrać ten wywiad dzień lub dwa po tym, jak wysadziłam arenę, a później robić z Peetą, co tylko chcieli.

— Och, Peeta... — szepczę.

Caesar i Peeta wymieniają kilka błahych uwag i dopiero potem prowadzący pyta o pogłoski, że nagrywam propagity dla dystryktów.

— Wykorzystują ją, to oczywiste — oświadcza Peeta. — Chcą w ten sposób zmobilizować rebeliantów. Wątpię, żeby w ogóle zdawała sobie sprawę, o co chodzi w tej wojnie. O jaką stawkę toczy się gra.

— Czy jest coś, co chciałbyś jej przekazać? — pyta Caesar.

— Owszem. — Peeta patrzy w obiektyw kamery, spogląda mi prosto w oczy. — Katniss, nie bądź głupia, myśl samodzielnie.

Zrobili z ciebie broń, która może odegrać ważną rolę w zgładzeniu ludzkości. Jeśli masz rzeczywisty wpływ na przebieg zdarzeń, wykorzystaj go do wyhamowania tego, co się dzieje. Zrób, co w twojej mocy, żeby zakończyć wojnę, nim będzie za późno. Zadaj sobie pytanie, czy naprawdę ufasz ludziom, z którymi pracujesz? Czy naprawdę wiesz, co się dzieje? A jeśli nie... to się dowiedz.

Czarny ekran. Emblemat Panem. Program dobiegł końca.

Finnick wciska guzik na pilocie, żeby wyłączyć telewizor. Za moment przybiegną tu ludzie, żeby oszacować szkodliwość wyemitowanego wywiadu, zastanowić się nad kondycją Peety oraz słowami, które padły z jego ust. Będę musiała ich udobruchać. Problem w tym, że tak naprawdę nie ufam ani rebeliantom, ani Plutarchowi, ani Coin, i nie jestem przekonana, czy mówią mi prawdę. Nie zdołam tego ukryć.

Za drzwiami słyszę stukot kroków.

Nagle Finnick mocno chwyta mnie za ramiona.

— Nie widzieliśmy tego.

— Czego? — pytam.

— Nie widzieliśmy Peety. Obejrzeliśmy tylko propagitę o Ósemce, a potem od razu wyłączyliśmy telewizor, bo zdjęcia wytrąciły cię z równowagi. Rozumiesz? — Kiwam głową. — Dokończ kolację.

Biorę się w garść do tego stopnia, że gdy wchodzą Plutarch i Fulvia, mam usta pełne chleba i kapusty. Finnick mówi o tym, jak dobrze Gale wypadł na ekranie. Gratulujemy obojgu dobrej propagity. Dajemy jasno do zrozumienia, że zrobiła na nas ogromne wrażenie i zaraz po jej zakończeniu musieliśmy wyłączyć telewizor, żeby ochłonąć. Chyba oddychają z ulgą. Wierzą nam.

Nikt słowem nie wspomina o Peecie.

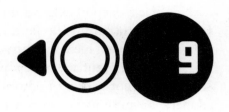

Po kilku nieudanych próbach zaśnięcia, przerywanych przez wyjątkowo upiorne koszmary, rezygnuję w końcu ze spania. Potem już tylko leżę nieruchomo i za każdym razem, gdy ktoś wpada sprawdzić, czy u mnie wszystko w porządku, udaję, że miarowo oddycham. Rano zostaję wypisana ze szpitala z zaleceniem, żebym się nie przemęczała.

Cressida chce nagrać parę zdań do nowej propagity z Kosogłosem. Podczas lunchu czekam, aż ludzie poruszą temat Peety, ale milczą jak zaklęci. Przecież poza mną i Finnickiem ktoś musiał widzieć tę rozmowę.

Mam trening, ale Gale zaplanował sobie zajęcia z Beetee'em przy broni lub czymś takim, więc pozwalają mi zabrać do lasu Finnicka. Przez pewien czas krążymy po okolicy, a potem chowamy komunikatory pod krzakiem i oddalamy się na bezpieczny dystans, żeby usiąść i porozmawiać o tym, co powiedział Peeta.

— Nie słyszałem ani słowa o jego występie. Tobie też nikt nie powiedział? — upewnia się Finnick, a ja tylko kręcę głową.

— Nawet Gale? — dopytuje się po chwili milczenia. Z całych sił chcę wierzyć, że Gale naprawdę nie ma o tym pojęcia, dręczy mnie jednak paskudne przeczucie, że dobrze o wszystkim wiedział. — Może woli zaczekać i powiedzieć ci o tym w cztery oczy?

— Niewykluczone — przyznaję.

Milczymy tak długo, że nieopodal pojawia się kozioł, którego kładę jedną strzałą. Finnick zaciąga zwierzynę do ogrodzenia.

Na kolację jest potrawka z dodatkiem mielonej sarniny, potem Gale odprowadza mnie do komory E. Pytam, co nowego, a on znowu ani słowem nie wspomina o Peecie. Gdy mama i Prim już śpią, wyciągam z szuflady perłę i spędzam następną bezsenną noc, ściskając klejnot w dłoni i odtwarzając w myślach słowa Peety: „Zadaj sobie pytanie, czy naprawdę ufasz ludziom, z którymi pracujesz? Czy naprawdę wiesz, co się dzieje? A jeśli nie… to się dowiedz". Mam się dowiedzieć. Ale czego, od kogo? I czemu Peeta miałby wiedzieć cokolwiek poza tym, co mu wmówią władze? Obejrzałam tylko kapitolińską propagitę, jeszcze jeden telewizyjny śmieć. Być może Plutarch uważa, że to zwykła sztuczka ludzi z Kapitolu, zatem dlaczego nie chce mi o tym powiedzieć? Dlaczego nikt nie wspomniał o tym ani mnie, ani Finnickowi?

Prawdziwym źródłem mojego niepokoju, kryjącym się za tymi rozważaniami, jest Peeta. Co oni mu zrobili? Co mu robią obecnie? Snow najwyraźniej nie uwierzył, że Peeta i ja nie wiedzieliśmy nic o rebelii. Teraz, gdy zaprezentowałam się jako Kosogłos, jego podejrzenia niewątpliwie się potwierdziły. Peeta może się tylko domyślać, jaką taktykę obrali rebelianci, albo kłamać, żeby zadowolić oprawców. Jeśli wyjdzie na jaw, że oszukuje, spotka go surowa kara. Musi się czuć ogromnie samotny i pewnie uważa, że go opuściłam. W pierwszym wywiadzie usiłował chronić mnie zarówno przed Kapitolem, jak i przed rebeliantami, a ja… Nie dość, że go nie obroniłam, to jeszcze sprowadziłam na niego gorszy horror.

Rankiem wsuwam przedramię do ściany i patrzę nieprzytomnie na harmonogram dnia. Zaraz po śniadaniu jestem zapisana do Produkcji. W jadalni, gdy przełykam gorącą owsiankę, mleko i tarte buraki, zauważam telemankiet na nadgarstku Gale'a.

— Kiedy dostałeś to z powrotem, żołnierzu Hawthorne? — pytam.

— Wczoraj. Uznali, że skoro mam z tobą przebywać w warunkach polowych, potrzebny nam będzie zapasowy system łączności.

Mnie nikt nie zaproponował telemankietu. Ciekawe, czy by mi go dali, gdybym poprosiła?

— Jedno z nas musi być bardziej otwarte na ludzi — recytuję z napięciem w głosie.

— Co chcesz przez to powiedzieć?

— Nic takiego, po prostu powtarzam twoje słowa. Poza tym absolutnie się zgadzam, że z nas dwojga to ty powinieneś być bardziej otwarty. Mam tylko nadzieję, że przy okazji nie zamkniesz się na mnie.

Patrzymy sobie w oczy i nagle dociera do mnie, jak bardzo jestem na niego wściekła. Ani trochę nie wierzę, że nie widział drugiego wywiadu z Peetą, i czuję się zdradzona, bo nie powiedział mi o tej kapitolińskiej propagicie. Za dobrze się znamy, żeby nie umiał rozpoznać mojego nastroju. Od razu się domyśla, co mi psuje humor.

— Katniss... — zaczyna, a w jego tonie słyszę skruchę.

Chwytam tacę, idę prosto do punktu zwrotu naczyń i hałaśliwie trzaskam nimi o półkę. Gale mnie dogania, kiedy przemierzam korytarz.

— Dlaczego nic nie powiedziałaś? — Dyszy i chwyta mnie za rękę.

— Dlaczego miałabym coś powiedzieć? — Wyrywam mu się gwałtownie. — Czy to nie ty powinieneś był zacząć? Poza tym zagadnęłam cię wczoraj, spytałam, co nowego.

— Wybacz. Przepraszam. Nie wiedziałem, co zrobić. Chciałem powiedzieć ci o tym, ale wszyscy się bali, że zachorujesz po obejrzeniu propagity z Peetą — tłumaczy.

— I słusznie, bo jak to zobaczyłam, od razu mi się pogorszyło. Ale zrobiło mi się jeszcze gorzej, kiedy mnie okłamałeś, żeby się przypodobać Coin. — W tej samej chwili jego telemankiet zaczyna piszczeć. — Oho, to ona. Lepiej biegnij, masz jej sporo do opowiedzenia.

Przez sekundę widzę na jego twarzy prawdziwy ból, który jednak szybko znika, zastąpiony przez lodowatą wściekłość. Gale odwraca się na pięcie i odchodzi. Może byłam zbyt mściwa, może nie dałam mu dość czasu na wyjaśnienia. Może wszyscy usiłują mnie chronić i dlatego mnie okłamują, dla mojego dobra. To bez znaczenia, mam serdecznie dość ludzi, którzy mnie okłamują dla mojego dobra, bo tak naprawdę chodzi o ich dobro. Nakłamcie Katniss w sprawie powstania, żeby nie popełniła jakiegoś szaleństwa. Niech trafi na arenę nieświadoma, że ją stamtąd wyłowimy. Nie wspominajcie o propagicie z Peetą, bo się jej pogorszy, a przecież i tak trudno ją skłonić do przyzwoitego występu.

Naprawdę mi się pogorszyło. Serce mi pęka, poza tym czuję się zbyt zmęczona, żeby uczestniczyć w całodniowych zdjęciach. Jestem już jednak w Sali Wizażu, więc brnę dalej. Dowiaduję się, że dzisiaj wracamy do Dwunastego Dystryktu — Cressida chce przeprowadzić kilka spontanicznych wywiadów z Gale'em, a ja mam opowiedzieć coś o naszym zrównanym z ziemią mieście.

— Jeśli tylko oboje czujecie się na siłach — dodaje Cressida i spogląda na mnie uważnie.

— Nie ma sprawy — mówię.

Stoję nieruchomo, milcząca i sztywna jak manekin, podczas gdy ekipa mnie ubiera, poprawia mi włosy i paćka twarz makijażem. Nie muszę wyglądać widowiskowo, chodzi tylko o to, żeby nieco zamaskować podkrążone z niewyspania oczy.

Boggs odprowadza mnie do hangaru, ale ograniczamy rozmowę do powitania. Dobrze, że nie muszę znowu dyskutować na temat mojego nieposłuszeństwa w Ósemce, zwłaszcza że maska na twarzy Boggsa wydaje się bardzo niewygodna.

W ostatniej chwili przypominam sobie, aby przesłać mamie wiadomość o tym, że opuszczam Trzynastkę, i zapewnić ją, że to całkowicie bezpieczne. W krótką podróż do Dwunastki wyruszymy poduszkowcem. Wsiadam na pokład i zostaję skierowana do miejsca przy stole, gdzie Plutarch, Gale i Cressida pochylają się nad mapą. Plutarch z nieskrywaną satysfakcją demonstruje mi skutki nadania pierwszych kilku propagit i porównuje rezultaty z sytuacją poprzedzającą emisję. Rebelianci, którzy z trudnością utrzymywali przyczółki w kilku dystryktach, chwycili wiatr w żagle. Udało im się przejąć władzę nad Trójką i Jedenastką i przeprowadzili poważne akcje zbrojne w paru innych dystryktach. Jedenastka jest szczególnie istotna, gdyż stanowi główne źródło zaopatrzenia Panem w żywność.

— To dobrze wróży, bardzo dobrze — ocenia Plutarch. — Jeszcze dzisiaj wieczorem Fulvia przygotuje pierwsze filmy z serii „Nie zapomnimy", żebyśmy mogli wziąć na cel konkretne dystrykty i przypomnieć zmarłych, którzy stamtąd pochodzili. Finnick jest po prostu niedościgniony.

— Aż chwyta za gardło, kiedy widzi się coś takiego — dodaje Cressida. — Wielu z nich znał osobiście.

— Właśnie dlatego nagrania wypadają tak przekonująco — podkreśla Plutarch. — Płyną z głębi serca. Wszyscy doskonale sobie radzicie, Coin jest szczerze zachwycona.

A zatem Gale nie powiedział im o tym, jak udawałam, że nic nie wiem o występie Peety. Nie wspomniał, że ich zmowa milczenia doprowadziła mnie do szału. Jego dyskrecja to jednak za mało, a dobrą wolę okazał za późno, nadal nie mogę mu wybaczyć. Zresztą wszystko jedno, on też się do mnie nie odzywa.

Dopiero po wylądowaniu na Łące zauważam, że tym razem Haymitch nie zabrał się z nami. Gdy pytam Plutarcha o powody jego nieobecności, tylko kręci głową.

— Nie mógł stawić temu czoła — wzdycha.

— Haymitch? Nie mógł stawić czemuś czoła? — powątpiewam. — Raczej wolał zafundować sobie dzień wolnego.

— O ile pamiętam, powiedział tak: „Nie dam rady bez butelki" — przypomina sobie Plutarch.

Przewracam oczami, bo już dawno temu straciłam cierpliwość do mojego mentora, jego słabości do alkoholu, ani trochę nie interesuje mnie, z czym może się wziąć za bary, a co go przerasta. Wystarczy jednak zaledwie pięć minut spędzonych w Dwunastce, żebym sama zatęskniła za butelką. Myślałam, że pogodziłam się z upadkiem mojego dystryktu, bo przecież słyszałam o nim, widziałam go z powietrza, chodziłam wśród spopielonych ruin. Dlaczego więc ponownie czuję ból na wspomnienie tego, co się tutaj zdarzyło? Czy wcześniej byłam za bardzo zdystansowana, aby w pełni sobie uświadomić, że mój świat przestał istnieć? A może wyraz twarzy wstrząśniętego rozmiarem tragedii Gale'a sprawia, że na nowo odczuwam siłę dramatu?

Cressida decyduje, że pierwsze ujęcia nakręcimy w moim starym domu. Pytam ją, co mam zrobić.

— Na co tylko masz ochotę — odpowiada.

Stoję w kuchni i nie mam na nic ochoty, więc wznoszę oczy ku niebu, bo dachu już nie ma. Zalewa mnie zbyt wiele wspomnień. Po pewnym czasie Cressida daje za wygraną.

— W porządku, Katniss — oświadcza. — Ruszamy dalej.

W miejscu swojego dawnego domu Gale ma wyraźne trudności ze skleceniem dwóch zdań. Przez kilka minut Cressida filmuje go, jak stoi w milczeniu. W pewnej chwili Gale wyciąga z popiołu pamiątkę po minionym życiu, powykręcany, metalowy pogrzebacz, a wtedy Cressida zarzuca go pytaniami o rodzinę, pracę, życie w Złożysku. Nakłania go, by powrócił myślami do nocy bombardowania pociskami zapalającymi i każe mu odtworzyć, co wtedy robił. Na początku był w domu, potem przedarł się przez Łąkę, przebył las i dotarł do jeziora. Teraz wlokę się za ekipą filmową oraz strażnikami przez las i mam wrażenie, że ich obecność narusza spokój moich ukochanych miejsc. To mój prywatny zakątek, sanktuarium, i tak już zbezczeszczone niegodziwością Kapitolu. Mijamy walające się nieopodal ogrodzenia, zwęglone szczątki ludzkie, a i tak potykamy się o jeszcze częściowo rozłożone zwłoki. Czy na pewno musimy nagrywać takie widoki dla wszystkich?

Docieramy nad jezioro i wygląda na to, że Gale'owi aż odebrało mowę na dłużej. Ociekamy potem, zwłaszcza Castor i Pollux w swoich owadzich pancerzach, więc Cressida ogłasza przerwę. Garściami czerpię wodę z jeziora i żałuję, że nie mogę samotnie zanurzyć się w toni i wypłynąć na powierzchnię, zupełnie naga, bez świadków. Snuję się wokół jeziora, a kiedy wracam do małego betonowego domku nad brzegiem, staję na progu i patrzę, jak Gale opiera zakrzywiony pogrzebacz o ścianę przy palenisku. Przez chwilę wyobrażam sobie samotnego nieznajomego, który kiedyś w przyszłości gubi się w lesie i natrafia na tę małą chatkę, przytulne schronienie ze stertą porąbanego drewna, paleniskiem, pogrzebaczem, a potem zastanawia się, skąd to wszystko wzięło się tutaj, na odludziu. Gale odwraca się do mnie, patrzy mi w oczy, i od razu wiem, że rozmyśla o naszym ostatnim spotkaniu w tym miejscu, kiedy kłóciliśmy się o to, czy powinniśmy uciec. Gdybyśmy zdecydowali się wówczas, czy Dwunasty Dystrykt jeszcze by istniał? Moim zdaniem tak. Ale Kapitol nadal rządziłby całym Panem.

Częstujemy się kanapkami z serem, które zjadamy w cieniu drzew. Celowo siadam na skraju grupy, obok Polluksa, żeby nie brać udziału w rozmowie. I tak nikt nie jest specjalnie skłonny do pogawędki. We względnej ciszy ptaki odzyskują las. Trącam Polluksa łokciem i wskazuję palcem małego, czarnego ptaka z koroną, który skacze na pobliską gałąź, na chwilę rozpościera skrzydła i demonstruje białe łatki. Pollux spogląda domyślnie na moją broszkę i pytająco unosi brwi. Kiwam głową, tak, to kosogłos. Unoszę palec, jakbym chciała powiedzieć: „Zaczekaj, zaraz coś zobaczysz", a potem gwiżdżę jak ptak. Kosogłos przekrzywia głowę i odgwizduje melodię. Ku mojemu zdumieniu, Pollux również gwiżdże kilka własnych nut, a ptak momentalnie odpowiada i jemu. Twarz Polluksa rozjaśnia niekłamany zachwyt. Z ochotą ciągnie tę melodyjną pogawędkę z kosogłosem, pewnie to jego pierwsza od lat rozmowa. Muzyka wabi kosogłosy, tak jak kwiaty wabią pszczoły, więc w krótkim czasie przylatuje ich z pół tuzina, siadają na gałęziach nad naszymi głowami. Pollux stuka mnie w ramię i gałązką wyskrobuje w ziemi: ZAŚPIEWASZ?

Zwykle odmawiam, ale w takich okolicznościach nie mam serca odrzucić prośby Polluksa. Poza tym głos rozśpiewanych kosogłosów jest inny niż wtedy, gdy gwiżdżą, i chcę, żeby Pollux je usłyszał. Nie zdążyłam dobrze pomyśleć, co robię, a już śpiewam cztery nuty Rue, te same, którymi sygnalizowała koniec dnia pracy w Jedenastce. Te same dźwięki stały się potem muzyką w tle towarzyszącą jej, gdy umierała. Ptaki o tym nie wiedzą. Podchwytują prostą frazę i przerzucają się nią w uroczej harmonii. Robiły dokładnie to samo podczas Głodowych Igrzysk, zanim zmieszańce wypadły spośród drzew i zagoniły nas na Róg Obfitości, a potem powoli zagryzły Catona i zrobiły z niego krwawą miazgę...

— Chcesz posłuchać, jak śpiewają prawdziwą piosenkę? — proponuję. Jestem gotowa zrobić wszystko, żeby odgonić od siebie te wspomnienia. Zrywam się z miejsca, idę między drzewa, kładę dłoń na szorstkim pniu klonu, na którym przysiadły ptaki. Od dziesięciu lat nie śpiewałam głośno *Drzewa wisielców*, bo to zakazana piosenka. Mimo to świetnie pamiętam każde słowo. Zaczynam cicho, łagodnie, zupełnie jak ojciec.

Czy chcesz, czy chcesz
Pod drzewem skryć się?
Tu zawisł ten, co troje zginęło z jego mocy.
Dziwnie już tutaj bywało,
Nie dziwniej więc by się stało,
Gdybyśmy się spotkali pod wisielców drzewem o północy.

Kosogłosy stopniowo zmieniają swoje pieśni, gdy dociera do nich, że podsuwam im w darze nowy utwór.

Czy chcesz, czy chcesz
Pod drzewem skryć się?
Choć trup ze mnie już, uwolnię cię od przemocy.
Dziwnie już tutaj bywało,
Nie dziwniej więc by się stało,
Gdybyśmy się spotkali pod wisielców drzewem o północy.

Teraz skupiłam na sobie uwagę ptaków. Wystarczy jeszcze jedna zwrotka, żeby zapamiętały słowa, które są proste i powtarzają się czterokrotnie z bardzo niewielkimi zmianami.

Czy chcesz, czy chcesz
Pod drzewem skryć się?
To tu do mnie miałaś zbiec, żeby uniknąć przemocy.
Dziwnie już tutaj bywało,
Nie dziwniej więc by się stało,
Gdybyśmy się spotkali pod wisielców drzewem o północy.

W koronach drzew panuje cisza, zakłócana jedynie szelestem liści na wietrze. Nie słyszę żadnych dźwięków świadczących o obecności ptaków, czy to kosogłosów, czy innych. Peeta ma rację. One naprawdę milkną, gdy śpiewam. Tak samo się zachowywały, gdy nucił im mój ojciec.

Czy chcesz, czy chcesz
Pod drzewem skryć się też?
W naszyjniku ze sznura u boku mego nie czekaj pomocy.
Dziwnie już tutaj bywało,
Nie dziwniej więc by się stało,
Gdybyśmy się spotkali pod wisielców drzewem o północy.

Ptaki czekają, nie chcą, żebym przerywała, ale to już koniec. Ostatnia linijka. Zapada cisza, a ja przypominam sobie scenę sprzed lat. Wróciłam do domu po całym dniu spędzonym z ojcem w lesie. Siedziałam na podłodze razem z Prim, która dopiero uczyła się stawiać pierwsze kroki, i śpiewałam *Drzewo wisielców*. Robiłam naszyjniki z resztek starego sznura, tak jak było w piosence, bo nie rozumiałam znaczenia tekstu. Prosta melodia dobrze się nadawała do wspólnego śpiewania, a wtedy umiałam zapamiętać prawie wszystko, co miało związek z muzyką, wystarczyła mi tylko jedna lub dwie powtórki. Nagle mama wyrwała mi naszyjniki ze sznurów i zaczęła wrzeszczeć na tatę. Rozpłakałam się, bo mama nigdy nie krzyczała, potem Prim zaczęła zawodzić, a ja wybiegłam z domu, żeby się ukryć. Miałam tylko jedną kryjówkę, na Łące, pod wiciokrzewem, więc tata momentalnie mnie znalazł, uspokoił i zapewnił, że wszystko jest w porządku, tylko nie powinniśmy już śpiewać tej piosenki. Mamie zależało na tym, żebym ją zapomniała, więc, rzecz jasna, wszystkie słowa natychmiast wryły mi się w pamięć na resztę życia.

Nie śpiewałam już tej piosenki, ojciec też nie, i nawet nie wspominaliśmy o niej. Gdy umarł, często do mnie powracała, a z biegiem lat coraz lepiej rozumiałam słowa. Na początku wydaje się, że jakiś gość namawia swoją dziewczynę, żeby potajemnie spotkała się z nim o północy, ale wybiera dziwne miejsce na schadzkę, drzewo wisielców, na którym powieszono mordercę. Kochanka zbrodniarza na pewno miała coś wspólnego z zabójstwem, a może i tak zamierzano ją za coś ukarać, bo jego trup woła, żeby uciekła. Rzecz jasna, to dziwne i niepokojące, że jakiś trup może mówić, ale naprawdę strasznie robi się w trzeciej zwrotce piosenki, bo dowiadujemy się, że śpiewa ją martwy morderca, który ciągle tam wisi. Choć kazał kochance uciec, to ciągle pyta, czy nie zechciałaby przyjść i spotkać się z nim. Najbardziej wstrząsająca jest linijka „To tu do mnie miałaś zbiec, żeby uniknąć przemocy", bo z początku myślimy, że wisielec każe dziewczynie uciekać, zapewne tam, gdzie będzie bezpieczna. Potem jednak zastanawiamy się, czy przypadkiem nie każe jej uciec w to miejsce, w którym przebywa on sam — na tamten świat. W ostatniej zwrotce staje się jasne, że właśnie na to czeka. Dziewczyna, przystrojona w konopny sznur, ma zawisnąć na drzewie u boku ukochanego.

Kiedyś myślałam, że ten morderca jest najokropniejszym facetem, jakiego można sobie wyobrazić. Teraz, jako dwukrotna uczestniczka Głodowych Igrzysk, wolę nie oceniać go bez znajomości szczegółów sprawy. Może jego kochanka została już skazana na śmierć, a on usiłuje ułatwić jej rozstanie z życiem. Może daje jej znać, że czeka, a może uważa, że miejsce, w którym zostawia dziewczynę, jest naprawdę gorsze od śmierci. Przecież sama chciałam zabić Peetę, żeby go ocalić przed Kapitolem. Czy nie miałam innego wyjścia? Może miałam, ale wówczas nie przychodziło mi do głowy.

Moja mama pewnie uznała, że cała ta historia jest zbyt pogmatwana dla siedmiolatki, zwłaszcza takiej, która plecie zwykłe naszyjniki ze sznurków. Wieszanie ludzi nie przytrafiało się jednak tylko w balladach, mnóstwo ludzi w Dwunastce właśnie tak straciło życie. Mama na pewno wolała też, żebym nie wyśpiewywała takich piosenek na lekcjach muzyki i raczej nie byłaby zachwycona, słysząc, że nucę ją Polluksowi, ale przynajmniej nie... Zaraz, zaraz, znowu się mylę. Zerkam w bok i widzę, że Castor mnie nagrywa. Wszyscy wpatrują się we mnie uważnie, a Polluksowi łzy ściekają po policzkach, bo moja pokręcona piosenka z pewnością przypomniała mu o jakimś okropnym zdarzeniu z jego życia. Po prostu świetnie. Wzdycham, opieram się o pień drzewa i właśnie wtedy kosogłosy rozpoczynają swój występ. Słuchamy ich interpretacji *Drzewa wisielców*, która w ptasim wykonaniu okazuje się niezwykle piękna. Mam świadomość, że jestem filmowana, więc stoję cicho, aż wreszcie słyszę, jak Cressida woła:

— Cięcie!

Plutarch podchodzi do mnie, śmiejąc się głośno.

— Skąd wytrzasnęłaś tę piosenkę? Nikt by nie uwierzył, gdybyśmy sami to wymyślili. — Obejmuje mnie ręką i hałaśliwie całuje w czubek głowy. — Jesteś niesamowita.

— Nie robiłam tego do kamer — zauważam.

— W takim razie mieliśmy szczęście, że były włączone. Uwaga, wracamy do miasta!

Brniemy z powrotem przez las, aż docieramy do głazu. Wtedy oboje, ja i Gale, odwracamy głowy w tę samą stronę, jak para psów, które wyczuwają zapach niesiony wiatrem. Cressida to zauważa i pyta, co tam się znajduje. Zgodnie przyznajemy, że to nasze dawne miejsce spotkań myśliwskich. Koniecznie chce je zobaczyć, choć zapewniamy ją, że to nic szczególnego.

Nic szczególnego poza tym, że właśnie tam byłam naprawdę szczęśliwa, myślę.

Oto nasza półka skalna z widokiem na dolinę. Może nieco mniej zielona niż zwykle, ale krzewy jeżyn są ciężkie od owoców. Tutaj zaczęły się niezliczone dni polowań, zakładania pułapek, łowienia ryb i zbierania, wspólnych wędrówek po lasach, uwalniania się od ponurych myśli i napełniania worków zwierzyną. Tu znajdowała się nasza brama do świata, w którym nie brakuje żywności, a ludzie zachowują zdrowie psychiczne. A my oboje byliśmy dla siebie kluczami do tej krainy.

Nie ma już Dwunastego Dystryktu, z którego można uciec, nie ma Strażników Pokoju do przechytrzenia ani głodnych ludzi do wykarmienia. Kapitol odebrał nam to wszystko, a teraz niewiele brakuje, żebym straciła także Gale'a. Spoiwo wzajemnej użyteczności, które łączyło nas tak ściśle przez wiele lat, teraz kruszy się wyraźnie. Nie światło, lecz ciemne plamy pojawiają się w przestrzeni między nami. Jak to możliwe, że dzisiaj, w obliczu potwornej zagłady Dwunastki, wściekłość nie pozwala nam prowadzić normalnej rozmowy?

Gale właściwie mnie okłamał. Jego zachowanie było niedopuszczalne, nawet jeśli wynikało z troski o moje samopoczucie. Wygląda jednak na to, że przeprosił mnie szczerze, a ja odrzuciłam te przeprosiny, przy okazji obraziwszy go tak, żeby zabolało. Co się z nami dzieje? Dlaczego teraz żyjemy w niezgodzie? Sytuacja jest zagmatwana, ale czuję, że jeśli powrócę do korzeni problemów, wtedy to, co robię, będzie dotykało sedna sprawy. Czy naprawdę chcę odepchnąć Gale'a?

Lekko zaciskam palce na jeżynie i zrywam ją z szypułki. Delikatnie obracam owoc między kciukiem a palcem wskazującym i nagle rzucam jeżynę w jego stronę.

— I niech los… — zawieszam głos. Owoc leci wysoko, żeby Gale miał mnóstwo czasu na podjęcie decyzji, czy go odtrącić, czy przyjąć.

Wpatruje się we mnie, nie w jeżynę, ale w ostatniej chwili otwiera usta i ją chwyta. Przez chwilę przeżuwa, potem połyka i zapada długie milczenie.

— …zawsze wam sprzyja! — mówi jednak. Mimo wszystko wypowiada te słowa.

Cressida sadza nas w skalnej niszy, tak wąskiej, że musimy się dotykać, i zachęca nas do rozmowy o polowaniu. Co nas skłoniło do wędrówek po lesie, jak się poznaliśmy, jakie chwile najlepiej wspominamy. Rozluźniamy się, trochę śmiejemy i opowiadamy o przygodach z udziałem pszczół, stad dzikich psów oraz skunksów. Milknę, gdy rozmowa schodzi na to, jak nam poszło przestawienie się z myślistwa na ostrzał bombowców w Ósemce.

— Trzeba było już dawno to zrobić — odpowiada Gale.

Gdy docieramy na rynek, popołudnie zmienia się w wieczór. Mimo to zabieram Cressidę na gruzy piekarni i proszę, żeby coś sfilmowała. Jestem tak wyczerpana, że nawet nie próbuję silić się na emocje.

— Peeta, to twój dom. Od czasu bombardowania nikt nic nie wie o twojej rodzinie. Dwunastka przestała istnieć, a ty wzywasz do rozejmu? — Wodzę wzrokiem po pustej przestrzeni. — Nie pozostał nikt, kto mógłby cię wysłuchać.

Stoimy przed zbrylonym kawałem metalu, który niegdyś był szubienicą, i Cressida pyta nas, czy kiedykolwiek byliśmy torturowani. W odpowiedzi Gale ściąga koszulę i odwraca się plecami do kamery. Patrzę na ślady po biczowaniu, a w uszach ponownie słyszę świst bata. Znowu widzę, jak zalany krwią Gale zwisa nieprzytomny, z nadgarstkami związanymi sznurem.

— Z mojej strony to wszystko — oświadczam. — Spotkamy się w Wiosce Zwycięzców. Muszę coś wziąć… dla mamy.

Chyba pokonałam drogę pieszo, ale nie pamiętam. Gdy odzyskuję świadomość, siedzę przed kuchennymi szafkami w naszym domu w Wiosce Zwycięzców i pieczołowicie układam w pudle ceramiczne słoiki oraz szklane butelki. Kruche przedmioty rozdzielam czystymi bawełnianymi bandażami, żeby się nie potłukły, owijam też bukiety suchych kwiatów.

Nagle przypominam sobie o róży na mojej toaletce. Czy istniała naprawdę? A jeśli tak, to czy ciągle jest na piętrze domu? Mam ochotę biec na górę, ale muszę się oprzeć pokusie. Jeżeli rzeczywiście tam czeka, znowu mnie wystraszy i tyle. Pośpiesznie przekładam ostatnie przedmioty.

Gdy szafki są już całkiem puste, wstaję i zauważam Gale'a, który nieoczekiwanie zjawił się w kuchni. To niepokojące, jak bezszelestnie umie się poruszać. Stoi wsparty o blat stołu, z szeroko rozpostartymi palcami. Stawiam między nami pudło.

— Pamiętasz? — pyta. — Tutaj mnie pocałowałaś.

A zatem końska dawka morfaliny, którą dostał po chłoście, nie była dostateczne silna, żeby wymazać mu to ze świadomości.

— Nie sądziłam, że to pamiętasz — odpowiadam.

— Prędzej umrę, niż zapomnę coś takiego. A może nawet po śmierci będę pamiętał — mówi. — Być może stanę się taki jak ten z *Drzewa wisielców*. Będę ciągle czekał na odpowiedź.

Ma łzy w oczach, a przecież nigdy dotąd nie widziałam, żeby płakał. Nie chcę, żeby popłynęły, więc pochylam głowę i przyciskam usta do jego warg. Smakujemy skwarem, popiołami i smutkiem — niezwykły koktajl jak na tak delikatny pocałunek. Gale odsuwa się pierwszy i uśmiecha bez wesołości.

— Wiedziałem, że mnie pocałujesz.

— Niby skąd? — Sama tego nie wiedziałam.

— Bo cierpię — wzdycha. — To jedyny sposób na przyciągnięcie twojej uwagi. — Podnosi pudło. — Bez obaw, Katniss, przejdzie mi.

Wychodzi, zanim zdążę zareagować.

Jestem zbyt wyczerpana, żeby analizować jego ostatnie oskarżenie. Krótką podróż powrotną do Trzynastki spędzam skulona na fotelu i usiłuję ignorować Plutarcha, zajętego paplaniem na jeden z jego ulubionych tematów. Gada o broni, którą ludzkość już nie dysponuje — samolotach wysokich lotów, satelitach wojskowych, dezintegratorach komórek, samolotach bezzałogowych, broni biologicznej o ograniczonym czasie przydatności. Mówi o uzbrojeniu niedostępnym człowiekowi z powodu zniszczenia atmosfery, niedoboru materiałów oraz nadmiaru skrupułów. W głosie Głównego Organizatora Igrzysk pobrzmiewa żal za takimi zabawkami. Plutarch jest wyraźnie nieszczęśliwy, bo musi się zadowolić poduszkowcami, pociskami ziemia-ziemia i zwykłą, starą bronią palną.

W domu wyskakuję ze stroju Kosogłosa i od razu idę spać, bez kolacji. Mimo to Prim musi mną solidnie potrząsnąć, żebym się rano obudziła. Po śniadaniu ignoruję harmonogram dnia i ucinam sobie drzemkę w schowku na przybory. W końcu wyspana wypełzam zza pudełek z kredą i ołówkami, akurat na kolację. Otrzymuję wyjątkowo dużą porcję grochówki i zamierzam wrócić do komory E, kiedy przechwytuje mnie Boggs.

— W Dowództwie odbędzie się zebranie. Zignoruj harmonogram — oświadcza.

— Nie ma sprawy.

— Zastosowałaś się dzisiaj do choćby jednego punktu rozpiski? — dopytuje się z rezygnacją w głosie.

— Bo ja wiem? Cierpię na dezorientację psychiczną. — Unoszę nadgarstek, żeby zademonstrować medyczną bransoletkę i dopiero teraz zauważam jej brak. — Widzisz? Nie pamiętam nawet, że zabrali mi bransoletkę. Dlaczego oczekują mnie w Dowództwie? Coś mnie ominęło?

— Cressida chyba chciała pokazać ci propagity z Dwunastki. Nic się nie stało, najwyżej zobaczysz je w chwili emisji.

— Właśnie do tego jest mi potrzebny harmonogram. Żebym znała termin emisji propagit — zauważam zgryźliwie.

Boggs posyła mi wymowne spojrzenie, lecz nie mówi słowa. W Dowództwie zebrał się tłum ludzi, ale na mnie czeka specjalnie zarezerwowane miejsce między Finnickiem a Plutarchem. Ekrany są już uruchomione, leci zwykły kapitoliński program telewizyjny.

— Co się dzieje? Jednak nie obejrzymy propagit z Dwunastki? — dziwię się.

— Och, nie — odzywa się Plutarch. — To znaczy, niewykluczone. Sam nie wiem dokładnie, jakie materiały zamierza wykorzystać Beetee.

— Beetee uważa, że znalazł sposób na włamanie się do ogólnokrajowego sygnału telewizyjnego Kapitolu — informuje mnie Finnick. — Dzięki temu nasze propagity będą oglądane także w Kapitolu. Teraz pracuje nad tym w Obronie Specjalnej. Na dzisiaj jest zaplanowany program na żywo, Snow chyba postanowił pokazać się publicznie, albo coś w tym stylu. To pewnie początek.

Na ekranach widzimy emblemat Kapitolu, w tle rozbrzmiewa hymn. Po chwili spoglądam prosto w wężowe oczy prezydenta Snowa, który pozdrawia naród. Sprawia wrażenie zabarykadowanego za swoim podium, ale w jego butonierce widać białą różę w pełnym rozkwicie. Kamera się cofa i dopiero teraz zauważam Peetę siedzącego z boku wyświetlonej z projektora mapy Panem. Zajmuje miejsce na wysokim krześle, buty opiera na metalowym szczeblu. Jego proteza wystukuje dziwnie nieregularny rytm. Przez grubą warstwę pudru na twarzy przeniknęły krople potu, wyraźnie widoczne na czole i górnej wardze. Najbardziej jednak przeraża mnie jego spojrzenie — pełne złości i zarazem rozmyte.

— Gorzej z nim — szepczę.

Finnick chwyta moją dłoń, jakby chciał mnie wesprzeć, a ja staram się skupić na tym, co zaraz usłyszę.

Peeta mówi sfrustrowanym tonem o potrzebie zawieszenia broni. Pokrótce opowiada o zniszczeniach w kluczowych elementach infrastruktury rozmaitych dystryktów, a w miarę jak mówi, rozjaśniają się fragmenty mapy i widać na nich zdjęcia zrujnowanych miejsc. Zburzona tama w Siódemce. Wykolejony pociąg oraz jezioro toksycznych substancji, wylewających się z rozszczelnionych cystern. Spichlerz, który wali się po pożarze. Winą za wszystkie te tragedie Peeta obarcza rebeliantów.

Trzask! Bez uprzedzenia, nagle pojawiam się na ekranie, stoję w samym środku ruin piekarni.

Plutarch zrywa się z miejsca.

— Udało mu się! — krzyczy. — Beetee włamał się do systemu!

W pomieszczeniu aż wrze z entuzjazmu, kiedy na ekran powraca zdezorientowany Peeta. Niewątpliwie widział mnie na monitorze kontrolnym. Teraz usiłuje kontynuować przemowę i wspomina o wysadzonym w powietrze zakładzie uzdatniania wody, ale znowu znika z ekranu, zastępuje go Finnick mówiący o Rue. Potem cały przekaz diabli biorą, bo specjaliści z Kapitolu usiłują odeprzeć atak Beetee'ego. Nie są jednak przygotowani, a Beetee najwyraźniej przewidział, że nie uda mu się przez cały czas utrzymać kontroli nad przekazem i dlatego przygotował arsenał pięcio-, dziesięciosekundowych materiałów. Patrzymy, jak oficjalna prezentacja zamienia się w sieczkę okraszoną wyborem scen z propagit.

Plutarch omal nie dostaje drgawek z zachwytu, a prawie wszyscy zebrani wiwatują na cześć Beetee'ego. Zauważam jednak, że Finnick siedzi nieruchomo i nie odzywa się ani słowem. Krzyżuję spojrzenia z Haymitchem, który zajmuje miejsce po drugiej stronie sali, i dostrzegam w jego wzroku odbicie własnego strachu. Oboje wiemy, że z każdym wiwatem zebranych wokół nas ludzi szanse Peety na ocalenie dramatycznie maleją.

Ponownie pojawia się emblemat Kapitolu, a wraz z nim jednostajny dźwięk kontrolny. Przez dwadzieścia sekund nic się nie dzieje, a potem powracają Snow i Peeta. Na scenie panuje chaos, słyszymy spanikowane głosy z reżyserki. Snow brnie dalej, oznajmia, że rebelianci najwyraźniej usiłują zakłócić przekazywanie informacji, które uważają za obciążające dla siebie, ale prawda i sprawiedliwość nadal będą rządzić. Pełny przekaz będzie wznowiony wkrótce po tym, jak na nowo zostaną przywrócone środki bezpieczeństwa. Snow zwraca się do Peety z pytaniem, czy w związku z tą wieczorną ingerencją rebeliancką chciałby coś przekazać Katniss Everdeen na pożegnanie.

Na wzmiankę o mnie Peeta usiłuje się skupić, na jego twarzy widać wysiłek.

— Katniss... Jak twoim zdaniem to się skończy? Co pozostanie? Nikt nie jest bezpieczny, ani w Kapitolu, ani w dystryktach. A ty... W Trzynastce... — Oddycha nerwowo, jakby brakowało mu powietrza. Jego oczy błyszczą niczym oczy szaleńca. — Martwa przed świtem!

— Koniec tego! — rozlega się głos Snowa spoza kadru, a Beetee jeszcze bardziej pogłębia ogólny chaos, co trzy sekundy emitując moje zdjęcia przed szpitalem. Między jedną przebitką na fotografię a drugą oglądamy rzeczywiste wydarzenia ze studia. Peeta usiłuje mówić dalej. Kamera przewraca się i nagrywa białe kafelki na podłodze. Słychać tupot butów, potem odgłos uderzenia i jednoczesny okrzyk bólu Peety.

Na kafelkach rozpryskuje się jego krew.

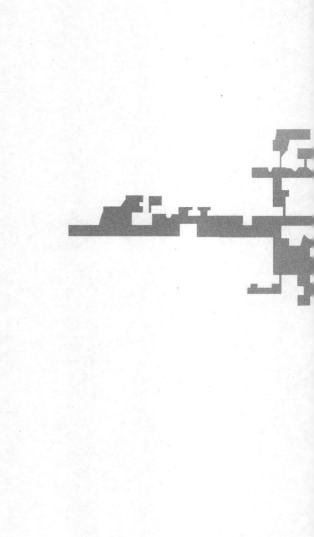

CZĘŚĆ II
ATAK

Wrzask narasta z okolic krzyża i przetacza się przez całe moje ciało, aż wreszcie utyka w gardle. Jestem niema niczym awoksa i dławię się własnym cierpieniem. Nawet gdyby udało mi się rozluźnić mięśnie szyi i posłać krzyk w przestrzeń, to czy ktokolwiek zwróciłby na to uwagę? W pomieszczeniu panuje koszmarny harmider, ludzie głośno zadają sobie pytania i żądają odpowiedzi, usiłując rozszyfrować słowa Peety. „A ty… W Trzynastce… Martwa przed świtem!" Mimo to nikt nie pyta o posłańca, którego krwi nie widać już na ekranach, zastąpił ją szum tła.

Nagle rozlega się głos, który stawia wszystkich na baczność.

— Zamknąć się! — Zgodnie kierujemy wzrok na Haymitcha. — To nie jest żadna wielka tajemnica! Chłopak chce nam przekazać, że wkrótce zostaniemy zaatakowani, tu, w Trzynastce.

— Skąd ma tę informację?

— Dlaczego mielibyśmy mu ufać?

— Skąd ta pewność?

Haymitch pomrukuje z irytacją.

— Stłukli go na krwawą miazgę, kiedy mówił. Jaki jeszcze dowód jest nam potrzebny? Katniss, pomóż! Wesprzyj mnie jakoś.

Muszę się otrząsnąć, żeby wykrztusić to, co mam do powiedzenia.

— Haymitch ma słuszność. Nie wiem, skąd Peeta wytrzasnął tę wiadomość, nie mam pewności, czy jest prawdziwa, ale on na pewno w nią wierzy. Poza tym oni... — Nie jestem w stanie powiedzieć na głos, co mu robi Snow.

— Nie znacie go — mówi Haymitch do Coin. — W przeciwieństwie do nas. Niech pani szykuje swoich ludzi.

Prezydent nie wydaje się zaniepokojona, tylko trochę zdezorientowana takim obrotem sprawy. Trawi słowa Haymitcha i lekko stuka palcem w krawędź tablicy kontrolnej przed sobą. Gdy wreszcie zabiera głos, zwraca się do niego.

— Rzecz jasna, jesteśmy przygotowani na taki obrót spraw, choć od dziesięcioleci utwierdzamy się w przekonaniu, że dalsze bezpośrednie ataki na Trzynastkę będą szkodliwe dla Kapitolu — oświadcza spokojnym, pewnym głosem. — Zdetonowanie głowic jądrowych doprowadzi do napromieniowania atmosfery, co wywoła nieobliczalne następstwa w środowisku naturalnym. Nawet rutynowe bombardowanie może w znacznym stopniu uszkodzić nasze zaplecze wojskowe, które Kapitol pragnie odzyskać. Poza tym, co oczywiste, wróg musi się liczyć z kontratakiem. Należy założyć, że te zagrożenia są do przyjęcia, zważywszy na nasze obecne przymierze z rebeliantami.

— Tak pani uważa? — pyta Haymitch. W jego głosie słychać ironiczną nadgorliwość, ale takie subtelności zwykle umykają mieszkańcom Trzynastki.

— Tak uważam. Zresztą zbyt długo zwlekamy z zarządzeniem alarmu zagrożenia piątego stopnia — mówi Coin. — Rozpoczynamy procedurę ewakuacyjną. — Pośpiesznie wypisuje coś na klawiaturze, żeby autoryzować podjętą decyzję. Gdy tylko unosi głowę, operacja się rozpoczyna.

Odkąd przybyłam do Trzynastego Dystryktu, władze przeprowadziły dwa próbne alarmy niskiego stopnia zagrożenia. Niewiele pamiętam z pierwszego. Znajdowałam się wówczas w szpitalu, na oddziale intensywnej opieki medycznej, i wydaje mi się, że pacjenci nie mieli obowiązku zastosować się do wymogów proceduralnych, bo komplikacje związane z chwilowymi przenosinami przewyższały korzyści próbnego alarmu. Ledwie zdawałam sobie sprawę, że z głośników dobiega metaliczny głos, który wydaje ludziom polecenie natychmiastowego zebrania się w żółtych strefach. Następny próbny alarm dotyczył drugiego stopnia zagrożenia i był ogłaszany w wypadku sytuacji umiarkowanego kryzysu, dajmy na to wtedy, gdy należało przeprowadzić czasową kwarantannę, aby w obliczu epidemii zbadać obywateli na obecność wirusa grypy. Drugi stopień zagrożenia oznaczał konieczność powrotu do komór mieszkalnych i pozostania w nich do czasu zakończenia alarmu. Ukryłam się wtedy za rurą w pralni, ignorując pulsacyjne piski z głośników radiowęzła, i patrzyłam, jak pająk plecie sieć. Te dwa alarmy w żaden sposób nie przygotowały mnie na nieopisane, przenikliwe, budzące strach wycie syren, które teraz przeszywa całą Trzynastkę. Nikt nie ma szansy pozostać obojętny na ten dźwięk, stworzony po to, by wprawić wszystkich mieszkańców dystryktu w nerwowy niepokój. Jesteśmy jednak w Trzynastce i tutaj nie ma mowy o panice.

Boggs wyprowadza mnie i Finnicka z Dowództwa, kieruje nas korytarzem do drzwi, a potem na szerokie schody. Zewsząd strumieniami nadciągają ludzie, którzy łączą się w rzekę spływającą coraz niżej. Nikt nie piszczy ani nie stara się przepchać naprzód, nawet dzieci nie protestują. Schodzimy poziom za poziomem, w milczeniu, bo i tak ani słowo nie przebiłoby się przez to niewiarygodne wycie. Wypatruję mamy i Prim, lecz nie mam szansy dostrzec kogokolwiek oprócz ludzi tuż obok mnie. Tej nocy obie mają dyżur w szpitalu, więc z całą pewnością zastosują się do procedury alarmowej.

Pękają mi bębenki w uszach, opadają powieki. Jesteśmy już na głębokościach kopalnianych. Z ciągłego schodzenia pod ziemię wynika tylko jedna korzyść — ryk syren staje się coraz mniej przenikliwy, zupełnie jakby wycie głośników miało nas dosłownie przegonić z wyższych poziomów. Pomysł najwyraźniej okazał się skuteczny. Grupki ludzi zaczynają się odłączać i znikać za oznaczonymi drzwiami, ale mnie Boggs nadal kieruje niżej, aż wreszcie schody kończą się u wejścia do gigantycznej jaskini. Chcę wejść, jednak Boggs mnie zatrzymuje, bo mam pomachać harmonogramem przed czytnikiem, żeby urządzenie mnie zlokalizowało. Te informacje niewątpliwie wędrują do pamięci komputera, dzięki czemu nikt się nie zawieruszy.

Nie sposób stwierdzić, czy pieczara jest dziełem natury, czy człowieka. Fragmenty ścian są niewątpliwie kamienne, ale do podparcia innych użyto stalowych szyn oraz betonu, prycze zaś wyciosano bezpośrednio w skale. Jest tu kuchnia, łazienki, a także punkt pierwszej pomocy medycznej. To schron zaprojektowany na długi pobyt.

Wszędzie dookoła widać białe litery i cyfry, rozmieszczone w równomiernych odstępach. Boggs informuje mnie i Finnicka, że mamy się zgłosić na miejsca odpowiadające przypisanym nam komorom — w moim wypadku jest to litera E, tak jak komora E — i w tej samej chwili podchodzi Plutarch.

— Ach, tu jesteście — odzywa się. Najświeższe wydarzenia w niewielkim stopniu wpłynęły na jego samopoczucie, nadal promienieje, zachwycony sukcesem Beetee'ego i udanym Atakiem Antenowym. Widzi las, a nie drzewa, nie przejmuje się karą Peety ani nieuchronnym zbombardowaniem Trzynastki. — Katniss, to oczywiście nie najlepszy moment dla ciebie, w świetle komplikacji z Peetą, niemniej musisz mieć świadomość, że ludzie będą cię obserwowali.

— Co takiego? — Nie mogę uwierzyć, że dramatyczną sytuację Peety sprowadził do poziomu komplikacji.

— Inni w schronie na pewno zechcą cię naśladować, służysz im za wzór. Jeśli więc będziesz spokojna i wykażesz się odwagą, postarają się zachować tak samo. Gdy wpadniesz w panikę, zapewne rozprzestrzeni się ona niczym pożar — objaśnia Plutarch, a ja tylko gapię się na niego. — Ogień łatwo się przenosi, że tak powiem — dodaje, jakbym wolno myślała.

— A może spróbuję udawać, że występuję przed kamerą? — pytam.

— Tak jest! Doskonale. Człowiek zawsze jest odważniejszy, gdy ma widownię — zauważa. — Wystarczy przypomnieć sobie, jak mężnie zachował się Peeta.

Mam ochotę strzelić go w gębę, ale z najwyższym trudem się powstrzymuję.

— Muszę wracać do Coin, zanim zaryglują wejście. Dobrze sobie radzisz, oby tak dalej! — mówi Plutarch na odchodnym.

Kieruję się w stronę dużej litery E na ścianie. Mamy do dyspozycji kwadrat kamiennej podłogi o czterometrowych bokach, namalowanych farbą na gołej ziemi. W ścianie są wyżłobione dwie prycze, co oznacza, że jedna z nas będzie spała na podłodze. Zauważam jeszcze sześcienną wnękę na wysokości gruntu, do wykorzystania jako schowek. Na białej zafoliowanej kartce papieru widnieje duży napis: REGULAMIN SCHRONOWY. Wpatruję się uważnie w małe czarne plamki na kartce, które przez moment wyglądają jak rozbryzgane krople krwi. Nie jestem w stanie przestać o tym myśleć, ale w końcu powoli dostrzegam wydrukowane słowa. Punkt pierwszy regulaminu nosi tytuł „Po przybyciu".

1. Sprawdź, czy wiadomo, co się dzieje z pozostałymi mieszkańcami twojej komory.

Mama i Prim nie dotarły, ale jestem jedną z pierwszych osób, które trafiły do schronu. Obie pewnie pomagają w przetransportowaniu pacjentów szpitala.

2. Idź do Punktu Zaopatrzenia i odbierz po jednym plecaku z przydziałem dla każdego mieszkańca twojej komory. Przygotuj przestrzeń mieszkalną. Zwróć puste plecak/i.

Rozglądam się po jaskini i wreszcie dostrzegam Punkt Zaopatrzenia, głębokie pomieszczenie oddzielone ladą. Stoi za nią parę osób, ale na razie mało kto zgłasza się po przydział. Podchodzę bliżej, podaję literę naszej komory i proszę o trzy zestawy. Mężczyzna z obsługi zerka do spisu, zdejmuje z półek odpowiednie plecaki i zamaszyście kładzie je na ladę. Jeden zarzucam na plecy, dwa biorę do rąk, a gdy się odwracam, widzę za sobą kolejkę, która szybko rośnie.

— Przepraszam — mówię i z bagażem przeciskam się między ludźmi.

Czy to zbieg okoliczności? A może Plutarch ma rację, może inni naprawdę uznali mnie za wzór do naśladowania?

Po powrocie do kwatery otwieram jeden z plecaków i wyjmuję cienki materac, pościel, dwa komplety szarych ubrań, szczoteczkę do zębów, grzebień i latarkę. Przeglądam zawartość pozostałych dwóch zestawów i przekonuję się, że różnią się tylko w jeden zauważalny sposób — zawierają po jednym szarym i jednym białym komplecie odzieży. Białe stroje są przeznaczone dla mamy i Prim, na wypadek, gdyby musiały zająć się rannymi. Przygotowuję łóżka, przekładam ubrania i zwracam plecaki, a potem pozostaje mi tylko zastosować się do ostatniego punktu regulaminu.

3. Czekaj na dalsze polecenia.

Siadam po turecku na podłodze i czekam. Pieczara wypełnia się regularnie napływającymi ludźmi, którzy zajmują swoje kwatery, odbierają przydziały. Wkrótce wszystkie miejsca są zajęte. Zastanawiam się, czy mama i Prim pozostaną na noc tam, dokąd przeniesiono pacjentów szpitala. To jednak mało prawdopodobne, bo przecież znajdowały się tutaj na liście. Mama zjawia się, gdy zaczynam się w końcu niepokoić. Spoglądam w przestrzeń za nią, wodzę wzrokiem po nieznajomych twarzach.

— Gdzie Prim? — pytam.

— Nie ma jej tutaj? — dziwi się. — Powinna była przyjść prosto ze szpitala, wyszła dziesięć minut przede mną. Gdzie ona się podziewa? Dokąd mogła pójść?

Na chwilę mocno zaciskam powieki, usiłując ją wytropić, tak jakbym polowała na zwierzynę. Wyobrażam sobie jej reakcję na wycie syren, widzę, jak biegnie pomagać pacjentom, kiwa głową, gdy otrzymuje polecenie zejścia do schronu, a potem waham się razem z nią na schodach. Przez moment biję się z myślami. Ale dlaczego?

Szeroko otwieram oczy.

— Kot! Wróciła po kota!

— O, nie — wzdycha mama.

Obie wiemy, że mam rację. Brniemy pod prąd, usiłujemy opuścić schron. Przed sobą w górze widzę, że żołnierze szykują się do zamknięcia grubych metalowych wrót. Powoli obracają potężne koła po obu stronach wejścia, przesuwając ku sobie dwie części pancernej bramy. Narasta we mnie pewność, że gdy wrota się domkną, żołnierze za żadne skarby nie zgodzą się na ich otwarcie, może nawet po prostu nie będą mieli takiej możliwości. Bezceremonialnie roztrącam ludzi i krzyczę, żeby strażnicy zaczekali. Przestrzeń między skrzydłami zmniejsza się do metra, pół metra, a gdy dopadam wejścia, pozostaje szczelina szerokości zaledwie kilku centymetrów, w którą wpycham dłoń.

— Otwierać! Wypuśćcie mnie! — wrzeszczę.

Na twarzach żołnierzy dostrzegam konsternację, ale obracają koła w przeciwnym kierunku i wrota lekko się rozsuwają. Przerwa jest jeszcze za wąska, żebym się w niej zmieściła, nie grozi mi już jednak zmiażdżenie palców. Korzystam z okazji i wpycham do szczeliny całe ramię.

— Prim! — wołam, unosząc głowę. Mama prosi wojskowych o otwarcie wrót, a ja usiłuję się przecisnąć. — Prim!

Nagle słyszę słaby, odległy stukot kroków na schodach.

— Idziemy! — woła z oddali moja siostra.

— Przytrzymać drzwi! — krzyczy Gale.

— Już biegną! — informuję strażników.

Rozsuwają wrota o niecałe pół metra, jednak nie ruszam się z miejsca ze strachu, że mogliby zamknąć je i zostawić nas wszystkich na zewnątrz. Wreszcie podbiega Prim, zadyszana i czerwona, z Jaskrem na rękach. Wciągam ją do środka, tuż po niej wślizguje się Gale, objuczony naręczem bagażu, który musi przechylić, aby się zmieścić w szczelinie. Ostatecznie zamknięte drzwi donośnie szczękają.

— Co ty sobie wyobrażasz? — Ze złością potrząsam Prim, a potem ją ściskam, gniotąc Jaskra między nami.

Prim ma już gotowe wyjaśnienie:

— Katniss, nie mogłam go zostawić, nie po raz drugi. Szkoda, że go nie widziałaś, jak łaził po pokoju i wył. Wrócił, żeby nas chronić.

— Już dobrze, dobrze. — Kilka razy oddycham głęboko, żeby się uspokoić, potem cofam się o krok i unoszę Jaskra za skórę na karku. — Powinnam była cię udusić, kiedy miałam okazję.

Kładzie uszy po sobie i unosi łapę, ale uprzedzam go i syczę pierwsza. To go chyba wkurza, bo Jaskier uważa, że on jeden ma prawo syczeć, okazując w ten sposób pogardę. Z zemsty miauczy jak bezradne kociątko, a moja siostra natychmiast daje się nabrać i bierze go w obronę.

— Och, Katniss, nie drażnij się z nim — prosi i znowu tuli kota w ramionach. — I tak jest zdenerwowany.

Na myśl o tym, że zraniłam rzekomo delikatne uczucia tej kreatury, mam ochotę dalej wkurzać Jaskra, ale Prim naprawdę się przejmuje. Dlatego tylko wyobrażam sobie parę rękawic podbitych jego futrem — ta wizja od lat pomaga mi się uspokoić.

— No dobrze, przepraszam. Mieszkamy pod dużym E na ścianie. Lepiej umość go tam, zanim kompletnie wyjdzie z siebie.

Prim odchodzi w pośpiechu, a ja zostaję sam na sam z Gale'em. Trzyma w rękach pudło z zapasem lekarstw z kuchni w Dwunastce, miejsca naszej ostatniej rozmowy, pocałunku, kłótni, wszystko jedno. Moja myśliwska torba wisi na jego ramieniu.

— Jeśli Peeta ma rację, to te rzeczy nie miałyby szansy przetrwać — mówi.

Peeta. Krew jak krople deszczu na szybie. Jak mokre błoto na butach.

— Dzięki... za wszystko. — Biorę od niego rzeczy. — Co robiłeś w naszych pokojach?

— Wolałem jeszcze raz wszystko sprawdzić, na wszelki wypadek. Jeśli będziesz mnie potrzebowała, jesteśmy pod czterdzieści siedem.

Gdy wrota się zamknęły, prawie wszyscy przeszli do swoich kwater, więc teraz zmierzam na miejsce pod okiem co najmniej pięciu setek ludzi. Staram się wyglądać wyjątkowo spokojnie, żeby moje zachowanie zrównoważyło wcześniejszy rozpaczliwy bieg przez tłum. Rzecz jasna, i tak nikogo nie nabieram. Tyle tytułem stawiania siebie za przykład. Zresztą, kogo to obchodzi? I tak wszyscy myślą, że jestem stuknięta. Jakiś mężczyzna, którego chyba powaliłam na podłogę, spogląda mi w oczy z niechęcią i rozciera łokieć. Mało brakowało, a nasyczałabym i na niego.

Prim sadowi Jaskra na dolnej pryczy i otula go kocem tak, że widać mu tylko pysk. Właśnie tak najbardziej lubi siedzieć, gdy grzmi, bo pioruny to jedyne, czego się boi. Mama ostrożnie wsuwa pudło do wnęki, a ja przykucam i opieram się plecami o ścianę, żeby sprawdzić, co Gale zdołał załadować do mojej myśliwskiej torby. Znajduję zielnik, kurtkę na polowania, zdjęcie ślubne rodziców oraz osobiste drobiazgi z mojej szuflady. Broszka z kosogłosem jest teraz przypięta do stroju Cinny, ale cieszę się z odzyskania złotego medalionu oraz sączka i perły od Peety w srebrnym spadochronie. Owijam ją materiałem spadochronu i ukrywam głęboko w torbie, jakby od bezpieczeństwa perły zależało życie Peety. Nikt mu go nie odbierze, dopóki będę jej pilnować.

Przytłumione wycie syren nagle się urywa, a z głośników słychać głos Coin, która dziękuje wszystkim za wzorową ewakuację wyższych poziomów. Podkreśla, że to nie są ćwiczenia, i tłumaczy, że Peeta Mellark, zwycięzca z Dwunastego Dystryktu, w telewizji uprzedził nas o prawdopodobnym wieczornym ataku na Trzynastkę.

W tej samej chwili spada pierwsza bomba. Wybuch jest tak potężny, że drżenie ziemi przenika całe moje ciało, dociera do wnętrzności, zagłębia się w szpiku kostnym i przeszywa korzenie zębów. Wszyscy zginiemy, myślę. Kieruję wzrok ku górze i spodziewam się ujrzeć gigantyczne pęknięcia na sklepieniu, jestem przygotowana na grad potężnych kamieni sypiący się nam na głowy, ale schron tylko lekko drży. Światła gasną i w kompletnych ciemnościach zupełnie tracę orientację. W nieznośnie napiętej atmosferze rozbrzmiewają nieartykułowane dźwięki, ludzie wrzeszczą, ciężko dyszą, słyszę kwilenie dzieci, ktoś melodyjnie zanosi się opętańczym śmiechem. Potem rozlega się warkot generatora i przytłumiona, niepewna poświata zastępuje standardowe jaskrawe oświetlenie Trzynastki. Czuję się teraz trochę tak jak w Dwunastce, gdzie zimowe wieczory spędzaliśmy przy świecach i słabym ogniu z pieca.

W półmroku wyciągam rękę ku Prim, zaciskam palce na jej nodze i przysuwam się bliżej. Słyszę, jak kojąco grucha do Jaskra:

— Wszystko dobrze, kochany, nie dzieje się nic złego. Tutaj, na dole, nic nam nie grozi.

Mama nas przytula, a ja na moment pozwalam sobie na to, żeby znowu poczuć się jak dziecko, i kładę głowę na jej ramieniu.

— Bomby w Ósemce wybuchały zupełnie inaczej — mówię.

— To pewnie był pocisk do niszczenia celów podziemnych — oznajmia Prim cicho, łagodnie, żeby nie zdenerwować kota. — Uczyliśmy się o takiej amunicji na kursie przygotowawczym dla nowych obywateli dystryktu. Te bomby mają głęboko penetrować ziemię i dlatego eksplodują z odpowiednim opóźnieniem. Naloty na powierzchnię Trzynastki są już bez sensu.

— To była bomba jądrowa? — pytam, a po plecach przebiegają mi ciarki.

— Niekoniecznie. — Prim kręci głową. — W niektórych głowicach jest tylko mnóstwo materiałów wybuchowych. Ale... ale na sto procent nie wiadomo.

W marnym świetle prawie nie widać ciężkich pancernych wrót po drugiej stronie schronu. Czy byłyby skutecznym zabezpieczeniem w razie ataku nuklearnego? A nawet gdyby gwarantowały stuprocentowo skuteczną ochronę przed promieniowaniem radioaktywnym, co jest mało prawdopodobne, to czy jeszcze kiedyś opuścimy tę grotę? Przeraża mnie świadomość, że resztę życia bliżej nieokreślonej długości musiałabym spędzić w kamiennej krypcie. Mam ochotę pognać jak szalona do wrót i zażądać uwolnienia, bez względu na to, co mnie czeka na górze. Ale nic z tego, wartownicy nie wypuściliby mnie za żadne skarby, a przy okazji mogłabym wywołać zbiorową panikę.

— Jesteśmy tak głęboko pod ziemią, że na pewno nic nam nie grozi — odzywa się mama bez przekonania. Czy myśli teraz o moim ojcu, który zginął w kopalni, rozerwany na strzępy? — Ale niewiele brakowało. Dobrze, że Peeta miał sposobność nas ostrzec.

Sposobność. To ogólnikowe określenie obejmuje wszystko, co było Peecie potrzebne do wszczęcia alarmu: wiedzę, okazję, odwagę i jeszcze coś, czego nie umiem zdefiniować. Peeta zapewne stoczył w myślach bitwę, czy ujawnić ważną wiadomość o bombardowaniu. Dlaczego? Łatwość manipulowania słowami to jego największy dar. Czy te trudności wynikały z tortur, którym go poddano? A może jeszcze czegoś? Obłędu?

Głos Coin, chyba odrobinę bardziej ponury, wypełnia schron, a głośność dźwięku zmienia się wraz z natężeniem światła.

— Wiadomość od Peety Mellarka się potwierdziła i jesteśmy mu za to ogromnie wdzięczni. Ze wskazań czujników wynika, że pierwsza bomba nie była wyposażona w ładunek jądrowy, niemniej wybuch okazał się bardzo silny. Spodziewamy się następnych. Na czas ataku obywatele są zobowiązani do pozostania w wyznaczonych miejscach. Niniejszy rozkaz zostanie odwołany w odrębnym komunikacie.

Do mamy podchodzi żołnierz i informuje ją, że jest potrzebna w punkcie pierwszej pomocy. Mama nie ma ochoty nas opuszczać, choć to tylko trzydzieści metrów stąd.

— Poradzimy sobie, słowo — obiecuję. — Myślisz, że kogoś albo coś by przepuścił? — Wskazuję Jaskra, który syczy na mnie zupełnie bez przekonania. Wybuchamy śmiechem i nawet jest mi go trochę żal. — Może wejdziesz z nim na górę, Prim? — proponuję po odejściu mamy.

— Wiem, że to głupie... Ale boję się, że prycza może runąć podczas nalotu — wyznaje.

Prycza mogłaby się zawalić tylko razem z całym schronem, a wtedy wszyscy zginęlibyśmy pod gruzami, myślę, ale dochodzę do wniosku, że to spostrzeżenie nie będzie szczególnie pomocne w naszej obecnej sytuacji. W związku z tym opróżniam schowek we wnęce i moszczę tam posłanie dla Jaskra, a potem przysuwam obok materac, na którym zamierzam się położyć razem z siostrą.

Otrzymujemy pozwolenie na korzystanie z łazienki. Możemy tam chodzić w małych grupkach, żeby umyć zęby. Dziś nie wolno brać prysznica. Zwijam się z Prim na materacu pod dwoma kocami, bo od ścian jaskini bije wilgotny chłód. Jaskier, wciąż przygnębiony mimo nieustających wysiłków Prim, kuli się we wnęce i dmucha mi w twarz kocim oddechem.

Pomimo niesprzyjających okoliczności cieszę się, że mogę spędzić trochę czasu z siostrą. Odkąd przybyłam do Trzynastki, a właściwie nawet wcześniej, bo od pierwszych igrzysk, jestem czymś bezustannie zajęta. Nic dziwnego, że nie poświęcam Prim tyle uwagi, ile bym chciała. Powinnam zajmować się nią bardziej, tak jak kiedyś. Dziwne, że to Gale pobiegł zajrzeć do naszej komory, a nie ja. Powinnam mu się jakoś odwdzięczyć.

Dociera do mnie, że nigdy nie zadałam sobie trudu, żeby spytać Prim, jak sobie radzi z szokiem związanym z przeprowadzką w zupełnie nowe miejsce.

— Więc jak ci się podoba w Trzynastce? — pytam.

— W tej chwili? — Obie wybuchamy śmiechem. — Czasami bardzo tęsknię za domem, ale potem przypominam sobie, że nie zostało tam już nic, za czym warto tęsknić. Tutaj czuję się bezpieczniej. Nie musimy martwić się o ciebie, przynajmniej nie tak jak dotąd. — Milknie, a na jej ustach pojawia się nieśmiały uśmiech. — Wydaje mi się, że mam szansę trafić na szkolenie lekarskie.

Pierwszy raz o tym słyszę.

— To oczywiste. Byliby głupi, gdyby cię nie przyjęli.

— Obserwują mnie, kiedy pomagam w szpitalu. Uczestniczę już w kursach medycznych, ale tylko na podstawowym poziomie. Wielu rzeczy nauczyłam się w domu, ale i tak czeka mnie dużo pracy.

— Fantastycznie.

Prim lekarką. W Dwunastce nie mogłaby o tym marzyć. We wszechogarniającym przygnębieniu dostrzegam mały, ledwie widoczny promyk, jakby ktoś zapalił zapałkę. Właśnie taką przyszłość może nam zapewnić powstanie.

— A ty, Katniss? Jak ci się wiedzie? — Jej palce delikatnie głaszczą Jaskra między ślepiami. — Tylko nie mów, że w porządku.

Fakt. Jakiekolwiek jest przeciwieństwo „w porządku", to z pewnością odnosi się ono do mnie. I tak decyduję się opowiedzieć jej o Peecie, jego dramacie przed kamerami i o tym, że moim zdaniem właśnie w tej chwili go mordują. Przez pewien czas Jaskier jest zdany tylko na siebie, bo Prim całą uwagę skupia na mnie. Przyciąga mnie bliżej, palcami zaczesuje mi kosmyki włosów za uszy. Przestałam mówić, bo naprawdę nie ma już nic, co mogłabym dodać, a w sercu czuję przeszywający ból. Może nawet mam zawał, ale chyba nie warto o tym wspominać.

— Katniss, prezydent Snow raczej nie zabije Peety — oznajmia. To oczywiste, dlaczego to mówi. Uważa, że w ten sposób mnie uspokoi. Ale zaskakują mnie jej następne słowa. — Gdyby to zrobił, nie miałby już nikogo, na kim by ci zależało. Jak wówczas mógłby cię skrzywdzić?

Nieoczekiwanie przypomina mi się inna dziewczyna, która miała okazję doświadczyć na własnej skórze całego zła Kapitolu. Johanna Mason, trybutka z Siódmego Dystryktu, na ostatniej arenie. Usiłowałam ją powstrzymać przed zagłębieniem się w dżunglę, kiedy głoskułki naśladowały głosy naszych ukochanych na torturach, ale ona tylko mnie odsunęła. „Nie zrobią mi krzywdy, bo nie grozi mi to, co wam. Nie został już nikt, kogo bym kochała".

Uświadamiam sobie, że Prim ma rację. Snow naprawdę nie może sobie pozwolić na pozbawienie Peety życia, zwłaszcza teraz, kiedy Kosogłos tak bardzo szkodzi Kapitolowi. Snow zabił już Cinnę. Zniszczył mi dom. Moja rodzina, Gale, a nawet Haymitch pozostają poza jego zasięgiem. Został mu tylko Peeta.

— Więc jak myślisz, co mu zrobią? — pytam.

Prim odpowiada mi tonem człowieka, który przeżył już tysiąc lat.

— Zrobią mu wszystko, bylebyś się załamała.

Co takiego mogłoby mnie załamać?

To pytanie prześladuje mnie przez kolejne trzy dni, kiedy czekamy, aż nas wypuszczą z naszego bezpiecznego więzienia. Co sprawi, że rozsypię się na milion okruchów i nie zdołam się już pozbierać? Od czego stanę się bezużyteczna? Nikomu nie wspominam o tych rozmyślaniach, które wpychają się do moich sennych koszmarów i męczą mnie na jawie.

W tym czasie spadają na nas jeszcze cztery pociski do niszczenia schronów — potężne, ale atak nie jest gwałtowny. Kapitol zrzuca bomby co kilka godzin, i tak oto, kiedy narasta w nas nadzieja, że nalot ostatecznie dobiegł końca, następna eksplozja przeszywa nam wnętrzności potężną falą wstrząsową. Czuję, że wolą trzymać nas w szachu, niż zdziesiątkować. Prezydentowi Snowowi zależy chyba na znacznym osłabieniu dystryktu — chce nam przysporzyć mnóstwa roboty przy usuwaniu uszkodzeń, ale nie zamierza niszczyć nas całkowicie. Pod tym względem Coin ma słuszność. Nie burzy się czegoś, co pragnie się mieć w przyszłości. Zakładam, że w najbliższej perspektywie Kapitol chce tylko zapobiec dalszym Atakom Antenowym i trzymać mnie z dala od telewizorów w Panem.

Docierają do nas szczątkowe informacje o sytuacji poza schronem. Ekrany telewizyjne wciąż są wyłączone i tylko Coin od czasu do czasu obwieszcza zwięźle, jakiego typu bomby spadają na Trzynastkę. Nie ulega wątpliwości, że wojna trwa, lecz nic nie możemy powiedzieć o tym, na jakim jest teraz etapie.

Tymczasem rozkaz dzienny w grocie brzmi: „Współpracować". Przestrzegamy ściśle określonego harmonogramu spożywania posiłków, o określonych porach chodzimy się myć, gimnastykujemy się i śpimy. By nie umrzeć z nudów, mamy prawo do krótkich kontaktów towarzyskich. Nasza kwatera staje się coraz bardziej popularna, bo zarówno dzieci, jak i dorosłych fascynuje Jaskier, który za sprawą wieczornej zabawy w szalonego kota zyskuje status gwiazdy. Wpadłam na ten pomysł przypadkowo kilka lat temu, podczas zimowego zaciemnienia. Trzeba po prostu wodzić po podłodze światłem latarki, a wtedy Jaskier usiłuje na nie polować. Osobiście uważam, że robi z siebie idiotę i dlatego ta zabawa daje mi małostkową radość. Z jakiegoś niewytłumaczalnego powodu wszyscy w schronie sądzą jednak, że jest bystry i rozkoszny. Przyznano mi nawet dodatkowy zestaw baterii do wykorzystania na zabawę z nim — niewyobrażalne marnotrawstwo. Obywatelom Trzynastego Dystryktu brak rozrywek mocno daje się we znaki.

Trzeciego wieczoru, podczas zabawy, odpowiadam sobie na pytanie, które mnie dręczy. „Szalony kot" to odzwierciedlenie mojej sytuacji. Ja jestem Jaskrem. Peeta, którego desperacko pragnę pochwycić, jest światłem. Dopóki Jaskier uważa, że ma szansę schwytania łapami ulotnej jasnej plamki, dopóty agresja aż z niego bucha. (Zupełnie jak ze mnie, odkąd opuściłam arenę, i dopóki wiem, że Peeta żyje.) Gdy światło gaśnie, Jaskier na moment traci orientację i zaczyna się przejmować, ale szybko dochodzi do siebie i znowu robi swoje. (Tak stałoby się w moim wypadku, gdybym uznała, że Peeta zmarł.) Jaskier kompletnie się gubi tylko w jednej sytuacji — gdy nie wyłączam latarki, ale trzymam plamę światła na ścianie poza zasięgiem jego łap, tak wysoko, że nie ma szans nawet doskoczyć. Wtedy wędruje w tę i z powrotem, zawodzi, w niczym nie znajduje pociechy, nic go nie interesuje. Jest kompletnie do niczego, dopóki nie zgaszę latarki. (Właśnie to usiłuje uczynić Snow, tylko nie wiem, jaką formę przybiera jego gra.)

Może Snow oczekuje jedynie, że zdam sobie z tego sprawę. Czułam się fatalnie ze świadomością, że Peeta jest w jego rękach i torturuje się go w celu wydobycia informacji o rebeliantach. Ale nie mogę wytrzymać myśli, że torturują Peetę po to, by mnie wykluczyć z gry. Zaczynam się załamywać dopiero pod ciężarem tej świadomości.

Po „szalonym kocie" przychodzi pora na sen. Prąd pojawia się i zanika, czasami żarówki jaśnieją pełną mocą, kiedy indziej musimy wytężać wzrok przy częściowym zaciemnieniu. Podczas ciszy nocnej lampy zostają prawie całkiem wygaszone i w każdej kwaterze uruchamiane są światła awaryjne. Prim ostatecznie doszła do wniosku, że ściany jednak się nie zawalą, i teraz tuli Jaskra na dolnej pryczy, mama zajmuje górną. Proponowałam, że mogę spać na pryczy, ale obie wolą, żebym pozostała na materacu na podłodze, ponieważ we śnie koszmarnie się miotam.

Teraz jednak tego nie robię, bo mięśnie całkiem mi zesztywniały. Jestem nieustannie spięta, boję się rozsypać. Powraca ból serca, wyobrażam sobie, że właśnie stamtąd rozprzestrzeniają się po moim ciele maleńkie szczeliny. Biegną po tułowiu, docierają do rąk i nóg, pokrywają twarz, aż jestem cała obsypana krzyżującymi się pęknięciami. Wystarczy jeden solidny wybuch pocisku do niszczenia schronów i rozpadnę się na dziwne, ostre jak brzytwa odłamki.

Kiedy niespokojna, przewracająca się z boku na bok ludzka masa wreszcie zasypia, ostrożnie wyślizguję się spod koca i na palcach skradam do Finnicka. Sama nie wiem, dlaczego mi się wydaje, że właśnie on mnie zrozumie. Siedzi w swojej kwaterze i pod lampką awaryjną wiąże węzły na sznurze. Nawet nie udaje, że odpoczywa. Szeptem opowiadam mu o tym, jak przejrzałam plany Snowa, który chce mnie złamać, i nagle coś sobie uświadamiam. Ta strategia nie jest niczym nowym dla Finnicka. Właśnie w taki sposób Kapitol złamał jego.

— Oni robią to samo tobie, tylko z Annie, prawda? — pytam.

— Cóż, na pewno nie aresztowali jej dlatego, że mogłaby stanowić cenne źródło informacji o rebeliantach — odpowiada. — Wiedzieli, że nigdy nie zaryzykowałbym wtajemniczania Annie: dla jej dobra.

— Och, Finnick, tak mi przykro.

— To mnie jest przykro — dodaje. — Powinienem był jakoś cię ostrzec.

Nieoczekiwanie przypominam sobie, jak leżałam przypięta pasami do łóżka, oszalała z wściekłości i cierpienia po tym, jak mnie uratowano. Finnick usiłował mnie wtedy pocieszyć po rozstaniu z Peetą. „Nic nie wie, i bardzo szybko się tego domyślą. Poza tym nie zabiją go, jeśli dojdą do wniosku, że można go wykorzystać przeciwko tobie".

— Przecież mnie ostrzegłeś w poduszkowcu. Powiedziałeś, że wykorzystają Peetę przeciwko mnie, ale wtedy myślałam, że wystawią go na przynętę, bo będą chcieli mnie zwabić do Kapitolu.

— Nie powinienem był mówić nawet tego, i tak było już za późno. Skoro nie ostrzegłem cię przed Ćwierćwieczem Poskromienia, po diabła wtajemniczyłem cię w to, jakie metody stosuje Snow. — Finnick szarpie koniec sznura i misterny węzeł w okamgnieniu przestaje istnieć. — Po prostu niewiele rozumiałem, kiedy się poznaliśmy. Po twoich pierwszych igrzyskach byłem pewien, że ten cały romans to tylko gra z waszej strony. Wszyscy oczekiwaliśmy, że będziecie kontynuować tę strategię. Dopiero kiedy Peeta wpadł na pole siłowe i mało nie umarł... — Waha się.

Wracam myślami do areny, gdzie spazmatycznie ryczałam, kiedy Finnick uratował Peetę. Pamiętam zagadkową minę Finnicka, przypominam sobie, że tłumaczył moje zachowanie rzekomą ciążą.

— Co wtedy? — naciskam.

— Wtedy zrozumiałem, jak źle cię oceniłem. Dotarło do mnie, że naprawdę go kochasz. Nie mam pojęcia, jaka to miłość, może nawet sama tego nie wiesz, ale na pierwszy rzut oka widać było, że bardzo ci na nim zależy — tłumaczy łagodnie.

Na pierwszy rzut oka? Podczas wizyty przed Tournée Zwycięzców Snow rzucił mi wyzwanie. Powiedział, abym rozwiała jego wątpliwości w kwestii moich uczuć do Peety. Oczekiwał, że go przekonam.

Wygląda na to, że tam, pod wściekle różowym niebem, kiedy życie Peety zawisło w próżni, ostatecznie mi uwierzył i tym samym ofiarowałam mu broń, której potrzebował, by mnie złamać.

Przez długi czas siedzę z Finnickiem i w milczeniu patrzę, jak węzły pojawiają się i nikną.

— Jak ty to znosisz? — pytam w końcu.

Finnick spogląda na mnie z niedowierzaniem.

— Nijak, Katniss! Nie daję sobie rady. Co rano budzę się z koszmarów, ale na jawie nie znajduję ulgi. — Chce powiedzieć coś jeszcze, ale powstrzymuje się na widok mojej miny. — Najlepiej się temu nie dać. Pozbierać się jest dziesięć razy trudniej, niż rozsypać.

Cóż, na pewno wie, co mówi. Oddycham głęboko, żeby wziąć się w garść.

— Im bardziej skupisz się na innych sprawach, tym lepiej — dodaje. — Jutro z samego rana znajdziemy dla ciebie linkę, a na razie korzystaj z mojej.

Przez resztę wieczoru siedzę na materacu i obsesyjnie splątuję węzły, a potem podsuwam je Jaskrowi do oceny. Jeśli któryś wygląda podejrzanie, kot wali go łapą w powietrzu i dodatkowo gryzie, aby mieć pewność, że węzeł został unicestwiony. Gdy nadchodzi ranek, mam obolałe palce, ale jeszcze się trzymam.

Po dobie nieprzerwanego spokoju Coin ostatecznie ogłasza, że możemy opuścić schron. Bomby zniszczyły nasze dotychczasowe komory, więc musimy teraz rozejść się do wyznaczonych nam nowych mieszkań. Zgodnie z regulaminem robimy porządek w kwaterach i posłusznie wędrujemy do wrót.

Gdy jestem w połowie drogi do wyjścia, pojawia się Boggs, wyciąga mnie z kolejki i jednocześnie przywołuje Gale'a i Finnicka, żeby do nas dołączyli. Ludzie się rozstępują, aby nas przepuścić, niektórzy nawet uśmiechają się do mnie, bo dzięki zabawie w szalonego kota stałam się bardziej lubiana. Mijamy wrota, wchodzimy na schody i wędrujemy korytarzem do jednej z wielokierunkowych wind, która dowozi nas do Wydziału Obrony Specjalnej. Po drodze nie zauważamy żadnych zniszczeń, nadal jednak jesteśmy bardzo głęboko pod ziemią.

Boggs wprowadza nas do pomieszczenia, które do złudzenia przypomina Dowództwo. Coin, Plutarch, Haymitch, Cressida i wszyscy pozostali zebrani wokół stołu wyglądają na wyczerpanych. Wreszcie pojawiła się kawa, choć jestem pewna, że ma służyć wyłącznie jako awaryjny stymulator. Plutarch mocno zacisnął dłonie na kubku, jakby się bał, że zaraz ktoś mu go odbierze.

Od razu przechodzimy do rzeczy.

— Potrzebujemy waszej czwórki — oznajmia prezydent. — Przebierzecie się i traficie na powierzchnię. Macie dwie godziny na przygotowanie materiału ze zdjęciami skutków bombardowania, musicie też zademonstrować, że jednostka wojskowa Trzynastki pozostaje nie tylko w pełni sprawna, ale ma również przewagę nad wrogiem. Zaprezentujecie także żywego Kosogłosa. Pytania?

— Możemy się napić kawy? — pyta Finnick.

Dostajemy po parującym kubku. Patrzę z niesmakiem na błyszczący, czarny płyn, bo nigdy nie byłam jego wielbicielką, ale dochodzę do wniosku, że pewnie pomoże mi stanąć na nogi. Finnick dolewa mi do kubka trochę śmietanki i sięga po cukiernicę.

— Chcesz kostkę cukru? — pyta swoim dawnym, uwodzicielskim głosem. Właśnie tak się poznaliśmy. Finnick zaproponował mi cukier, gdy oboje byliśmy w otoczeniu koni i rydwanów, w kostiumach, wymalowani dla tłumów. Dopiero potem zostaliśmy sprzymierzeńcami, wtedy jeszcze nie wiedziałam, jaki jest naprawdę. Uśmiecham się na wspomnienie tamtej sytuacji. — Weź, będzie ci bardziej smakowała — dodaje normalnym głosem i wrzuca mi do kubka trzy kostki.

Odwracam się, żeby iść się przebrać w kostium Kosogłosa, i wtedy zauważam Gale'a, który z nieszczęśliwą miną patrzy na mnie i na Finnicka. Co znowu? Naprawdę uważa, że coś nas łączy? Może widział, jak ostatniej nocy poszłam do Finnicka w odwiedziny. Żeby dotrzeć na miejsce, musiałam minąć kwaterę Hawthorne'ów, i pewnie Gale się zirytował. Zamiast szukać jego bliskości, wybrałam towarzystwo Finnicka. Zresztą, wszystko jedno. Bolą mnie poocierane sznurem palce, oczy mi się kleją, ekipa filmowa oczekuje ode mnie błyskotliwych popisów, a na dodatek Snow trzyma Peetę pod kluczem. Niech Gale myśli sobie, co chce.

W nowej Sali Wizażu na terenie Wydziału Obrony Specjalnej moja ekipa wbija mnie w kostium Kosogłosa, poprawia mi włosy i robi naturalny makijaż w takim tempie, że nawet kawa nie zdążyła ostygnąć. Po dziesięciu minutach obsada oraz filmowcy od produkcji następnej propagity okrężną drogą wędrują na zewnątrz. Po drodze siorbię kawę, przekonując się, że śmietanka i cukier znacznie poprawiły jej smak. Z zapałem wlewam w siebie fusy, które osiadły na dnie kubka, i od razu czuję przyjemną falę energii rozpływającą się po całym ciele.

Boggs wspina się po drabinie i pociąga za dźwignię, która otwiera klapę w suficie. Wdycham haustami świeże powietrze i po raz pierwszy uświadamiam sobie w pełni, jak bardzo nienawidziłam schronu. Wychodzimy w lesie, od razu wyciągam ręce ku liściom nad głową. Głaszczę je i zauważam nagle, że część zaczęła zmieniać kolor.

— Który dziś? — rzucam głośno w przestrzeń.

Boggs informuje mnie, że w przyszłym tygodniu zacznie się wrzesień.

Wrzesień. A zatem Snow pojmał Peetę pięć, może sześć tygodni temu. Przyglądam się liściowi na swojej dłoni i dociera do mnie, że cała drżę, nie mogę nad sobą zapanować. Zwalam winę na kawę, po czym staram się uspokoić oddech, stanowczo zbyt szybki jak na tempo naszego marszu.

Na ściółce leśnej dostrzegamy gruzy i wkrótce przystajemy nad krawędzią pierwszego leju po bombie, o średnicy trzydziestu metrów i nieokreślonej, ale sporej głębokości. Boggs zauważa, że najprawdopodobniej zginęliby wszyscy na dziesięciu najwyższych poziomach. Omijamy krater i wędrujemy dalej.

— Poradzicie sobie z odbudową? — pyta Gale.

— Na pewno nie w najbliższej przyszłości. Ten pocisk i tak trafił w niezbyt ważne miejsce, straciliśmy tu tylko kilka generatorów pomocniczych oraz farmę drobiu — wylicza Boggs. — Odetniemy drogę i po sprawie.

Drzewa przerzedzają się, gdy docieramy do obszaru otoczonego ogrodzeniem. Wokół lejów walają się zarówno stare, jak i nowe gruzy. Przed bombardowaniem tylko niewielka część obecnego Trzynastego Dystryktu mieściła się nad powierzchnią ziemi — kilka strażnic, teren treningowy i mniej więcej trzydziestocentymetrowy wierzchołek najwyższego piętra naszego budynku, tam, gdzie wystawało okno Jaskra. Dach był wzmocniony kilkumetrową warstwą stali, lecz nawet tak gruby pancerz miał z założenia wytrzymać wyłącznie powierzchowny atak.

— Ile czasu zyskaliście dzięki ostrzeżeniu chłopaka? — chce wiedzieć Haymitch.

— Jakieś dziesięć minut. Potem pociski i tak zostałyby wykryte przez nasze urządzenia obronne — mówi Boggs.

— Ale to ostrzeżenie pomogło, prawda? — dopytuję się. Załamię się, jeśli zaprzeczy.

— Bezwzględnie — przytakuje. — Przecież przeprowadziliśmy całkowitą ewakuację cywilną. Podczas ataku liczą się sekundy. Dziesięć minut przełożyło się na uratowanie wielu ludzi.

Myślę o Prim i o Gale'u, o tym, że trafili do schronu zaledwie parę minut przed wybuchem pierwszego pocisku. Niewykluczone, że Peeta uratował im życie. Muszę dodać to do listy zasług, za które jestem mu dozgonnie wdzięczna.

Cressida chce mnie sfilmować przed ruinami dawnego Pałacu Sprawiedliwości, co zakrawa na ironię, gdyż Kapitol od lat wykorzystywał tę budowlę jako tło dla fałszywych przekazów informacyjnych. W ten sposób władze demonstrowały, że Trzynasty Dystrykt nie istnieje. Teraz, po ostatnim nalocie, Pałac Sprawiedliwości znajduje się dziesięć metrów od nowego leja.

Gdy zbliżamy się do pozostałości po głównym wejściu do budynku, Gale pokazuje coś palcem i wszyscy zwalniają kroku. Z początku nie mam pojęcia, o co chodzi, ale parę sekund później dostrzegam ziemię usłaną świeżymi różami w kolorach różowym i czerwonym.

— Nie dotykajcie ich! — krzyczę. — Są dla mnie!

Wdycham duszący, słodkawy zapach, a serce wali mi coraz gwałtowniej. Nie wyobrażałam sobie czegoś takiego. Najpierw była róża na mojej toaletce, a teraz mam przed sobą drugą dostawę od Snowa. Różowe i czerwone, piękne kwiaty o długich łodygach, takie same jak te, które zdobiły plan, kiedy wraz z Peetą udzielałam wywiadu na naszych zwycięskich igrzyskach. Te rośliny nie są przeznaczone dla jednej osoby, lecz dla pary kochanków.

Wszystko to tłumaczę innym najlepiej, jak potrafię. Po bliższych oględzinach kwiaty wydają się nieszkodliwe, choć są genetycznie udoskonalone. To dwa tuziny przywiędłych róż, zapewne zrzuconych po ostatnim bombardowaniu. Ekipa w ochronnych kombinezonach zbiera rośliny i wynosi je ostrożnie, ale ja jestem pewna, że nie ma w nich nic niezwykłego. Snow doskonale wie, jak mi zaszkodzić. Podobnie jak wtedy, kiedy kazał na moich oczach stłuc Cinnę na miazgę, a ja stałam w szklanym cylindrze dla trybutów. Snow jest gotów zrobić wszystko, żeby wyprowadzić mnie z równowagi.

I znowu usiłuję zebrać się w sobie i kontratakować, ale gdy Cressida ustawia Castora i Polluksa, ogarnia mnie niepokój.

Odkąd ujrzałam róże, jestem zmęczona, podminowana i nie umiem skupić myśli na niczym poza Peetą. Wypicie kawy okazało się poważnym błędem, zdecydowanie nie potrzebowałam środka stymulującego. Moim ciałem wstrząsają silne dreszcze, mam trudności z oddychaniem. Po kilku dniach w schronie mrużę oczy bez względu na to, w którą stronę spoglądam. Jasne światło sprawia, że bolą mnie oczy, a po mojej twarzy płyną strużki potu, choć wieje chłodny wiatr.

— Więc czego właściwie ode mnie oczekujesz? — pytam.

— Powiedz tylko kilka słów, aby pokazać, że żyjesz i nadal walczysz — objaśnia Cressida.

— W porządku. — Zajmuję wskazane miejsce i patrzę na czerwone światełko. Patrzę. Tylko patrzę. — Przepraszam, nic nie przychodzi mi do głowy.

Cressida podchodzi bliżej.

— Dobrze się czujesz? — niepokoi się, a ja potakuję. Cressida wyciąga z kieszeni małą chustkę i ociera mi twarz. — A może spróbujemy starego sposobu z pytaniami i odpowiedziami?

— Tak, to chyba dobry pomysł — zgadzam się. Stoję z założonymi rękami, żeby zamaskować ich drżenie. Zerkam na Finnicka, który krzepiąco unosi kciuki w górę, ale sam wydaje się roztrzęsiony.

Cressida jest już na swoim miejscu.

— Katniss, przeżyłaś kapitolińskie bombardowanie Trzynastki. Jak porównałabyś te naloty do swoich doświadczeń z Ósemki?

— Teraz byliśmy pod ziemią, i to głęboko, więc właściwie nic nam nie groziło. Trzynastka żyje i dobrze się miewa, tak samo jak ja… — Głos mi się łamie, słyszę suche popiskiwanie, które dobiega z mojego gardła.

— Spróbuj powtórzyć ostatnie zdanie — mówi Cressida. — Trzynastka żyje i dobrze się miewa, tak samo jak ja.

Nabieram powietrza i usiłuję wpompować powietrze do przepony.

— Trzynastka żyje, tak samo… — Nie, nie dam rady. Mogłabym przysiąc, że ciągle czuję woń róż.

— Katniss, wystarczy tylko to jedno zdanie i damy ci spokój na resztę dnia. Obiecuję — zaklina się Cressida. — Trzynastka żyje i dobrze się miewa, tak samo jak ja.

Macham rękami, żeby się rozluźnić, opieram pięści na biodrach, potem zwieszam dłonie po bokach. Ślina błyskawicznie wypełnia mi usta, a zawartość żołądka podchodzi do gardła. Przełykam z wysiłkiem i otwieram usta, żeby wyrzucić z siebie to kretyńskie zdanie i uciec do lasu, ale w tej samej chwili zalewam się łzami.

Nie mogę być Kosogłosem. Nawet nie daję rady wyrecytować kilku słów, bo teraz mam świadomość, że cokolwiek powiem, natychmiast przełoży się na cierpienia Peety i doprowadzi do następnych tortur. Ale nie ma mowy o tym, żeby umarł, nie, śmierć byłaby dla niego aktem łaski. Snow dopilnuje, aby życie Peety było znacznie gorsze od śmierci.

— Cięcie — rozbrzmiewa przyciszony głos Cressidy.

— Co się z nią dzieje? — pyta Plutarch półgłosem.

— Domyśliła się, jak Snow wykorzystuje Peetę — mówi Finnick.

Z gardeł otaczających mnie półkolem ludzi wydobywa się coś w rodzaju zbiorowego westchnienia żalu. Teraz już wiem i nie ma możliwości, żebym utraciła tę świadomość. Odejście Kosogłosa będzie ciosem dla walczących, ale nic na to nie poradzę. Załamałam się.

Kilka par rąk chce mnie objąć, ale tak naprawdę pragnę wsparcia Haymitcha, bo on również kocha Peetę. Wyciągam dłonie, chyba nawołuję mentora, i wtedy się zjawia, tuli mnie i klepie po plecach.

— Wszystko dobrze — mówi. — Wszystko będzie dobrze, skarbie. — Sadza mnie na fragmencie przewróconej marmurowej kolumny i otacza ramieniem, kiedy szlocham.

— Już dłużej nie dam rady — łkam.

— Wiem — mówi.

— Myślę tylko o jednym. O tym, co on zrobi Peecie za to, że jestem Kosogłosem — wyrzucam z siebie.

— Wiem — powtarza i obejmuje mnie mocniej.

— Widział pan to? Widział pan, jak dziwnie zachowywał się Peeta? Co oni mu robią? — Z trudem nabieram powietrza między szlochami, ale udaje mi się wykrzyczeć jeszcze jedno: — To moja wina!

Wtedy przekraczam granice histerii, ktoś wbija igłę strzykawki w moje ramię i świat zaczyna tracić kontury.

To, co mi podali, z pewnością było mocne, bo odzyskuję przytomność dopiero następnego dnia. Nie znaczy to jednak, że spałam spokojnie. Mam wrażenie, że wyłoniłam się z mrocznych, nawiedzonych okolic, które przemierzałam całkiem sama. Haymitch siedzi na krześle przy moim łóżku, blady jak kreda, z przekrwionymi oczami. Przypominam sobie o Peecie i od razu zaczynam się trząść.

Haymitch wyciąga rękę i zaciska mi dłoń na ramieniu.

— Wszystko dobrze. Spróbujemy uwolnić Peetę.

— Co takiego? — To bez sensu.

— Plutarch organizuje wyprawę ratunkową. Ma swoich ludzi w Kapitolu i jest zdania, że istnieje szansa wyrwać stamtąd Peetę żywego.

— Dlaczego nie zrobiliśmy tego wcześniej?

— Bo to kosztowna operacja. Teraz jednak wszyscy są zgodni, że nie ma innego wyjścia. Taką samą decyzję podjęliśmy, gdy byłaś na arenie. Trzeba zrobić wszystko, co konieczne, żebyś zachowała pełną sprawność. W tej chwili nie możemy sobie pozwolić na utratę Kosogłosa, a ty nic nie zdziałasz, mając świadomość, że Snow może wyżyć się na Peecie. — Haymitch podaje mi kubek. — Masz, napij się.

Siadam powoli i sączę łyk wody.

— Co to znaczy, że operacja jest kosztowna?

Wzrusza ramionami.

— Trzeba będzie zdekonspirować wywiadowców, mogą zginąć ludzie. Pamiętaj jednak, że oni i tak codziennie giną. Jednak nie chodzi tylko o Peetę, odbijamy też Annie dla Finnicka.

— Gdzie on jest?

— Za tą zasłoną, nadal śpi po środkach uspokajających. Stracił panowanie nad sobą zaraz po tym, jak cię powaliliśmy — objaśnia Haymitch. Uśmiecham się niemrawo, czuję nieznaczny przypływ sił. — Tak, to było naprawdę rewelacyjne nagranie: wy dwoje odjechaliście, a Boggs się zmył, żeby organizować akcję odbicia Peety. Powtórki mamy zagwarantowane.

— Nie jest źle, skoro Boggs odpowiada za operację — zauważam.

— Och, jest najważniejszy. Do udziału potrzebował samych ochotników, ale udawał, że nie zauważa, jak wymachuję ręką w powietrzu — mówi Haymitch. — Sama widzisz, że już na wstępie trafnie ocenił sytuację.

Coś się nie zgadza. Haymitch odrobinę za bardzo stara się mnie rozweselić. To nie w jego stylu.

— Kto jeszcze się zgłosił?

— Zebrało się z siedem osób — odpowiada wymijająco.

Czuję dziwny ucisk w brzuchu.

— Kto jeszcze, Haymitch? — naciskam.

Haymitch w końcu rezygnuje z udawanej pogody ducha.

— Katniss, świetnie wiesz, kto. To oczywiste, kto zgłosił się pierwszy.

Pewnie, że wiem.

Gale.

Być może dzisiaj stracę ich obu.

Usiłuję wyobrazić sobie świat, w którym nie będzie słychać głosów Gale'a i Peety. Ich dłonie znieruchomieją, oczy więcej nie zamrugają. Stoję nad zwłokami, spoglądam na nie ostatni raz i opuszczam pomieszczenie, w którym leżą. Kiedy jednak otwieram drzwi, żeby wyjść na zewnątrz, napotykam wyłącznie nieogarnioną pustkę, siną nicość, do której sprowadza się moja przyszłość.

— Mam im powiedzieć, żeby podali ci coś na uspokojenie? Ockniesz się, kiedy będzie po wszystkim — proponuje Haymitch i to wcale nie są kpiny. Ten człowiek spędził całe dorosłe życie na dnie butelki, chcąc zobojętnieć na zbrodnie Kapitolu. Szesnastolatek, który zwyciężył w drugim Ćwierćwieczu Poskromienia, z pewnością żył w otoczeniu ludzi, których darzył uczuciem. Miał rodzinę, przyjaciół, może jakąś ukochaną, i walczył, żeby do nich wrócić. Gdzie są teraz? Jak to możliwe, że w jego życiu nie było zupełnie nikogo do czasu, gdy siłą wciśnięto mu Peetę i mnie? Co Snow im zrobił?

— Nie — odpowiadam. — Chcę się dostać do Kapitolu. Chcę wziąć udział w misji ratunkowej.

— Już wyruszyli — mówi Haymitch.

— Jak dawno temu? Dogonię ich. Mogłabym… — Sama nie wiem, co mogłabym teraz zrobić.

— Nic z tego. — Kręci głową. — Jesteś zbyt cenna i zbyt bezbronna. Mówiło się o skierowaniu cię do innego dystryktu, aby odwrócić uwagę Kapitolu do czasu odbicia Peety i Annie, ale wszyscy doszli do wniosku, że nie dasz rady.

— Proszę — odzywam się błagalnym tonem. — Muszę coś robić, nie jestem w stanie tak siedzieć i czekać na wiadomość o ich śmierci. Na pewno jest coś, czym mogłabym się zająć!

— Niech będzie. Pogadam z Plutarchem, a ty nigdzie się stąd nie ruszaj.

Mowy nie ma. Jeszcze słychać kroki Haymitcha na korytarzu, kiedy gramolę się przez szczelinę w zasłonie działowej i niemal wpadam na Finnicka. Leży rozwalony na brzuchu, z dłońmi zaciśniętymi kurczowo na poduszce. Chociaż to tchórzliwe, a może nawet okrutne, budzę go z pełnego cieni i przytłumionych doznań świata farmaceutyków i przywołuję do rzeczywistości. Robię to, bo sama nie dam rady stawić jej czoła.

Opowiadam mu o naszej sytuacji, a jego początkowe wzburzenie nieoczekiwanie ustępuje.

— Katniss, naprawdę tego nie widzisz? — zdumiewa się. — Teraz wszystko stanie się jasne, wóz albo przewóz. Wieczorem albo będą z nami, albo na tamtym świecie. Nie moglibyśmy liczyć na więcej.

Nie ma to jak pogodne spojrzenie na rzeczywistość, myślę. Mimo to jest coś kojącego w świadomości, że moje męczarnie dobiegną końca.

Zasłona się rozsuwa i przy łóżku staje Haymitch. Ma dla nas zajęcie, o ile zdołamy wziąć się w garść. Nadal potrzebne są zdjęcia po bombardowaniu Trzynastki.

— Gdyby udało nam się zakończyć sprawę w ciągu najbliższych godzin, Beetee mógłby wyemitować materiał tuż przed akcją odbicia i dzięki temu ewentualnie odwrócić uwagę Kapitolu.

— Tak, dekoncentracja wroga — zgadza się Finnick. — Coś w rodzaju zasłony dymnej.

— Tylko potrzebujemy czegoś mocnego, żeby nawet prezydent Snow przykleił się do telewizora. Jakieś propozycje? — pyta Haymitch.

Dzięki zajęciu, które może zwiększyć szanse ekipy ratunkowej, odzyskuję koncentrację. Pośpiesznie zjadam śniadanie, a podczas malowania i przebierania wciąż się zastanawiam, co mogłabym powiedzieć. Prezydent Snow z pewnością rozmyśla nad tym, czy zbryzgana krwią podłoga i jego róże odniosły pożądany skutek. Chciał, żebym się załamała, wobec czego muszę zaprezentować się w pełni sił. Wątpię jednak, czy uda mi się przekonać go o czymkolwiek, jeśli stanę przed kamerą i zacznę wykrzykiwać buńczuczne hasła. Poza tym w ten sposób na pewno nie zagwarantuję naszym ludziom więcej czasu. Wybuchy trwają krótko, w przeciwieństwie do opowieści.

Nie wiem, czy to wypali, ale gdy cała ekipa telewizyjna jest już na powierzchni ziemi, pytam Cressidę, czy mogłaby zacząć od pytania o Peetę. Przysiadam na ruinach marmurowej kolumny, tam, gdzie się załamałam, czekam na czerwone światełko i na pytanie Cressidy.

— Jak poznałaś Peetę? — zaczyna.

I wtedy robię to, czego pragnął Haymitch od mojego pierwszego wywiadu. Otwieram się.

— Spotkaliśmy się, gdy miałam jedenaście lat i tkwiłam jedną nogą w grobie. — Opowiadam o okropnym dniu, w którym usiłowałam sprzedać dziecięce ubranka, padał deszcz, a matka Peety odpędziła mnie od drzwi piekarni. Potem Peeta dostał lanie za to, że wyniósł dla mnie bochenki chleba, które uratowały nam życie. — Nigdy nawet nie rozmawialiśmy. Po raz pierwszy odezwałam się do Peety w pociągu, który wiózł nas na igrzyska.

— Ale już wtedy cię kochał — domyśla się Cressida.

— Chyba tak. — Pozwalam sobie na lekki uśmiech.

— Jak znosisz rozłąkę?

— Źle. Wiem, że Snow w każdej chwili może go zabić, zwłaszcza po tym, jak Peeta uprzedził Trzynastkę o bombardowaniu. Życie z tą świadomością jest straszne — wyznaję. — Ale wiem, przez co przechodzi, więc nie mam już żadnych zahamowań, jestem gotowa zrobić absolutnie wszystko, byle tylko zniszczyć Kapitol. Wreszcie jestem wolna. — Kieruję spojrzenie ku niebu i wbijam wzrok w szybującego w przestworzach jastrzębia. — Prezydent Snow kiedyś wyznał w rozmowie ze mną, że Kapitol jest kruchy. Wówczas nie wiedziałam, co ma na myśli, żyłam w takim strachu, że nie udawało mi się dostrzec pewnych spraw. Teraz już się nie boję. Kapitol opiera się na kruchych podstawach, bo pod każdym względem jest zależny od dystryktów. Żywność, energia, nawet Strażnicy Pokoju, którzy nas kontrolują — wszystko to pochodzi z dystryktów. Kapitol upadnie, jeżeli zadeklarujemy wolność. Panie prezydencie, dzięki panu mogę dzisiaj oficjalnie ogłosić, że jestem wolna.

Wypadłam przyzwoicie, a może nawet błyskotliwie. Wszyscy zakochali się w historyjce o chlebie, ale moje przesłanie dla prezydenta Snowa uruchamia trybiki w mózgu Plutarcha, który pośpiesznie przywołuje Finnicka i Haymitcha, żeby przeprowadzić z nimi krótką, za to treściwą rozmowę. Widzę, że Haymitch nie jest zachwycony, lecz wygląda na to, że Plutarch zwycięża, bo pobladły Finnick na koniec kiwa głową i idzie zająć moje miejsce przed kamerą.

— Nie musisz tego robić — powstrzymuje go Haymitch.

— Przeciwnie, muszę, jeśli to jej pomoże. — Finnick zaciska dłoń na poplątanym sznurze. — Jestem gotowy.

Nie wiem, czego się spodziewać. Wysłuchamy historii miłosnej o nim i o Annie? Może opowie o nadużyciach w Czwartym Dystrykcie? Okazuje się jednak, że Finnick Odair obiera zupełnie inną taktykę.

— Prezydent Snow... sprzedawał mnie. Moje ciało — zaczyna głuchym, nieobecnym tonem. — Zresztą nie tylko moje. Jeśli zwycięzca jest postrzegany jako atrakcyjny, prezydent przekazuje go komuś w nagrodę albo pozwala ludziom kupować go za niewyobrażalne pieniądze. I nie wolno się sprzeciwić, bo wtedy zabija kochanych przez niego ludzi. Dlatego trzeba robić, co każe.

Wszystko staje się jasne. Już wiem, skąd się wzięły w Kapitolu tabuny kochanek Finnicka. To nie były prawdziwe kochanki, tylko osoby pokroju naszego starego Głównego Strażnika Pokoju, Craya, który kupował zrozpaczone dziewczęta, wykorzystywał je, a potem wywalał, a wszystko dlatego, że mógł sobie na to pozwolić. Chcę przerwać nagranie i błagać Finnicka o wybaczenie za każdą niesłuszną myśl, która kiedykolwiek przyszła mi do głowy na jego temat. Mamy jednak zadanie do wykonania i czuję, że Finnick odegra w nim nieporównanie większą rolą niż ja.

— Nie byłem jedyny, za to najbardziej popularny — ciągnie. — I przy tym chyba najbardziej bezbronny, dlatego że ludzie, których kochałem, też byli zupełnie bezbronni. Żeby się lepiej czuć, moje sponsorki dawały mi w prezencie pieniądze albo biżuterię, ale ja odkryłem znacznie cenniejszy środek płatniczy.

Tajemnice, myślę. Finnick zdradził mi kiedyś, że tak mu płacą, wówczas jednak sądziłam, że sam zdecydował się na taki układ.

— Tajemnice — oznajmia, jakby na potwierdzenie moich domysłów. — I teraz powinien pan nadstawić uszu, panie prezydencie, gdyż wiele sekretów dotyczy pańskiej osoby. Zacznijmy jednak od innych.

Finnick zabiera się do kreślenia tak bogatego w detale obrazu, że ani przez moment nie wątpię w jego autentyczność. Opowiada o wyuzdanych upodobaniach seksualnych, zdradach, nienasyconej chciwości i krwawych walkach o władzę. Wywleka na światło dzienne pijackie tajemnice, szeptane ciemną nocą w wilgotne poduszki. Finnick był na sprzedaż, ot, niewolnik dystryktu. Przystojny, bez wątpienia, lecz w gruncie rzeczy całkiem nieszkodliwy. Komu miałby to powtórzyć, kto by mu uwierzył? Niektóre sekrety są zbyt smakowite, żeby się nie podzielić. Nie znam ludzi, których z nazwiska wymienia Finnick, lecz wszyscy wydają się wysoko postawionymi osobistościami Kapitolu. Słuchając paplaniny mojej ekipy przygotowawczej, zrozumiałam również, że nawet najdrobniejszy błąd może przykuć uwagę otoczenia. Skoro kiepska fryzura jest pretekstem do wielogodzinnego obgadywania, to co dopiero mówić, gdy padają oskarżenia o kazirodztwo, zdradę, szantaż i podpalenie. Przez Kapitol przetoczą się fale szoku i wzajemnych oskarżeń, ale ludzie będą czekali, jak ja teraz, na to, co ma do ukrycia sam prezydent.

— A teraz pora na naszego poczciwego prezydenta Coriolanusa Snowa — oznajmia Finnick. — Taki był młody, gdy zdobył władzę. Taki inteligentny, że zdołał ją utrzymać. Nasuwa się oczywiste pytanie: jak on to zrobił? Wystarczy jedno słowo i już wszystko będzie jasne. Trucizna. — Finnick powraca do lat, w których Snow wdrapywał się na polityczne szczyty. Nic mi nie wiadomo o tamtych czasach, ale Finnick konsekwentnie zmierza do teraźniejszości, wyliczając jeden po drugim przypadki tajemniczych zgonów wśród przeciwników Snowa, oraz, co gorsza, wśród nieżyjących sojuszników prezydenta, którzy mogli mu zagrozić. Ludzie padali trupem podczas przyjęć albo umierali powoli, z niewyjaśnionych przyczyn, i odchodzili po paru miesiącach. Winą obarczano zepsute owoce morza, nieuchwytne wirusy albo przeoczony zator w tętnicy. Snow sam pił z zatrutego kubka, żeby oddalić od siebie podejrzenia, ale odtrutki nie zawsze bywały skuteczne. Podobno właśnie dlatego nosi róże intensywnie zalatujące perfumami. Podobno mają maskować woń krwi z ust pełnych wrzodów, które nigdy się nie zagoją. Podobno, podobno, podobno... Snow ma swoją listę i nikt nie wie, kto będzie następny.

Trucizna, idealna broń dla węża.

Mam tak złe zdanie o Kapitolu i jego szlachetnym prezydencie, że nie jestem wstrząśnięta zarzutami Finnicka. Znacznie mocniej działają na rebeliantów wywodzących się z Kapitolu, jak moja ekipa czy Fulvia, nawet Plutarch od czasu do czasu robi zaskoczoną minę. Być może zastanawia się, jak to możliwe, że dotąd nie słyszał o jakimś niezwykle frapującym szczególe. Gdy

Finnick kończy, kamera pracuje dalej, aż w końcu sam musi powiedzieć: „Cięcie".

Ekipa pośpiesznie wraca pod ziemię, żeby zmontować materiał, a Plutarch zabiera Finnicka na pogawędkę. Pewnie liczy na to, że jeszcze coś usłyszy. Zostaję wśród gruzów z Haymitchem i zastanawiam się, czy z biegiem czasu podzieliłabym los Finnicka. Dlaczego nie? Snow dostałby niezłą sumkę za dziewczynę, która igra z ogniem.

— To samo spotkało pana? — zwracam się do Haymitcha.

— Nie. Moja matka, młodszy brat i moja dziewczyna, oni wszyscy już nie żyli dwa tygodnie po tym, jak koronowano mnie na zwycięzcę. Przez tę sztuczkę z polem siłowym — tłumaczy.

— Snow nie miał kogo wykorzystać przeciwko mnie.

— Dziwne, że po prostu pana nie zabił.

— Och, co to, to nie. Zostawił mnie dla przykładu, jako żywą groźbę dla młodych Finnicków, Johann czy Cashmere. Oto, co się może przytrafić zwycięzcy, który stwarza problemy — mówi Haymitch. — Ale Snow wiedział, że nie ma na mnie haka.

— Dopóki nie zjawiliśmy się my. Ja i Peeta — zauważam cicho.

Nawet nie wzrusza ramionami.

Po skończonej pracy mnie i Finnickowi nie pozostaje nic innego, jak tylko czekać. Staramy się jakoś zapełnić wlokące się minuty w Wydziale Obrony Specjalnej. Wiążemy węzły. Grzebiemy widelcami w miskach z lunchem. Rozwalamy to i owo na strzelnicy. Ze względu na niebezpieczeństwo wykrycia ekipy ratunkowej obowiązuje zakaz nawiązywania łączności. O wyznaczonej godzinie, czyli o trzeciej po południu, stoimy w napięciu i milczeniu w pokoju pełnym ekranów i komputerów i obserwujemy, jak Beetee i jego ludzie usiłują przejąć kontrolę nad eterem. Typowa dla Beetee'ego rozkojarzona nerwowość znika zastąpiona przez determinację, której nigdy dotąd nie zauważyłam. Większość rozmowy ze mną nie trafia do emisji, chodzi tylko o to, by pokazać, że żyję i palę się do walki. Dzisiejszy program jest zdominowany przez pikantną i dosadną relację Finnicka na temat Kapitolu. Czy Beetee radzi sobie coraz lepiej, czy też jego odpowiednicy w Kapitolu są odrobinę zbyt zainteresowani tymi rewelacjami, żeby zagłuszyć Finnicka? Przez następną godzinę program kapitoliński składa się na przemian z normalnych popołudniowych wiadomości, rewelacji Finnicka oraz prób zerwania emisji. Rebeliancka załoga techniczna z powodzeniem radzi sobie nawet z tym ostatnim i triumfuje, przejmując kontrolę nad telewizją na czas niemal całego ataku na Snowa.

— Na razie wystarczy! — ogłasza Beetee, wyrzuca ręce w powietrze i odstępuje fale eteru Kapitolowi. Po chwili ociera twarz chustką. — Jeśli dotąd nie zdążyli się wydostać, to znaczy, że już nie żyją. — Obraca się na krześle do Finnicka i do mnie, żeby sprawdzić, jak zareagujemy. — Ale plan był dobry. Plutarch go wam pokazał?

Jasne, że nie. Beetee prowadzi nas do innego pomieszczenia i objaśnia, jak ekipa z pomocą zakonspirowanych rebeliantów postara się — lub postarała — uwolnić zwycięzców z podziemnego więzienia... Zgodnie z planem buntownicy mieli rozpylić gaz obezwładniający przez system wentylacyjny, doprowadzić do awarii sieci energetycznej, zdetonować bombę w rządowym budynku kilka kilometrów od więzienia, a dodatkowo zakłócić emisję programu telewizyjnego. Beetee jest zadowolony, że z trudem ogarniamy plan, bo oznacza to, że nasi wrogowie również niewiele rozumieją.

— To tak jak z pułapką elektryczną na arenie? — domyślam się.

— Zgadza się — przytakuje. — Sama wiesz, jak dobrze się sprawdziła.

No, niekoniecznie, myślę.

Razem z Finnickiem usiłuję zaszyć się w Dowództwie, dokąd z pewnością dotrze pierwsza informacja o akcji, ale nie otrzymujemy zgody na wejście do środka, bo podejmuje się tam ważne decyzje wojenne. Ponieważ upieramy się przy swoim, ostatecznie wpuszczają nas do ptaszarni z kolibrami, gdzie czekamy na wiadomości.

Wiążemy węzły, jeden po drugim, bez słowa. Tik-tak, tyka zegar. Byle nie myśleć o Gale'u, byle nie myśleć o Peecie. Wiążemy węzły. Nie, nie chcemy obiadu. Palce mamy otarte do krwi. Finnick w końcu daje za wygraną i kuli się na ziemi, tak samo jak wtedy, gdy zaatakowały nas głoskułki na arenie. Poprawiam miniaturową pętlę, a w głowie raz za razem słyszę słowa piosenki o drzewie wisielców. Gale i Peeta. Peeta i Gale.

— Finnick, powiedz mi, czy od razu zakochałeś się w Annie? — pytam.

— Nie. — Mija dłuższy czas, nim dodaje: — Stopniowo wkradała mi się do serca.

Przetrząsam własne serce, ale w tej chwili tylko Snow usiłuje je zaatakować.

Z pewnością jest już po północy i nastał nowy dzień, kiedy Haymitch popycha drzwi wejściowe.

— Wrócili. Wzywają nas do szpitala — oznajmia. Otwieram usta, żeby zasypać go pytaniami, lecz z miejsca mnie ucisza. — Nic więcej nie wiem.

Chcę biec, ale Finnick zachowuje się dziwacznie, zupełnie jakby mięśnie odmawiały mu posłuszeństwa, więc biorę go za rękę i prowadzę jak małe dziecko. Przemierzamy Wydział Obrony Specjalnej, wchodzimy do windy, która jeździ we wszystkie strony, i docieramy do skrzydła szpitalnego. Zastajemy kompletny chaos, lekarze wywrzaskują polecenia, ranni są przewożeni korytarzami na łóżkach.

Zostajemy zepchnięci na bok przez wózek z nieprzytomną, zmaltretowaną dziewczyną o ogolonej głowie. Na jej ciele zauważam liczne siniaki i strupy, spod których sączy się ropa. To Johanna Mason, która znała tajemnice rebeliantów, a przynajmniej tę związaną ze mną. Tak właśnie zapłaciła za swoją wiedzę.

Zza progu jednej z sal dostrzegam Gale'a, jest nagi do pasa i zlany potem. Lekarz właśnie coś usuwa mu spod łopatki, długimi szczypcami grzebie w jego ciele. Gale jest ranny, ale żyje. Wołam go po imieniu, ruszam ku niemu, jednak pielęgniarka wypycha mnie za drzwi i je zamyka.

— Finnick! — rozlega się piskliwy głos, w którym słychać radość. Śliczna, choć trochę ubłocona kobieta o ciemnych, splątanych włosach i oczach koloru zielonego morza biegnie ku nam w samym prześcieradle. — Finnick!

Nagle mam wrażenie, że na świecie jest tylko tych dwoje, pędzą ku sobie na oślep, zderzają się, obejmują, tracą równowagę i wpadają na ścianę. Dopiero wtedy nieruchomieją, wtuleni w siebie jak jedna, niepodzielna istota.

Czuję ukłucie zazdrości, nie z powodu Finnicka czy Annie, lecz ich niezachwianej pewności. Nikt, kto widzi tę parę, nie może wątpić w ich miłość.

Wyraźnie wyczerpany Boggs wygląda nie najlepiej, ale nie jest ranny.

— Wydostaliśmy ich wszystkich z wyjątkiem Enobarii — mówi na nasz widok. — Ale ona jest z Dwójki, więc raczej nikt jej nie trzyma pod kluczem. Peetę znajdziecie na końcu korytarza. Nałykał się gazu i właśnie dochodzi do siebie. Powinniście być przy nim, kiedy się ocknie.

Peeta.

Cały i zdrowy. No, może nie idealnie zdrowy, ale na pewno żywy i blisko mnie, z dala od Snowa. Bezpieczny, tutaj, ze mną. Za chwilę go dotknę, zobaczę jego uśmiech, usłyszę, jak się śmieje.

Haymitch radośnie szczerzy zęby.

— No to chodźmy — mówi.

Kręci mi się w głowie ze szczęścia. Co mu powiem? Zresztą to bez znaczenia, Peeta będzie wniebowzięty bez względu na to, co zrobię. Pewnie mnie wycałuje. Ciekawe, czy poczuję się wtedy tak jak na arenie, gdy całowaliśmy się na plaży. Dotąd nie odważyłam się nawet wspominać tamtych chwil.

Peeta już oprzytomniał i siedzi na brzegu łóżka, z konsternacją obserwując trójkę lekarzy, którzy mówią do niego krzepiąco, błyskają mu latarkami w oczy, mierzą tętno. Jestem rozczarowana, bo po przebudzeniu nie zobaczył mojej twarzy, tylko kogoś obcego, ale przynajmniej widzi mnie teraz. Spogląda na mnie z niedowierzaniem, a w jego oczach zauważam coś jeszcze, coś, czego nie umiem nazwać. Pożądanie? Desperacja? Na pewno jedno i drugie, bo nagle odsuwa lekarzy na bok, zrywa się na równe nogi i rusza prosto do mnie. Biegnę mu na spotkanie, rozkładam ramiona. On unosi ręce, pewnie chce mnie głaskać po twarzy.

Układam usta, żeby wypowiedzieć jego imię, i w tej samej chwili Peeta zaciska palce na moim gardle.

Zimny kołnierz ociera mi szyję i sprawia, że mam jeszcze większe trudności z opanowaniem drżenia. Przynajmniej nie tkwię w klaustrofobicznej rurze i nie wsłuchuję się w stukot i wibracje otaczających mnie maszyn, podczas gdy bezcielesny głos nakazuje mi leżeć nieruchomo, a ja przekonuję samą siebie, że nadal mogę oddychać. Brak mi powietrza nawet teraz, gdy już wiadomo, że nie odniosłam trwałych obrażeń.

Zespół lekarzy nie obawia się już najgorszego: rdzeń kręgowy jest cały, nie doszło do uszkodzeń układu oddechowego, żył ani tętnic. Nie należy się przejmować siniakami, chrypą, obolałą krtanią i uporczywym pokasływaniem. To minie, Kosogłos nie straci głosu. Korci mnie, żeby zapytać, gdzie jest lekarz, który ustali, czy nie tracę rozumu, ale na razie nie wolno mi mówić. Nie mogę nawet podziękować Boggsowi, kiedy wpada sprawdzić, jak się miewam. Ogląda mnie i oświadcza, że widywał o wiele gorsze obrażenia u żołnierzy, którzy na treningu ćwiczyli chwyty duszące.

To właśnie Boggs jednym ciosem znokautował Peetę, zanim doznałam nieodwracalnych uszkodzeń ciała. Wiem, że Haymitch pośpieszyłby mi z pomocą, gdyby nie to, że go kompletnie zamurowało. Rzadko się zdarza, aby ktoś tak skutecznie zaskoczył jednocześnie Haymitcha i mnie. Byliśmy do tego stopnia zajęci ratowaniem Peety, tak udręczeni jego uwięzieniem przez Kapitol, że zaślepiła nas radość z jego powrotu. Gdybym wybrała się na prywatne widzenie z Peetą, zabiłby mnie bez dwóch zdań, bo jest obłąkany.

Nie, nie obłąkany, poprawiam się w myślach. Jest osaczony. Właśnie to słowo usłyszałam w rozmowie Plutarcha i Haymitcha, kiedy wieziono mnie obok nich korytarzem. Osaczony. Nie rozumiem, co to znaczy.

Prim, która zjawiła się zaledwie chwilę po ataku Peety, a potem nie odstępowała mnie ani na krok, przykrywa mnie jeszcze jednym kocem.

— Pewnie niedługo zdejmą ci kołnierz, Katniss — mówi. — Wtedy nie będziesz tak marzła.

Mama, która bierze udział w skomplikowanej operacji, jeszcze nic nie wie o tym napadzie. Prim bierze mnie za rękę, którą zacisnęłam w pięść, i masuje ją tak długo, aż rozpościeram palce i ponownie dopływa do nich krew. Wtedy sięga po drugą dłoń, lecz w tym samym momencie zjawiają się lekarze, zdejmują kołnierz i robią mi zastrzyk ze środkiem przeciwbólowym i czymś na opuchliznę. Leżę grzecznie, jak mi każą, nie poruszam głową, żeby nie pogorszyć swojego stanu.

Plutarch, Haymitch i Beetee czekali na korytarzu, aż lekarze zezwolą im na wizytę u mnie. Nie wiem, czy już powiedzieli Gale'owi, ale ponieważ nie ma go tutaj, zakładam, że nic nie wie. Plutarch wyprowadza lekarzy i usiłuje wyprosić także Prim, jednak bez skutku.

— Nie — oznajmia moja siostra. — A jeśli spróbuje pan zmusić mnie do wyjścia, to pójdę prosto na salę operacyjną i opowiem mamie o wszystkim, co się stało. I ostrzegam pana, mama nie ma dobrej opinii o Organizatorze Igrzysk, który podejmuje decyzje w sprawie życia i śmierci Katniss. Zwłaszcza że tak kiepsko radzi pan sobie z opieką nad nią.

Plutarch wydaje się urażony, ale Haymitch chichocze.

— Na twoim miejscu odpuściłbym sobie, Plutarch — mówi.

Prim zostaje.

— Stan Peety to szok dla nas wszystkich, Katniss — oświadcza Plutarch. — Oczywiście podczas ostatnich wywiadów zauważyliśmy, że jego stan się pogarsza. Znęcali się nad nim, to nie ulega wątpliwości, więc doszliśmy do wniosku, że stąd się wziął jego kiepski stan psychiczny. Teraz jednak uważamy, że to nie wszystko. Kapitol zapewne poddał go dość nietypowej technice, znanej jako osaczanie. Beetee?

— Przykro mi, Katniss — włącza się do rozmowy Beetee. — Niestety, nie mogę przybliżyć ci wszystkich szczegółów tego zabiegu, Kapitol utrzymuje tę formę tortury w największej tajemnicy, a relacje o jej skutkach są pełne sprzeczności. Wyjaśnię ci, co wiemy na ten temat. Chodzi o formę warunkowania strachem. Określenie „osaczać" jest stare i oznacza tyle, co okrążać czy też uniemożliwiać wydostanie się skądś. Naszym zdaniem sformułowania „osaczanie" używa się dlatego, że przy wspomnianych przeze mnie torturach jest stosowany jad gończych os, a słowo „osaczać" zawiera nazwę owadów. Podczas swoich pierwszych Głodowych Igrzysk zostałaś użądlona, więc w przeciwieństwie do większości z nas na własnej skórze doświadczyłaś skutków działania jadu.

Groza, halucynacje, koszmarne wizje utraty tych, których kocham. A wszystko dlatego, że jad atakuje obszar mózgu odpowiedzialny za odczuwanie strachu.

— Z pewnością pamiętasz, jak bardzo byłaś przerażona. Czy po pewnym czasie doświadczałaś psychicznej dezorientacji? — pyta mnie Beetee. — Czy czułaś, że nie umiesz stwierdzić, co jest prawdą, a co fałszem? Większość ludzi, którzy przeżyli użądlenie, wspomina o stanach tego rodzaju.

Tak, przypominam sobie spotkanie z Peetą. Nawet po tym, jak otrzeźwiałam, nie byłam pewna, czy ocalił mi życie, atakując Catona, czy tylko mi się przywidziało.

— Odtwarzanie wspomnień jest tym trudniejsze, że mogą się one zmienić. — Beetee uderza się w czoło. — Wystarczy, że zostaną wyolbrzymione, zmodyfikowane i ponownie utrwalone w zmienionej formie. Teraz wyobraź sobie, że chcę, abyś coś sobie przypomniała, i w tym celu opowiadam ci o tym albo też wyświetlam film z nagranym zdarzeniem. Gdy jakieś doświadczenie jest odświeżane w twoim umyśle, podaję ci dawkę jadu gończej osy, niezbyt dużą, bo nie chcę, żebyś zapadła w trzydniową śpiączkę. Porcja powinna być na tyle mała, aby tylko nasycić twoje wspomnienia strachem i zwątpieniem. I właśnie taką wersję twój mózg umieszcza w pamięci długotrwałej.

Robi mi się niedobrze, a Prim zadaje pytanie, które mnie nurtuje.

— Czy właśnie tak zrobili Peecie? Przywołali jego wspomnienia o Katniss i zniekształcili je tak, że są teraz przerażające?

Beetee kiwa głową.

— Są tak straszne, że w oczach Peety Katniss jest śmiertelnie niebezpieczna i dlatego jest gotów ją zabić. Oto nasza aktualna teoria.

Ukrywam twarz w dłoniach, bo nie wierzę, że to się dzieje naprawdę. To niemożliwe. Jak ktoś mógłby wymazać Peecie z pamięci, że mnie kocha? Nikt nie byłby do tego zdolny.

— Ale można to odwrócić? — dopytuje się Prim.

— Hm… Niewiele o tym wiadomo — odpowiada Plutarch. — Właściwie nic. Nawet jeśli podejmowano kiedyś próby rehabilitacji po osaczeniu, to i tak nie mamy dostępu do relacji z nimi związanych.

— Ale chyba spróbują panowie coś zrobić, prawda? — nalega Prim. — Przecież nie można go zamknąć w pokoju bez klamek, żeby cierpiał bez pomocy?

— Spróbujemy, rzecz jasna — mówi Beetee. — Po prostu nie wiemy, w jakim stopniu nam się to powiedzie. Być może nic z tego nie wyjdzie. Moim zdaniem, najtrudniej jest wykorzenić najstraszniejsze wspomnienia, przecież je zapamiętujemy najlepiej.

— Trudno też na razie powiedzieć, co jeszcze mu zrobili — dodaje Plutarch. — Właśnie kompletujemy zespół specjalistów z dziedziny zdrowia psychicznego oraz wojskowych, żeby przeprowadzić kontratak. Osobiście byłbym optymistą. Wierzę, że odzyska pełnię zdrowia.

— Doprawdy? — pyta Prim z ironią. — A co pan o tym myśli, panie Haymitch?

Lekko rozsuwam ręce i przez szczelinę patrzę na twarz Haymitcha. Jest wyczerpany i zniechęcony.

— Moim zdaniem Peeta ma szansę częściowo wydobrzeć — przyznaje. — Ale... raczej nie będzie już taki jak kiedyś.

Z powrotem zasuwam ręce, żeby nic nie widzieć, odciąć się od nich wszystkich.

— Przynajmniej żyje — zauważa Plutarch takim tonem, jakby jego cierpliwość była na wyczerpaniu. — Dzisiaj wieczorem, podczas telewizyjnego programu na żywo, Snow kazał zabić stylistkę Peety oraz jego ekipę przygotowawczą. Nie mamy pojęcia, jaki los spotkał Effie Trinket. Peeta jest chory, ale tu, z nami, a to niewątpliwa poprawa w stosunku do sytuacji, w jakiej znajdował się dwanaście godzin temu. Nie zapominajmy o tym, dobrze?

Próba pokrzepienia mnie przez Plutarcha, okraszona nowiną o kolejnych czterech, może nawet pięciu morderstwach, to totalny niewypał. Staram się powstrzymać łzy z takim wysiłkiem, że czuję gwałtowne pulsowanie w gardle i z trudem chwytam powietrze. W końcu nie mają wyjścia, muszą mi podać następną porcję środków uspokajających.

Po przebudzeniu zastanawiam się, czy odtąd będę zasypiała wyłącznie po zastrzyku w ramię. To dobrze, że przez najbliższe dni nie wolno mi rozmawiać, bo nie chcę o niczym mówić, nie chcę też nic robić. W gruncie rzeczy jestem wzorcową pacjentką, choć lekarze mylą mój letarg z powściągliwością i posłusznym wykonywaniem poleceń. Już nie zbiera mi się na płacz, teraz trzymam się tylko jednej prostej myśli: wyobrażam sobie Snowa i jednocześnie słyszę w swojej głowie szept: *Zabiję cię.*

Mama i Prim na zmianę mnie pielęgnują i nakłaniają do połykania małych kęsów miękkiego jedzenia. Regularnie odwiedzają mnie ludzie z informacjami o stanie zdrowia Peety. Opada wysoki poziom jadu gończych os w jego organizmie. Otaczają go wyłącznie nieznajomi, mieszkańcy Trzynastki, nikt z domu ani z Kapitolu nie ma prawa do odwiedzin, żeby nie obudzić w nim niebezpiecznych wspomnień. Zespół specjalistów pracuje od rana do wieczora, opracowując strategię jego rekonwalescencji.

Gale'owi nie wolno do mnie zaglądać, bo jest przykuty do łóżka z powodu jakiejś rany na ramieniu, ale trzeciej nocy, po tym, jak dostałam lekarstwa i przygaszono światła, wślizguje się cicho do pokoju. Nie mówi ani słowa, tylko głaszcze dłonią siniaki na mojej szyi, muska mnie lekko jak skrzydła ćmy, całuje między oczami i znika.

Następnego ranka lekarze wypisują mnie ze szpitala z zaleceniem, żebym poruszała się spokojnie i mówiła tylko wtedy, gdy to będzie konieczne. Nie otrzymuję nadruku z harmonogramem dnia, więc włóczę się bez celu, dopóki Prim nie zostanie chwilowo zwolniona z obowiązków szpitalnych, żeby zaprowadzić mnie do naszej obecnej komory rodzinnej o numerze 2212, która wygląda zupełnie tak samo jak poprzednia, tylko nie ma tu okna.

Jaskier otrzymał już codzienny przydział żywności oraz kuwetę z piaskiem, która stoi pod umywalką w łazience. Gdy Prim kładzie mnie do łóżka, kot wskakuje na poduszkę i rywalizuje ze mną o względy mojej siostry. Prim bierze go na ręce, ale całą uwagę skupia na mnie.

— Katniss, wiem, że ta historia z Peetą jest dla ciebie straszna, ale pamiętaj, że Snow znęcał się nad nim tygodniami, a tu Peeta jest zaledwie od paru dni. Możliwe, że dawny Peeta, ten, który cię kocha, ciągle tkwi gdzieś w środku i usiłuje do ciebie powrócić. Nie spisuj go na straty.

Wpatruję się w młodszą siostrę i zastanawiam, jak to się stało, że przejęła wszystko to, co najlepsze w naszej rodzinie: uzdrowicielskie dłonie mamy, rozsądek ojca i moją waleczność. Jest jeszcze coś, co należy wyłącznie do niej: umiejętność patrzenia na frustrujący życiowy chaos i dostrzegania rzeczy takimi, jakimi są naprawdę. Czy to możliwe, że ma rację? Czy Peeta naprawdę kiedyś do mnie wróci?

— Muszę iść do szpitala. — Prim kładzie Jaskra na łóżku obok mnie. — Dotrzymujcie sobie towarzystwa, dobrze?

Kot momentalnie zeskakuje i odprowadza ją do drzwi, a potem miauczy donośnie na znak, że wcale nie chce zostać w domu. Oboje beznadziejnie się czujemy w swoim towarzystwie i nie mija nawet pół minuty, gdy dociera do mnie, że nie wytrzymam, muszę się wyrwać z podziemnej celi, więc zostawiam Jaskra samemu sobie. Kilka razy się gubię, ale ostatecznie jakoś docieram do Wydziału Obrony Specjalnej. Mijani po drodze ludzie wpatrują się w moje siniaki, a ja czuję takie zakłopotanie, że stawiam kołnierz na sztorc, zasłaniając szyję aż do uszu.

Gale najwyraźniej również został rankiem wypisany ze szpitala, bo spotykam go w jednym z laboratoriów, jest w towarzystwie Beetee'ego. Obaj są pochłonięci pracą, pochylają głowy nad rysunkiem i dokonują jakichś pomiarów. Po stole i podłodze walają się kartki z rozmaitymi wersjami projektu, a na korkowej tablicy na ścianie oraz ekranach kilku komputerów dostrzegam inne szkice. Jeden z nich niewątpliwie przedstawia wnyki Gale'a.

— Co to takiego? — pytam chrapliwym głosem i odwracam ich uwagę od kartki.

— Ach, Katniss, przejrzałaś nas — oświadcza Beetee radośnie.

— Co? To jakaś tajemnica? — Wiem, że spędzają tutaj razem mnóstwo czasu, ale zakładałam, że dłubią przy łukach i pistoletach.

— Niezupełnie. Dokuczało mi lekkie poczucie winy, bo zbyt często podkradałem ci Gale'a — wyznaje Beetee.

Ponieważ przez większość czasu w Trzynastce byłam rozkojarzona, smutna, wściekła, hospitalizowana albo przygotowywana do telewizyjnych występów, nie mogę powiedzieć, żebym szczególnie boleśnie odczuła nieobecność Gale'a. Poza tym między nami nie układało się najlepiej. Ale w porządku, niech Beetee myśli, że jest moim dłużnikiem.

— Mam nadzieję, że dobrze wykorzystywałeś jego czas.

— Chodź, sama zobaczysz. — Kiwa na mnie ręką, abym podeszła do monitora.

Teraz już wiem, co robili. Wykorzystywali podstawowe zasady działania pułapek Gale'a, żeby przerobić je na potrzeby walki z ludźmi. Przede wszystkim skupili się na projektowaniu bomb, ze szczególnym uwzględnieniem psychologii, nie mechaniki zasadzek. Obmyślali pułapki minowe na terenach, które dostarczają czegoś niezbędnego do przeżycia, przede wszystkim wody lub żywności. Zastanawiali się, jak płoszyć ofiary, żeby większa ich liczba uciekała na pewną śmierć. Rozważali, co robić, żeby narazić potomstwo na niebezpieczeństwo i w ten sposób złowić prawdziwy cel, czyli rodziców. Wynajdywali sposoby wabienia ofiar do pozornie bezpiecznego schronienia, gdzie czekała je śmierć. Gale i Beetee w pewnym momencie zrezygnowali z rozważań nad dziką przyrodą i skupili się na bardziej ludzkich cechach, takich jak współczucie. Po wybuchu bomby ludzie zawsze śpieszą rannym z pomocą, więc dopiero wtedy należy odpalić następny, potężniejszy ładunek wybuchowy.

— To wygląda na przekraczanie pewnych granic — zauważam. — Więc wszystkie chwyty dozwolone? — Obaj wpatrują się we mnie, Beetee z powątpiewaniem, Gale wrogo. — Jak rozumiem, nie ma spisu reguł, w którym byłoby określone, czego nie wolno robić innemu człowiekowi.

— Ależ jest, jak najbardziej. Razem z Beetee'em korzystałem ze spisu tych samych zasad, które przyświecały prezydentowi Snowowi, gdy osaczał Peetę.

Okrutne, ale sensowne. Odchodzę bez słowa i czuję, że jeśli natychmiast nie wydostanę się na świeże powietrze, to mi odbije. Jeszcze na terenie Obrony Specjalnej dopada mnie Haymitch.

— Chodź — mówi. — Musisz wracać do szpitala.

— Po co?

— Poddadzą Peetę jakiejś nowej terapii — wyjaśnia. — Podeślą mu najniewinniejszą osobę z Dwunastki, jaką uda im się znaleźć. Znajdą kogoś, z kim Peetę mogą łączyć wspomnienia z dzieciństwa, ale ta osoba nie może mieć wiele wspólnego z tobą. Na razie sprawdzają kandydatów.

Wiem, że zadanie będzie niełatwe, bo Peeta najprawdopodobniej dzieli wspomnienia z dzieciństwa z mieszkańcami miasta, a prawie wszyscy zginęli w płomieniach. Kiedy jednak docieramy do sali szpitalnej, przerobionej na stanowisko pracy zespołu rehabilitacyjnego Peety, zauważam ją od razu.

Delly Cartwright.

Jest zajęta rozmową z Plutarchem, ale na mój widok uśmiecha się tak, jakbym była jej najlepszą przyjaciółką. Do wszystkich się tak uśmiecha.

— Katniss! — woła.

— Cześć, Delly.

Obiło mi się o uszy, że przeżyła razem z młodszym bratem, jednak ich rodzice, właściciele jedynego sklepu z obuwiem w mieście, nie mieli tyle szczęścia. Wygląda starzej, zwłaszcza że nosi niezbyt twarzową, szarą odzież z Trzynastki, a długie, żółte loki splotła w praktyczny warkocz. Jest szczuplejsza niż dawniej, ale była jednym z nielicznych dzieciaków w Dwunastym Dystrykcie, które mogły sobie pozwolić na zrzucenie paru kilogramów. Tutejsze jedzenie, stres, rozpacz po stracie rodziców — wszystko to niewątpliwie wpłynęło na jej wygląd.

— Co u ciebie? — pytam.

— Och, tyle się zmieniło w moim życiu, a wszystko naraz. — Jej oczy zachodzą łzami. — Ale tutaj, w Trzynastce, wszyscy są naprawdę mili, prawda?

Delly mówi szczerze. Naprawdę lubi ludzi, i to bez wyjątku, nie tylko wybranych, których zdecydowała się zaakceptować po latach namysłu.

— Bardzo się postarali, żebyśmy nie czuli się odrzuceni — przyznaję z przekonaniem, że uczciwie stawiam sprawę i jednocześnie unikam przesady. — Czy to ciebie wybrali na spotkanie z Peetą?

— Na to wygląda. Biedaczysko. Ty też jesteś biedna. Nigdy nie zrozumiem Kapitolu — wzdycha.

— Lepiej nawet nie próbuj.

— Delly zna Peetę od bardzo dawna — wtrąca się Plutarch.

— Och, tak! — Jej twarz pogodnieje. — Już w dzieciństwie bawiliśmy się razem. Kiedyś wmawiałam ludziom, że to mój brat.

— Co ty na to? — zwraca się do mnie Haymitch. — Czy jest coś, co mogłoby przywołać wspomnienia o tobie?

— Wszyscy troje chodziliśmy do tej samej klasy, ale nigdy nie byliśmy sobie specjalnie bliscy — wspominam.

— Zawsze uważałam, że Katniss jest niesamowita, i nawet nie marzyłam o tym, że zwróci na mnie uwagę — wyznaje Delly. — Przecież umiała polować i chodziła na Ćwiek, i w ogóle. Wszyscy bardzo ją podziwiali.

Oboje, Haymitch i ja, wpatrujemy się w nią uważnie, żeby sprawdzić, czy nie kpi. Ze słów Delly wynika, że w zasadzie nie miałam przyjaciół wyłącznie dlatego, że onieśmielałam ludzi swoją wyjątkowością. Bzdura — nie miałam przyjaciół dlatego, że nie byłam sympatyczna. Delly zrobiła ze mnie superbohaterkę.

— Delly zawsze ma dobre zdanie o innych — wyjaśniam. — Nie sądzę, żeby Peeta mógł mieć złe wspomnienia z nią związane. — Nagle coś sobie przypominam. — Zaraz, zaraz, kiedy byłam w Kapitolu, musiałam skłamać w sprawie spotkania z pewną awoksą. Peeta osłaniał mnie i powiedział, że tamta dziewczyna wyglądała jak Delly.

— Pamiętam — potwierdza Haymitch. — Ale sam nie wiem. Nie mówiliście prawdy, a Delly wcale tam nie było. Taka wzmianka to nic w porównaniu z latami wspomnień z dzieciństwa.

— Zwłaszcza związanych z tak miłą rozmówczynią jak Delly — przytakuje Plutarch. — Zaryzykujmy.

Idę z Plutarchem i Haymitchem do pokoju obserwacyjnego obok sali, w której trzymają Peetę. W środku zastajemy dziesięciu członków ekipy rehabilitacyjnej uzbrojonych w długopisy i tabliczki z przypiętymi kartkami na notatki. Za sprawą lustra weneckiego oraz systemu nagłaśniającego możemy dyskretnie podglądać Peetę, który w tej chwili leży na łóżku i ma związane ręce. Co prawda nie próbuje oswobodzić się z więzów, ale nieustannie nerwowo porusza dłońmi. Jego twarz wydaje się przytomniejsza niż wtedy, gdy usiłował mnie udusić, ale nadal nie przypomina dawnego siebie.

Gdy drzwi uchylają się cicho, zaniepokojony Peeta szeroko otwiera oczy, a w następnej chwili sprawia wrażenie zdezorientowanego. Delly niepewnie zbliża się do Peety, ale jak zwykle ma szeroki uśmiech na twarzy.

— Peeta? To ja, Delly. Z domu.

— Delly? — Wygląda tak, jakby coś do niego docierało. — Delly. To ty.

— Tak! — potwierdza z nieskrywaną ulgą. — Jak się czujesz?

— Fatalnie. Gdzie jesteśmy? Co się stało? — chce wiedzieć Peeta.

— Zaczyna się — mówi Haymitch.

— Kazałem jej zdecydowanie unikać wspominania Katniss i Kapitolu — dodaje Plutarch. — Zobaczmy, czy skutecznie uda się jej wyczarować w jego umyśle obraz domu.

— Teraz… jesteśmy w Trzynastym Dystrykcie. Mieszkamy tutaj — tłumaczy Delly.

— To samo mówili tamci ludzie, ale to nie ma sensu — powątpiewa Peeta. — Dlaczego nie jesteśmy w domu?

Delly przygryza wargę.

— Był… Zdarzył się wypadek. Ja też strasznie tęsknię za domem. Przed chwilą myślałam o tym, jak rysowaliśmy kredą obrazki na chodniku. Twoje były cudowne. Pamiętasz, jak na każdym kamieniu brukowym zrobiłeś inne zwierzę?

— Tak. Świnie, koty i takie tam — wspomina Peeta. — Mówiłaś coś o wypadku?

Dostrzegam pot na czole Delly, która usiłuje znaleźć wymijającą odpowiedź.

— Było źle. Nikt… nie mógł zostać — plącze się.

— Wytrzymaj, dziewczyno — cedzi Haymitch.

— Ale tutaj na pewno ci się spodoba, Peeta. Ludzie są dla nas naprawdę mili. Nigdy nie brakuje jedzenia, mamy czyste ubrania i w szkole jest znacznie ciekawiej — wylicza Delly.

— Dlaczego nie odwiedza mnie rodzina? — dziwi się Peeta.

— Nie może. — Delly znowu jest bliska załamania. — Wielu ludziom nie udało się wydostać z Dwunastki, dlatego musimy zacząć tutaj nowe życie. Na pewno przyda się im dobry piekarz. Pamiętasz, jak twój tata pozwalał nam lepić z ciasta dziewczynki i chłopców?

— Był pożar — mówi nagle Peeta.

— Tak — szepcze Delly.

— Dwunastka spłonęła, prawda? To przez nią — dodaje z wściekłością Peeta. — Przez Katniss! — Szarpie się w więzach.

— Och, nie, Peeta — protestuje Delly. — To nie jej wina.

— Powiedziała ci to? — syczy Peeta.

— Zabierzcie ją stamtąd — oznajmia Plutarch.

Drzwi natychmiast się otwierają i Delly powoli rusza ku wyjściu.

— Ona nie musiała. Byłam… — usiłuje tłumaczyć Delly.

— Bo ona łże! Kłamie jak z nut! Nie wolno wierzyć w ani jedno jej słowo. To nie człowiek, tylko jakiś zmiech z Kapitolu, stworzony po to, żeby szkodzić nam wszystkim! — krzyczy Peeta.

— Nie, nieprawda. Ona wcale nie jest… — próbuje Delly raz jeszcze.

— Nie ufaj jej, Delly — mówi Peeta głosem pełnym paniki. — Kiedyś jej uwierzyłem, a ona próbowała mnie zabić! Wymordowała moich przyjaciół, rodzinę. Nawet do niej nie podchodź, to zmiech!

Zza progu wysuwa się ręka, chwyta Delly i wyciąga ją na korytarz, a potem drzwi się zamykają.

— Zmiech! — nadal wrzeszczy Peeta. — To śmierdzący zmiech!

Nie dość, że mnie nienawidzi i chce zabić, to jeszcze nie wierzy, że jestem człowiekiem. Mniej bolało, kiedy mnie dusił.

Specjaliści wokół mnie notują jak szaleni, spisują każde słowo. Haymitch i Plutarch łapią mnie za ręce, wywlekają z pokoju i, już na cichym korytarzu, opierają o ścianę. Mimo to wiem, że za drzwiami i szkłem Peeta nadal wrzeszczy.

Prim się myliła, już nigdy nie będzie taki jak dawniej.

— Nie mogę tu dłużej zostać — mówię głucho. — Jeśli mam być Kosogłosem, muszę wyjechać.

— Dokąd chciałabyś się wybrać? — pyta Haymitch.

— Do Kapitolu. — Nie przychodzi mi do głowy żadne inne miejsce, w którym mam coś do zrobienia.

— Nic z tego, najpierw musimy zabezpieczyć dystrykty — oświadcza Plutarch stanowczo. — Ale mam dobre wieści. Walki już niemal ustały we wszystkich z wyjątkiem Dwójki. To twardy orzech do zgryzienia.

Racja. Najpierw dystrykty, potem Kapitol, a na koniec zapoluję na Snowa.

— Zgoda — postanawiam. — Chcę jechać do Dwójki.

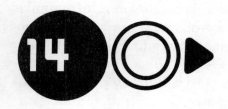

Jak się można było spodziewać, Dwójka to duży dystrykt, składający się z licznych, rozrzuconych po górach wiosek. Każda z tych miejscowości była pierwotnie związana z kopalnią lub kamieniołomem, lecz teraz wiele z nich służy zakwaterowaniu i szkoleniu Strażników Pokoju. Wioski nie stanowiłyby poważniejszego wyzwania dla dysponujących lotniczym sprzętem Trzynastki rebeliantów. Prawdziwym problemem jest co innego. W samym sercu dystryktu wznosi się góra nie do zdobycia, która stanowi trzon sił zbrojnych Kapitolu.

Górę nazwaliśmy Orzechem po tym, jak powtórzyłam uwagę Plutarcha o „twardym orzechu do zgryzienia" zmęczonym i zniechęconym przywódcom miejscowych buntowników. Orzech powstał tuż po zakończeniu Mrocznych Dni, kiedy Kapitol utracił Trzynastkę i stanął przed koniecznością szybkiego stworzenia nowej podziemnej warowni. Co prawda część zasobów militarnych Kapitolu, między innymi pociski z głowicami jądrowymi, lotnictwo i wojsko mieściły się na obrzeżach stolicy, ale znaczący fragment sił pozostaje teraz pod kontrolą wroga. Rzecz jasna, Kapitol nie mógł nawet marzyć o odtworzeniu Trzynastki, gdyż potrwałoby to kilka wieków, lecz stare kopalnie pobliskiej Dwójki budziły nadzieję. Orzech z lotu ptaka wyglądał jak jedna z wielu gór z nielicznymi wejściami, w środku jednak znajdowały się przestronne groty, skąd niegdyś wycinano kamienne płyty, przeznaczone do wydobycia na powierzchnię i przetransportowania wąskimi, śliskimi drogami na odległe place budowy. Istniały nawet koleje, przewożono nimi górników z Orzecha do samego centrum głównego miasta Dwójki. Tory docierały aż do placu, na którym pojawiłam się wraz z Peetą podczas Tournée Zwycięzców. Stałam wtedy na szerokich marmurowych schodach Pałacu Sprawiedliwości, próbując nie gapić się z góry na pogrążone w żałobie rodziny Catona i Clove.

Teren nie był idealny, często osuwało się tam błoto, dochodziło do powodzi, staczały się lawiny, korzyści jednak przewyższały te niedogodności. Podczas prowadzonych we wnętrzu góry prac wydobywczych górnicy pozostawili potężne kolumny i kamienne ściany służące jako wsporniki. Kapitol dodatkowo je wzmocnił i zabrał się do przerabiania góry na nową bazę wojskową. W środku zainstalowano rzędy stanowisk komputerowych, przygotowano sale zebrań, koszary i magazyny broni. Ponadto poszerzono wejścia, żeby umożliwić poduszkowcom opuszczanie hangaru, zamontowano wyrzutnie pocisków. Budowniczowie powstrzymali się jednak od ingerowania w wygląd zewnętrzny góry, dzięki czemu pozostała dziką i skalistą, porośniętą drzewami i zamieszkałą przez zwierzęta naturalną fortecą, która świetnie chroni przed wrogiem.

Według standardów innych dystryktów, Kapitol rozpieszczał mieszkańców Dwójki. Rzut oka na rebeliantów z tamtego rejonu wystarczy, aby się przekonać, że byli dobrze żywieni, a w dzieciństwie otaczano ich troskliwą opieką. Niektórzy skończyli w kopalniach i kamieniołomach, innych przyuczono do pracy w Orzechu albo skierowano do służby w szeregach Strażników Pokoju. Od wczesnej młodości byli intensywnie szkoleni do walki, a Głodowe Igrzyska stanowiły dla nich sposobność do zdobycia bogactwa i sławy nieznanej w innych dystryktach. Rzecz jasna, łatwiej łykali propagandę Kapitolu niż reszta z nas, przyjmowali tamtejsze zwyczaje. Mimo to w ostatecznym rozrachunku ciągle byli niewolnikami. I jeśli ten fakt umknął obywatelom, którzy zostawali Strażnikami Pokoju albo pracowali w Orzechu, z pewnością nie umknął kamieniarzom stanowiącym trzon miejscowego ruchu oporu.

Nic się nie zmienia, odkąd przyjechałam tutaj dwa tygodnie temu. Wioski położone bliżej granic pozostają w rękach rebeliantów, miasto jest podzielone, a Orzech nienaruszalny. Jego nieliczne wejścia są silnie ufortyfikowane, a serce bezpiecznie ukryte w górze. Wszystkie pozostałe dystrykty wyrwały się już spod kontroli Kapitolu i tylko Dwójka pozostaje na jego smyczy.

Każdego dnia robię, co w mojej mocy, żeby pomóc — odwiedzam rannych, razem z moją ekipą filmową nagrywam krótkie propagity. Nie otrzymałam pozwolenia na udział w bezpośredniej walce, ale jestem zapraszana na zebrania związane z bieżącą sytuacją na wojnie. To o wiele więcej, niż mi zaproponowano w Trzynastce. Czuję się tu znacznie lepiej, mogę korzystać z przywilejów wolności, nie noszę na ręce nadruku z harmonogramem dnia, mam więcej czasu dla siebie. Mieszkam na powierzchni, w wioskach buntowników albo w pobliskich jaskiniach, i ze względów bezpieczeństwa muszę często się przeprowadzać. Otrzymałam zezwolenie na polowanie w ciągu dnia, pod warunkiem, że będę zabierała ze sobą strażnika i nigdy za bardzo się nie oddalę. W rozrzedzonym, zimnym górskim powietrzu czuję, jak wracają mi siły, umysł nareszcie się oczyszcza, jednak wraz z trzeźwością osądów przychodzi jeszcze dotkliwsza świadomość tego, co spotkało Peetę.

Snow mi go ukradł, zdeformował nie do poznania, a na koniec wręczył w prezencie. Boggs, który przybył do Dwójki razem ze mną, wyjawił mi, że choć plan odbicia był szczegółowo obmyślany, to akcja uratowania Peety przebiegła zbyt gładko. Jego zdaniem, gdyby Trzynastka nie zdecydowała się na tę operację, Peeta i tak trafiłby do mnie. Zapewne podrzucono by go w jednym z ogarniętych walkami dystryktów albo nawet w samej Trzynastce, przewiązanego wstążkami i z moim nazwiskiem na bileciku, zaprogramowanego na zamordowanie mnie.

Dopiero teraz, kiedy Peeta został okaleczony emocjonalnie, w pełni doceniam jego prawdziwą osobowość, myślę, że nawet bardziej, niż gdyby umarł. Uświadamiam sobie jego dobroć, solidność, ciepło, za czym krył się nieoczekiwany żar. Poza Prim, mamą i Gale'em ilu ludzi na świecie darzy mnie bezwarunkową miłością? Wydaje mi się, że w moim wypadku odpowiedź brzmi teraz: nikt.

Czasem gdy jestem sama, wyciągam perłę z kieszeni, gdzie ją trzymam, i próbuję przypomnieć sobie chłopca z chlebem oraz mocne ręce, które przeganiały senne koszmary w pociągu, wspominam też pocałunki na arenie. Usiłuję nazwać to, co utraciłam. Tylko po co, skoro to już przepadło, odeszło wraz z Peetą? Cokolwiek nas łączyło, zniknęło i pozostała wyłącznie moja obietnica, że zabiję Snowa. Powtarzam ją sobie dziesięć razy dziennie.

Tymczasem w Trzynastce trwa rehabilitacja Peety. O nic nie pytam, jednak Plutarch telefonicznie przekazuje mi radosne nowiny. „Dobre wieści, Katniss!", mówi. „Chyba prawie go przekonaliśmy, że nie jesteś zmiechem!" Albo: „Dzisiaj pozwoliliśmy mu samodzielnie zjeść pudding!"

Haymitch, z którym rozmawiam później, przyznaje, że Peecie wcale się nie poprawia. Jedyny wątpliwy promyk nadziei pojawił się dzięki mojej siostrze.

— Prim przyszło do głowy, że sami powinniśmy go osaczyć z powrotem — informuje mnie Haymitch. — Chodzi o to, aby przywołać zdeformowane wspomnienia na twój temat, a potem podać mu solidną porcję środka uspokajającego, choćby morfaliny. Wypróbowaliśmy tę metodę na jednym wspomnieniu. Puściliśmy mu nagranie was dwojga z jaskini, kiedy mu opowiedziałaś historię o tym, jak zdobyłaś kozę dla Prim.

— I co, jest poprawa? — pytam.

— Tak, o ile kompletna dezorientacja jest poprawą w stosunku do panicznego strachu — oświadcza Haymitch. — Osobiście nie jestem o tym przekonany. Peeta na kilka godzin stracił mowę i zapadł w dziwne odrętwienie. Gdy się ocknął, pytał wyłącznie o kozę.

— Rozumiem — mówię.

— Jak tam u was? — zmienia temat.

— Brak postępów.

— Szykujemy ekipę, która pomoże wam zrobić coś z tą górą. Przyleci Beetee i jeszcze kilka osób — informuje mnie Haymitch. — No wiesz, mózgowcy.

Gdy mózgowcy zostają wybrani, nie jestem zaskoczona widokiem nazwiska Gale'a na liście. Podejrzewałam, że Beetee zechce go tu sprowadzić. Zapewne nie liczy na jego zdolności techniczne, ma raczej nadzieję, że Gale znajdzie sposób na zdobycie góry podstępem. Już wcześniej Gale proponował, że przyjedzie ze mną do Dwójki, ale nie chciałam odrywać go od współpracy z Beetee'em. Poradziłam mu więc, aby został na miejscu i robił swoje tam, gdzie jest najbardziej potrzebny. Nie wspomniałam, że jego obecność dodatkowo utrudni mi opłakiwanie Peety.

Gale odszukuje mnie któregoś późnego popołudnia, zaraz po przylocie. Siedzę na kłodzie na skraju wioski, w której akurat mieszkam, i oskubuję gęś. U moich stóp leży sterta kilkunastu ptaków. Odkąd tu przybyłam, ciągle widuję ich liczne, migrujące stada, więc łowienie ich nie nastręcza żadnych trudności. Gale bez słowa siada obok mnie i zabiera się do wyrywania piór z innej sztuki.

— Jakaś szansa, że je zjemy? — pyta, gdy jesteśmy mniej więcej w połowie darcia pierza.

— Owszem. Większość trafi do obozowej kuchni, ale mam przekazywać parę sztuk ludziom, u których akurat nocuję. W podziękowaniu za gościnę.

— Sam zaszczyt im nie wystarcza? — pyta.

— Niby powinien, ale rozeszły się pogłoski, że kosogłosy są szkodliwe dla zdrowia — oznajmiam.

Przez pewien czas bez słowa skubiemy ptaki.

— Wczoraj widziałem Peetę — przerywa milczenie Gale. — Przez szybę.

— I co sobie pomyślałeś?

— Coś samolubnego.

— Pewnie że już nie musisz być o niego zazdrosny? — Gwałtownie szarpię pióra, aż fruwają w powietrzu.

— Nie, wręcz przeciwnie. — Gale wyławia pióro z moich włosów. — Przyszło mi do głowy, że nie zdołam z tym rywalizować, choćbym nie wiem jak cierpiał. — Obraca pióro między kciukiem a palcem wskazującym. — Nie mam szans, jeśli Peeta nie wyzdrowieje, bo nigdy o nim nie zapomnisz. Miałabyś potworne wyrzuty sumienia, będąc ze mną.

— Tak samo, jak przez ciebie miałam wyrzuty sumienia, całując Peetę.

Gale patrzy mi prosto w oczy.

— Gdybym wierzył, że to prawda, prawie umiałbym pogodzić się z całą resztą.

— To prawda — zapewniam go. — Ale prawdą jest także to, co powiedziałeś przed chwilą o Peecie.

Gale wzdycha z irytacją. A jednak kiedy przekazujemy ptaki i zgłaszamy się na ochotnika do przyniesienia z lasu drewna na opał, obejmuje mnie, a jego wargi muskają blednące siniaki na mojej szyi i wędrują ku ustom. Pomimo tego, co czuję do Peety, właśnie wtedy godzę się w głębi duszy z faktem, że nigdy do mnie nie wróci ani ja nie wrócę do niego. Pozostanę w Dwójce do czasu, gdy tutaj zwyciężymy, albo wyruszę do Kapitolu, zabiję Snowa, a potem zginę za swój trud. Peeta również umrze, w szaleństwie i nienawiści do mnie. I tak oto w gasnącym świetle zamykam oczy i całuję Gale'a, żeby wynagrodzić mu te wszystkie pocałunki, od których się dotąd powstrzymywałam, i dlatego, że to już nie ma żadnego znaczenia, a ja jestem rozpaczliwie samotna i dłużej nie wytrzymam.

Dotyk, smak i ciepło Gale'a przypominają mi, że przynajmniej moje ciało nadal żyje i przez moment rozkoszuję się tym uczuciem. Oczyszczam umysł i poddaję się emocjom, chcę się w nich beztrosko zatracić. Gdy Gale lekko się odsuwa, natychmiast przybliżam się ku niemu, żeby nie było między nami żadnego dystansu, ale czuję pod brodą jego palce.

— Katniss — mówi. Otwieram oczy i nagle wydaje mi się, że widzę świat pogrążony w chaosie. Nie jesteśmy w naszym lesie ani w naszych górach, zachowujemy się inaczej niż zwykle. Odruchowo dotykam dłonią blizny na lewej skroni, którą kojarzę z dezorientacją. — Teraz mnie pocałuj. — Oszołomiona stoję tylko z szeroko otwartymi oczami, kiedy on się pochyla i na moment przyciska wargi do moich ust. Patrzy na mnie z uwagą.
— Co się dzieje w twojej głowie?
— Sama nie wiem — szepczę.
— Więc to tak, jakbym całował pijaną dziewczynę. Nie liczy się — oznajmia i bez przekonania usiłuje się zaśmiać.

Zgarnia stertę gałęzi na opał i wpycha mi je w ręce, pozostawiając mnie samej sobie.
— Skąd wiesz? — pytam, głównie po to, aby ukryć zażenowanie. — Całowałeś kiedyś pijane dziewczyny?

Domyślam się, że w Dwunastce Gale mógł się całować na lewo i na prawo, chętnych na pewno nie brakowało. Wcześniej nigdy się nad tym nie zastanawiałam.
— Nie. — Kręci głową. — Ale nietrudno to sobie wyobrazić.
— Więc nigdy nie całowałeś się z innymi dziewczynami? — dopytuję się.
— Tego nie powiedziałem. Przecież wiesz, że kiedy się poznaliśmy, miałaś tylko dwanaście lat, i do tego byłaś cholernie upierdliwa. Wyobraź sobie, że moje życie nie sprowadzało się do naszych polowań. — Zgarnia naręcze drewna.

Nagle ogarnia mnie niepohamowana ciekawość.
— Z kim się całowałeś? I gdzie?
— Za dużo ich było, żebym wszystkie pamiętał. Za szkołą, na hałdach, wszędzie.

Przewracam oczami.

— Więc kiedy uznałeś, że jestem taka wyjątkowa? Jak mnie wywieźli do Kapitolu?

— Nie. Mniej więcej pół roku wcześniej, zaraz po nowym roku. Byliśmy na Ćwieku, jedliśmy jakieś pomyje od Śliskiej Sae. Darius przekomarzał się z tobą, chciał dać ci całusa w zamian za królika. Wtedy do mnie dotarło... że mam coś przeciwko temu — wspomina.

Pamiętam tamten dzień. Chłód przenikał nas do kości, już o czwartej zapadał zmrok. Polowaliśmy, ale gęsty śnieg zmusił nas do powrotu do miasta. Na Ćwieku roiło się od ludzi poszukujących schronienia przed parszywą pogodą. Zupa Śliskiej Sae na bulionie z kości zdziczałego psa, którego ustrzeliliśmy tydzień wcześniej, była zauważalnie poniżej normy, ale przynajmniej gorąca. Umierając z głodu, usiadłam po turecku na ladzie i zabrałam się do posiłku. Darius opierał się o słupek przy straganie Sae i łaskotał mój policzek końcem warkocza. Trzasnęłam go po łapie, a on wyjaśnił, że jeden jego całus jest warty królika albo nawet dwóch, bo przecież wszyscy wiedzą, że rudzi są najjurniejsi. Śliska Sae śmiała się razem ze mną, bo był taki absurdalnie zabawny i uparty. Ciągle pokazywał jakieś kobiety na Ćwieku, które podobno płaciły mu znacznie więcej niż królika, byle tylko nacieszyć się jego ustami.

— Widzisz tamtą w zielonym szaliku? Idź, spytaj ją, jeśli naprawdę oczekujesz referencji.

To się zdarzyło milion kilometrów stąd, miliard dni temu.

— Darius tylko się wygłupiał — mówię.

— Pewnie tak, choć ty ostatnia zorientowałabyś się, że jest inaczej — informuje mnie Gale. — Przypomnij sobie Peetę albo mnie, albo choćby Finnicka. Zaczynałem się martwić, że chce cię poderwać, ale wygląda na to, że teraz wrócił na prostą.

— Nie znasz Finnicka, jeśli uważasz, że mógłby mnie pokochać.

Gale wzrusza ramionami.

— Wiem, że był zdesperowany. W takim stanie ludzie dopuszczają się rozmaitych szaleństw.

Mimowolnie myślę, że to musi być aluzja do mnie.

Pogodnym rankiem, wcześnie, zbierają się mózgowcy, żeby rozgryźć problem Orzecha. Zaproszono mnie na spotkanie, choć nie mam wiele do zaproponowania. Unikam stołu konferencyjnego i przysiadam na szerokim parapecie przy oknie, z którego widać naszą górę. Dowódca Dwójki, Lyme, kobieta w średnim wieku, zabiera nas na wirtualny spacer po Orzechu, jego wnętrzu i umocnieniach, a także wspomina nieudane próby zdobycia fortecy. Odkąd przyjechałam, zetknęłyśmy się kilkakrotnie i za każdym razem czułam, że już ją gdzieś spotkałam. Nietrudno ją zapamiętać, bo liczy sobie ponad metr osiemdziesiąt pięć wzrostu i ma imponującą muskulaturę. Przy prezentacji nagrania z jej udziałem, nakręconego podczas szturmu na główne wejście Orzecha, wreszcie sobie przypominam, skąd ją znam. Lyme jest jedną z triumfatorek igrzysk. Jako trybutka z Drugiego Dystryktu zwyciężyła w turnieju zorganizowanym ponad pokolenie temu. Effie przesłała nam między innymi jej taśmę, żebyśmy lepiej się przygotowali do Ćwierćwiecza Poskromienia. W trakcie rozmaitych igrzysk zapewne czasem natykałam się na nią w telewizji, ale najwyraźniej wolała nie rzucać się w oczy. Mając w pamięci nowe informacje na temat tego, co spotkało Haymitcha i Finnicka, myślę tylko o jednym: co takiego zrobił jej Kapitol po tym, jak wygrała?

Po prezentacji Lyme odpowiada na pytania mózgowców. Mijają godziny, nadchodzi pora lunchu, po posiłku wznawiamy naradę, a oni przez cały czas usiłują opracować realistyczny plan zdobycia Orzecha. Beetee jest zdania, że potrafiłby złamać układy komputerowe i przez pewien czas zebrani dyskutują o możliwości wykorzystania garstki wewnętrznych wywiadowców, lecz w gruncie rzeczy nikt nie wpada na żaden istotny pomysł. Mija popołudnie i rozmowa co rusz koncentruje się na strategii, która była już wielokrotnie stosowana — przypuszczeniu szturmu na wejścia. Wyczuwam narastającą frustrację Lyme, bo przecież wiele form tego planu bezskutecznie wypróbowano w praktyce, a w trakcie ataków zginęło wielu jej żołnierzy. W końcu przywódczyni nie wytrzymuje i wybucha:

— Niech następna osoba, która zaproponuje atak na wejścia, zawczasu przygotuje sobie błyskotliwą taktykę szturmu, bo sama stanie na jego czele.

Gale, zbyt niecierpliwy, żeby wytrzymać wielogodzinną sesję przy stole, od pewnego czasu na przemian spaceruje po sali i dosiada się do mnie na parapecie. Wygląda na to, że już dawno temu podzielił opinię Lyme, że wejścia do góry są nie do zdobycia, i całkowicie zrezygnował z udziału w dyskusji. Mniej więcej przez ostatnią godzinę siedział w milczeniu, skupiony, ze zmarszczonym czołem, zapatrzony na Orzech za oknem. Wreszcie przerwał ciszę, która nastała po ultimatum Lyme.

— Czy naprawdę zdobycie Orzecha to konieczność? Może wystarczy go unieszkodliwić?

— Byłby to krok we właściwym kierunku — przyznaje Beetee. — Co konkretnie masz na myśli?

— Pomyślmy o tej górze jak o pieczarze pełnej dzikich psów — kontynuuje Gale. — Nie ma sensu próbować wedrzeć się do środka, więc pozostają dwa rozwiązania: należy uwięzić tam psy lub je wykurzyć.

— Próbowaliśmy już bombardować wejścia — przypomina Lyme. — Tkwią zbyt głęboko w skale, żeby udało się je poważnie uszkodzić.

— Nie to miałem na myśli — mówi Gale. — Chodziło mi o odpowiednie wykorzystanie góry. Tam, na zboczach.

Beetee wstaje, dołącza do niego przy oknie i uważnie patrzy przez niedopasowane okulary.

— Rumowiska skalne — cedzi półgłosem. — To byłoby pomysłowe. Musielibyśmy bardzo starannie opracować sekwencyjną detonację, bo po odpaleniu ładunków nie ma mowy o zapanowaniu nad lawiną.

— Nie musimy nad nią panować, o ile damy sobie spokój z koncepcją zdobycia Orzecha — zauważa Gale. — Wystarczy go zablokować.

— Więc proponujesz, żebyśmy wywołali lawiny, które zasypią wejścia? — upewnia się Lyme.

— Tak jest — potwierdza Gale. — Trzeba uwięzić wroga w środku i odciąć go od dostaw zaopatrzenia. Musimy uniemożliwić im wysyłanie poduszkowców.

Kiedy wszyscy rozważają ten plan, Boggs wertuje stertę planów Orzecha i marszczy brwi.

— W ten sposób narazilibyśmy na śmierć wszystkich ludzi wewnątrz — zauważa. — Wystarczy spojrzeć na system wentylacyjny. Powiedziałbym, że jest szczątkowy i na pewno nie przypomina tego, który stosujemy w Trzynastce. W całości opiera się na pompowaniu powietrza ze zboczy gór. Wystarczy zatkać otwory poboru powietrza, a zginą wszyscy uwięzieni pod ziemią.

— Mogliby uciec przez tunel kolejowy na plac — odzywa się Beetee.

— Tak, chyba że go wysadzimy — rozwiewa jego wątpliwości Gale.

Tym samym jego zamiary stają się zupełnie jasne. Nie jest zainteresowany ocaleniem życia załogi Orzecha. Nie widzi potrzeby zamknięcia ofiary w klatce ani późniejszego jej wykorzystania. Chce zastosować jedną ze swoich śmiercionośnych pułapek.

Wszyscy w pomieszczeniu rozważają w ciszy konsekwencje propozycji Gale'a. Na twarzach ludzi widać zróżnicowane reakcje — od zadowolenia do niepokoju, od smutku do satysfakcji.

— Większość robotników to obywatele Dwójki — zauważa Beetee neutralnie.

— I co z tego? — pyta Gale. — Już nigdy nie będziemy mogli im zaufać.

— Powinni mieć szansę się poddać — oświadcza Lyme.

— Akurat na taki luksus nie mogliśmy liczyć, kiedy zrzucali bomby zapalające na Dwunastkę, ale wy wszyscy macie tutaj pod rządami Kapitolu jak u pana Boga za piecem — mówi Gale. Z miny Lyme wnioskuję, że jest gotowa go zastrzelić, a przynajmniej trzasnąć pięścią w twarz. Zapewne miałaby przewagę w walce wręcz, zważywszy na doskonałe wyszkolenie, ale jej złość chyba tylko rozjusza Gale'a, który krzyczy: — Patrzyliśmy, jak dzieci umierają w płomieniach i nie mogliśmy im pomóc!

Muszę na moment przymknąć powieki, bo ten widok staje mi przed oczami. Skutek jest taki, że chcę, aby wszyscy w tej górze zginęli. Już mam to powiedzieć na głos, kiedy dociera do mnie, że przecież nie jestem prezydentem Snowem, tylko dziewczyną z Dwunastego Dystryktu. Nic na to nie poradzę, nie potrafię skazać kogoś na śmierć, tak jak tego pragnie Gale.

— Posłuchaj. — Biorę go za rękę i staram się mówić rzeczowym tonem. — Orzech to stara kopalnia, więc skutek byłby taki, jakbyśmy spowodowali ogromną katastrofę górniczą.

Jestem pewna, że te słowa wystarczą, by każdy z Dwunastki dwa razy pomyślał, zanim zgodzi się na ten plan.

— Na pewno nie tak nagłą jak ta, w której zginęli nasi ojcowie — odpowiada Gale. — Wszystkich naszły takie wątpliwości? Czy to problem, że nasi wrogowie będą mieli kilka godzin na refleksje nad własną śmiercią, zamiast zginąć od razu, rozerwani na strzępy?

Już dawniej, kiedy byliśmy tylko parą dzieciaków polujących w okolicach Dwunastki, Gale mówił takie rzeczy, a nawet gorsze, ale to były tylko słowa. Tutaj mogą zostać wcielone w czyn o nieodwracalnych skutkach.

— Nie wiesz, jak ci ludzie z Dwójki trafili do Orzecha — zauważam. — Mogli zostać zmuszeni do pracy, niewykluczone, że są przetrzymywani tam wbrew własnej woli. Część z nich to nasi wywiadowcy. Ich też chcesz zabić?

— Tak, jestem gotów poświęcić kilka osób, żeby zgładzić resztę — potwierdza. — A gdybym był tam szpiegiem, powiedziałbym: „Wywołajcie lawiny!"

Wiem, że mówi prawdę. Nikt nie wątpi, że Gale z pewnością poświęciłby życie dla sprawy. Może gdybyśmy byli szpiegami i mieli możliwość wyboru, wszyscy byśmy tak postąpili. Ja pewnie tak, jednak podejmowanie takiej decyzji za innych ludzi i wobec tych, którzy ich kochają, świadczy o bezwzględności.

— Powiedziałeś, że mamy dwie możliwości — przypomina Boggs. — Możemy ich uwięzić albo wykurzyć. Moim zdaniem powinniśmy spuścić lawiny, ale zostawić w spokoju tunel kolejowy. Wtedy będą mogli uciec na plac obsadzony przez naszych ludzi.

— Uzbrojonych po zęby, mam nadzieję — dodaje Gale. — Ci z góry na pewno będą mieli czym walczyć.

— Uzbrojonych po zęby — zgadza się Boggs — weźmiemy do niewoli.

— Powinniśmy teraz wtajemniczyć Trzynastkę — sugeruje Beetee. — Niech prezydent Coin się wypowie.

— Będzie chciała zablokować tunel — oświadcza Gale z przekonaniem.

— Tak, najprawdopodobniej. Problem w tym, że kiedy Peeta wspomniał w propagitach o niebezpieczeństwach wybijania się nawzajem, nie gadał całkiem od rzeczy. Przeprowadziłem pewne obliczenia, wziąłem pod uwagę ofiary oraz rannych i... wydaje mi się, że warto przynajmniej to przedyskutować — oświadcza Beetee.

Do dyskusji zaproszona zostaje zaledwie garstka ludzi, Gale i ja możemy odejść razem z resztą. Zabieram go na polowanie, żeby choć trochę ochłonął, ale nie wraca do tematu. Pewnie jest zbyt wściekły na mnie za to, że nie stanęłam po jego stronie.

Prezydent Coin uczestniczy w rozmowie, decyzja zostaje podjęta. Wieczorem wbijam się w kostium Kosogłosa. Mam łuk na ramieniu i słuchawkę w uchu, żeby nie tracić łączności z Haymitchem w Trzynastce. Wszystko na wypadek pojawienia się dobrej okazji do nakręcenia propagity. Czekamy na dachu Pałacu Sprawiedliwości, skąd roztacza się dobry widok na cel.

Nasze poduszkowce były dotąd ignorowane przez dowódców w Orzechu, bo robiły niewiele więcej zamieszania niż muchy bzyczące wokół garnka z miodem. Po dwóch seriach bombardowań na wyższych partiach góry samoloty przykuwają jednak uwagę załogi. Gdy odzywa się broń przeciwlotnicza Kapitolu, jest już za późno.

Plan Gale'a przechodzi nasze najśmielsze oczekiwania. Beetee słusznie twierdził, że spuszczonych lawin nie da się kontrolować. Zbocza Orzecha są z natury niestabilne, a osłabione wybuchami wydają się wręcz płynne. Na naszych oczach walą się całe połacie góry, maskując wszelkie ślady obecności człowieka w tym miejscu. Stoimy bez słowa, maleńcy i nic nieznaczący, podczas gdy fale kamieni ryczą na zboczach i zakopują wejścia tonami skał. Niebo ciemnieje od chmury kurzu i pyłu, a Orzech przeobraża się w grobowiec.

Wyobrażam sobie panujące w środku piekło. Syreny wyją, światła migoczą w mroku, w powietrzu wisi duszący kamienny pył. Wokoło słychać paniczne, szaleńcze piski uwięzionych, którzy na ślepo szukają dróg ucieczki, a po dotarciu do bram, na lądowisko, do szybów wentylacyjnych napotykają zwały ziemi i głazów napierających do środka. Pozrywane przewody pod napięciem strzelają wokoło, wybuchają pożary, znajoma ścieżka przeobraża się w labirynt. Ludzie wpadają na siebie, przepychają się i gramolą, całkiem jak mrówki, kiedy kopiec się zapada i grozi zmiażdżeniem ich delikatnych pancerzyków.

— Katniss? — rozlega się w słuchawce głos Haymitcha. Chcę odpowiedzieć i nagle dociera do mnie, że obie dłonie przyciskam mocno do ust. — Katniss!

W dniu śmierci ojca syreny zawyły podczas szkolnej przerwy na lunch. Nikt nie czekał na odwołanie lekcji, nie było to konieczne, gdyż nawet Kapitol nie kontrolował reakcji ludzi na wypadek w kopalni. Pobiegłam do klasy Prim. Ciągle ją pamiętam, drobną siedmiolatkę, bladą jak kreda, ale wyprostowaną w ławce, z dłońmi splecionymi na blacie. Czekała, aż ją odbiorę, tak jak obiecałam, gdyby kiedykolwiek zawyły syreny. Zerwała się z miejsca, kurczowo chwyciła rękaw mojego palta i zaczęłyśmy się przedzierać przez rzesze ludzi, którzy wylegli na ulice i gromadzili się przy głównym wejściu do kopalni. Mama stała z rękami zaciśniętymi na rozciągniętym pośpiesznie sznurze odgradzającym tłum. Kiedy teraz się nad tym zastanawiam, dochodzę do wniosku, że właśnie wtedy, na widok mamy, powinnam była się domyślić, że stało się coś złego. No bo dlaczego to my jej szukałyśmy, skoro powinno być na odwrót?

Windy zgrzytały, paliły liny, jeżdżąc w górę i w dół, i wypluwały osmalonych dymem górników na światło dzienne. Przy pojawieniu się każdej nowej grupy słychać było okrzyki ulgi, krewni nurkowali pod sznurem, żeby wyprowadzić mężów, żony, dzieci, rodziców, rodzeństwo. Stałyśmy na mrozie, gdy popołudniowe niebo zasnuły chmury, a lekki śnieg przyprószył ziemię. Windy jeździły coraz wolniej, wyrzucały coraz mniej liczne grupy. Uklękłam i zanurzyłam dłonie w żużlu. Tak bardzo pragnęłam wydobyć ojca z pułapki. Nie znam większej bezsilności niż ta, którą odczuwa się, nie mogąc uratować ukochanej osoby, uwięzionej głęboko pod ziemią. Pamiętam rannych, zwłoki, całonocne czuwanie. Nieznani ludzie zarzucali nam koce na ramiona, dostałyśmy po kubku gorącego napoju, którego nawet nie tknęłyśmy. W końcu o świcie podszedł do nas sztygar. Smutek na jego twarzy mógł świadczyć tylko o jednym.

Co myśmy właśnie zrobili?

— Katniss! Jesteś tam? — Haymitch pewnie już snuje plany wciśnięcia mi uprzęży na głowę.

— Tak. — Opuszczam ręce.

— Wejdź do środka, na wszelki wypadek. Kapitol może rzucić do akcji odwetowej resztki swoich sił powietrznych — uprzedza mnie.

— Tak — powtarzam.

Wszyscy z dachu wchodzą do budynku, z wyjątkiem żołnierzy przy stanowiskach karabinów maszynowych. Idę po schodach i machinalnie pocieram palcami ściany z nieskazitelnie białego marmuru, zimne i piękne. Nawet w Kapitolu nic nie dorównuje dostojeństwu tej starej budowli. Marmur pozostaje niewzruszony, to moje ciało ustępuje w zetknięciu z nim, traci ciepło. Kamień zawsze zwycięża z ludźmi.

Siedzę u podstawy jednej z gigantycznych kolumn w wielkim holu wejściowym i patrzę na białą, marmurową przestrzeń za drzwiami, która prowadzi do schodów na placu. Przypominam sobie, jak okropnie się czułam tamtego dnia, gdy razem z Peetą przyjmowałam gratulacje po Głodowych Igrzyskach. Byłam zmordowana po Tournée Zwycięzców, moja próba uspokojenia dystryktów spełzła na niczym i ciągle nękały mnie wspomnienia Clove i Catona, zwłaszcza jego upiornej, powolnej śmierci w paszczach zmiechów.

Boggs przykuca obok mnie, w półmroku wyraźnie widzę jego bladą skórę.

— Wiesz, nie zbombardowaliśmy tunelu kolejowego. Część z nich pewnie się wydostanie.

— I co, zastrzelimy ich, jak tylko wychylą nosy? — domyślam się.

— Jeśli będziemy zmuszeni.

— Sami moglibyśmy wysłać pociągi, pomóc w ewakuacji rannych — sugeruję.

— Nie. Zapadła decyzja o pozostawieniu tunelu w ich rękach. Dzięki temu mogą wykorzystać wszystkie tory do wyprowadzenia ludzi — wyjaśnia Boggs. — W ten sposób zyskamy na czasie i zdążymy ściągnąć na plac resztę żołnierzy.

Zaledwie kilka godzin temu plac był ziemią niczyją, linią frontu między walczącymi rebeliantami i Strażnikami Pokoju. Kiedy Coin zaaprobowała plan Gale'a, powstańcy przypuścili gwałtowny atak i odepchnęli siły Kapitolu kilka przecznic dalej, żebyśmy mogli kontrolować stację kolejową w wypadku skutecznego szturmu na Orzech. Stało się, Orzech uległ, klamka zapadła. Ktokolwiek przeżył, będzie uciekał na plac. Ponownie rozbrzmiewają wystrzały, to z pewnością Strażnicy Pokoju usiłują przedrzeć się na pomoc towarzyszom. Żołnierze z naszego otoczenia muszą ruszać do kontrataku.

— Marzniesz — zauważa Boggs. — Sprawdzę, czy nie ma gdzieś koca.

Odchodzi, zanim zdążę zaprotestować. Nie chcę koca, nawet jeśli marmur nieubłaganie wysysa ze mnie ciepło.

— Katniss — słyszę przy uchu głos Haymitcha.

— Nadal tu jestem — odpowiadam.

— Tego popołudnia zdarzyło się coś interesującego w związku z Peetą. Chyba powinnaś o tym wiedzieć. — Interesujące wcale nie musi znaczyć dobre ani lepsze, nie mam jednak wyboru, więc słucham. — Pokazaliśmy mu nagranie, na którym śpiewasz *Drzewo wisielców*. Nigdy nie zostało wyemitowane, więc Kapitol nie mógł go wykorzystać podczas osaczania. Peeta powiedział, że rozpoznaje piosenkę.

Serce mi zamiera, ale moment później uświadamiam sobie, że to musiało być kolejne zaburzenie wywołane serum gończych os.

— To niemożliwe — wzdycham. — Nigdy nie słyszał, jak ją śpiewam.

— Ciebie nie słyszał, ale twojego ojca i owszem. Śpiewał ją któregoś dnia, gdy przyszedł do ich piekarni pohandlować. Peeta był mały, miał sześć czy siedem lat, ale zapamiętał piosenkę, bo specjalnie nasłuchiwał, żeby sprawdzić, czy ptaki umilkną — wyjaśnia Haymitch. — Pewnie umilkły.

Sześć albo siedem lat. To musiało się zdarzyć, zanim jeszcze mama zabroniła nam wracać do tej piosenki. Może wtedy sama uczyłam się jej na pamięć.

— Czy ja też tam byłam? — pytam

— Wątpię, w każdym razie nie wspomniał o tobie ani słowem. Ale pierwszy raz zdarza się, żeby skojarzenie z tobą nie spowodowało u Peety załamania nerwowego. W końcu jakiś konkret, Katniss.

Mój ojciec. Mam wrażenie, że dzisiaj co rusz się z nim stykam. Umiera w kopalni, ze śpiewem na ustach wdziera się do podświadomości Peety, dostrzegam go także w przelotnym spojrzeniu, które rzuca mi Boggs, otulając mnie kocem. Tęsknię za ojcem tak bardzo, że aż boli.

Strzelanina na zewnątrz przybiera na sile. Gale mija mnie w pośpiechu razem z grupą rebeliantów, gotów do boju. Nie korci mnie, żeby do nich dołączyć, zresztą i tak by się nie zgodzili, a poza tym brak mi sił i chęci. Żałuję, że nie ma przy mnie Peety, tego dawnego Peety, bo on umiałby wyjaśnić, dlaczego nie należy strzelać do siebie, kiedy ludzie, wszystko jedno jacy, usiłują wydostać się z pułapki. A może jestem przewrażliwiona ze względu na swoje doświadczenia? W końcu trwa wojna, a to jeszcze jeden sposób wyeliminowania wroga, prawda?

Szybko zapada noc, wielkie jasne reflektory oświetlają plac. Z pewnością także na stacji każda żarówka jarzy się pełną mocą. Nawet z mojego stanowiska po przeciwnej stronie placu doskonale widzę, co się dzieje za oszklonym frontem długiego wysokiego budynku. Nie sposób byłoby przeoczyć przyjazdu pociągu czy pojawienia się choćby jednego człowieka, ale mijają godziny i nic, nikogo nie ma. Z każdą minutą coraz trudniej jest mi sobie wyobrazić, że ktokolwiek przeżył atak na Orzech.

Dobrze po północy zjawia się Cressida i przyczepia mi do kostiumu specjalny mikrofon.

— A to po co? — pytam.

— Wiem, że to ci się nie spodoba, ale musisz wygłosić przemówienie — śpieszy z wyjaśnieniem Haymitch.

— Przemówienie? — powtarzam i natychmiast robi mi się niedobrze.

— Podrzucę ci cały tekst, słowo po słowie — uspokaja mnie. — Będziesz musiała tylko powtarzać to, co usłyszysz. Spójrz, nikt z załogi góry nie daje znaku życia. Zwyciężyliśmy, ale walka trwa, dlatego naszym zdaniem powinnaś stanąć na schodach Pałacu Sprawiedliwości i wyjaśnić, w czym rzecz. Ludzie powinni wiedzieć, że Orzech jest nasz, a obecność Kapitolu w Drugim Dystrykcie dobiegła końca. Być może uda ci się skłonić resztę ich ludzi do złożenia broni.

Wpatruję się w ciemności po drugiej stronie placu.

— Nawet nie widzę wojska Kapitolu.

— Właśnie dlatego masz mikrofon — tłumaczy Haymitch. — Twoje wystąpienie będzie transmitowane. Głos puścimy przez ich awaryjny system nagłaśniający, a obraz pojawi się wszędzie tam, gdzie ludzie mają dostęp do ekranów.

Wiem, że tutaj na placu jest kilka wielkich ekranów. Widziałam je podczas Tournée Zwycięzców. Pomysł miałby szansę wypalić, gdybym dobrze sobie radziła w takich sytuacjach, ale nie potrafię. Podczas pierwszych eksperymentów z propagitami miałam powtarzać cudze słowa i wypadło to beznadziejnie.

— Katniss, możesz ocalić życie wielu osobom — kończy Haymitch.

— Zgoda, postaram się — mówię.

Dziwnie się czuję, stojąc przed budynkiem, na szczycie schodów, w kostiumie i rzęsiście oświetlona, ale bez widocznej publiczności gotowej wysłuchać mojej mowy. Zupełnie jakbym występowała dla księżyca.

— Pośpieszmy się — sugeruje Haymitch. — Jesteś za bardzo na widoku.

Moja ekipa na placu, wyposażona w specjalne kamery, daje znać, że możemy zaczynać. Informuję Haymitcha, że ja też jestem gotowa, a potem wciskam guzik na mikrofonie i słucham uważnie, kiedy podrzuca mi pierwsze słowa przemówienia. Moja olbrzymia podobizna rozświetla jeden z ekranów nad placem, a ja zaczynam:

— Mieszkańcy Drugiego Dystryktu, mówi Katniss Everdeen ze schodów przed waszym Pałacem Sprawiedliwości, gdzie...

Dwa pociągi ze zgrzytem wjeżdżają na stację, jeden obok drugiego. Drzwi się rozsuwają i ze środka chwiejnie wychodzą ludzie spowici kłębami dymu z Orzecha. Z pewnością instynktownie się domyślają, co ich czeka na placu, bo od razu przyjmują pozycje obronne. Większość z nich pada na ziemię, a seria kul na stacji rozbija lampy. Przybyli uzbrojeni, tak jak przewidział Gale, ale są wśród nich i ranni. W ciszy nocy nieustannie rozbrzmiewają pełne bólu jęki.

Gasną światła na schodach, więc pozostaję ukryta w cieniu. Na stacji dostrzegam płomienie, co zapewne oznacza, że jeden z pociągów stanął w ogniu. Fala dymu napiera na okna, a pozbawieni wyboru dławiący się ludzie wprawdzie wychodzą na plac, ale buńczucznie potrząsają bronią. Pośpiesznie wodzę wzrokiem po dachach okolicznych budynków. Na każdym znajdują się gniazda rebelianckich karabinów maszynowych, naoliwione lufy lśnią w blasku księżyca.

Ze stacji chwiejnym krokiem wyłania się młody mężczyzna, jedną dłoń przyciska do zakrwawionej szmatki przy policzku, w drugiej trzyma broń, którą wlecze po ziemi. Kiedy się potyka i pada na twarz, zauważam ślady spalenizny na jego plecach i widoczne pod koszulą czerwone mięso. Wtedy ów nieznajomy staje się w moich oczach kolejną ofiarą poparzenia podczas katastrofy w kopalni.

Nogi same mnie niosą po schodach, gdy rzucam się prosto ku niemu.

— Przestańcie! — wrzeszczę do rebeliantów. — Wstrzymać ogień! — Moje słowa roznoszą się echem po całym placu i wokół niego, bo głośniki zwielokrotniają siłę mojego głosu. — Dość!

Podchodzę do młodego mężczyzny, wyciągam rękę, żeby mu pomóc, i w tej samej chwili on z wysiłkiem klęka i celuje mi w głowę. Instynktownie cofam się o kilka kroków i unoszę łuk na znak, że nie mam złych intencji. Teraz, gdy obiema rękami ściska broń, zauważam poszarpany otwór w jego policzku. Być może to jakiś spadający kamień przedziurawił ciało. Śmierdzi spalenizną, zwęglonymi włosami, mięsem i oparami paliwa. W jego oczach widzę szaleńczy ból i strach.

— Nie ruszaj się — słyszę w uchu głos Haymitcha.

Wykonuję polecenie ze świadomością, że tę scenę widzi teraz cały Drugi Dystrykt, może nawet całe Panem. Kosogłos znalazł się na łasce człowieka, który nie ma nic do stracenia.

Ledwie rozumiem jego bełkot.

— Podaj choć jeden powód, dla którego nie miałbym cię zastrzelić.

Reszta świata znika i pozostaję sama, wpatrzona w zbolałe oczy człowieka z Orzecha, który prosi o jeden jedyny powód. Rzecz jasna, mogłabym podać mu tysiące, ale moje usta same się układają do odpowiedzi.

— Nie potrafię.

Logicznie rzecz biorąc, mężczyzna powinien teraz pociągnąć za spust, ale jest zdezorientowany, usiłuje zrozumieć moje słowa. Ja również jestem zmieszana, bo dociera do mnie, że powiedziałam prawdę, a wtedy szlachetny poryw serca, który poniósł mnie przez plac, ustępuje pola rozpaczy.

— Nie potrafię. W tym problem, prawda? — Opuszczam łuk.

— Wysadziliśmy waszą kopalnię, a wy puściliście nasz dystrykt z dymem. Mamy mnóstwo powodów, żeby się pozabijać, więc zrób to. Spraw radość Kapitolowi. Mam dosyć zabijania niewolników Kapitolu na jego polecenie.

Rzucam łuk na ziemię i kopię go lekko. Szoruje po kamieniach i nieruchomieje tuż obok kolan mężczyzny, który mamrocze:

— Nie jestem niewolnikiem Kapitolu.

— A ja jestem — mówię. — Dlatego zabiłam Catona, a on zabił Thresha, który zabił Clove. Ona usiłowała zabić mnie, i to się w kółko powtarza. A kto jest prawdziwym zwycięzcą? Nie my, nie dystrykty, tylko zawsze Kapitol. Mam dość roli pionka w jego igrzyskach.

Peeta. Przypominam go sobie na dachu, nocą przed naszymi pierwszymi Głodowymi Igrzyskami. Pojął to wszystko, zanim jeszcze postawiliśmy stopę na arenie. Mam nadzieję, że teraz patrzy w ekran i przypomina sobie tamtą noc, taką, jaka była naprawdę. Może mi wybaczy, jeśli zginę.

— Nie przestawaj mówić. Powiedz, że patrzyłaś, jak góra się wali — nalega Haymitch.

— Dzisiaj wieczorem patrzyłam, jak wali się góra, i pomyślałam wtedy… znowu to zrobili. To przez nich was zabijałam, ludzi w dystryktach. Ale dlaczego? Dwunastka i Dwójka nie mają powodu toczyć ze sobą bojów, jedyną przyczyną jest Kapitol. — Młody człowiek mruga, nic nie rozumie, więc klękam przed nim, mówię cichym, niecierpliwym głosem: — Dlaczego walczysz z rebeliantami na dachach? Z Lyme, zwyciężczynią z waszego dystryktu? Z ludźmi, którzy byli twoimi sąsiadami, może nawet rodziną?

— Nie wiem — mamrocze, ale nadal do mnie mierzy.

Wstaję i powoli odwracam się do karabinów maszynowych.

— A wy, tam na górze? Pochodzę z górniczego miasta. Odkąd to górnicy skazują innych górników na taką śmierć, a potem stoją w pobliżu, gotowi zabić każdego, kto wygrzebie się z gruzów?

— Kto jest waszym wrogiem? — podpowiada Haymitch.

Wskazuję rannych na placu.

— Ci ludzie nie są waszymi wrogami! — Raptownie odwracam się w stronę stacji kolejowej. — Rebelianci nie są waszymi wrogami! Mamy jednego wspólnego wroga, a jest nim Kapitol! Możemy położyć kres jego rządom, ale potrzeba nam wsparcia mieszkańców wszystkich dystryktów!

Kamery są wycelowane we mnie, kiedy wyciągam ręce do mężczyzny, do rannych, do potencjalnych rebeliantów w całym Panem.

— Proszę was! Przyłączcie się do nas!

Moje słowa zawisają w powietrzu. Spoglądam na ekran, mam nadzieję zobaczyć, jak kamery transmitują falę pojednania, przetaczającą się przez tłum.

Tymczasem na ekranie widzę, jak obrywam kulkę.

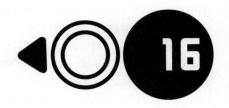

— Zawsze.

Peeta szepcze to słowo w półmroku morfaliny, a ja wyruszam na poszukiwania. Świat wydaje się rozmyty i fioletowawy, bez ostrych krawędzi, za to pełen kryjówek. Brnę przez kłęby chmur, podążam ledwie widocznymi szlakami, wyczuwam woń cynamonu i kopru. W pewnej chwili dłoń Peety dotyka mojego policzka. Usiłuję ją chwycić, ale rozpływa się między moimi palcami niczym para wodna.

Odzyskuję pamięć, gdy wreszcie powoli wynurzam się na powierzchnię w sterylnym pokoju szpitalnym w Trzynastce. Byłam pod wpływem syropu nasennego. Uszkodziłam sobie piętę po tym, jak wdrapałam się na konar ponad ogrodzeniem podłączonym do prądu i zeskoczyłam z powrotem na teren Dwunastki. Peeta położył mnie spać, a ja poprosiłam, żeby posiedział ze mną, póki nie zasnę. Wyszeptał coś, czego nie mogłam dobrze zrozumieć, ale jakaś cząstka mojego umysłu uchwyciła to jedno słowo i wepchnęła je do moich snów, żeby mnie teraz prześladowało.

— Zawsze.

Morfalina tłumi wszystkie silne emocje, więc zamiast ukłucia smutku czuję tylko pustkę. Tam, gdzie niegdyś kwitły kwiaty, teraz jest tylko uschnięty krzew. Niestety, w moich żyłach krąży zbyt mało lekarstwa, żebym mogła ignorować ból po lewej stronie ciała, w miejscu, gdzie trafiła mnie kula. Macam grubą warstwę bandaży, szczelnie owiniętych wokół moich żeber, i zastanawiam się, co ja tu jeszcze robię.

To nie był on, poparzony mężczyzna z Orzecha, klęczący przede mną na placu, nie on pociągnął za spust. Zrobił to ktoś z tłumu, a ja poczułam ból, nie tyle przeszywający, ile ogłuszający, jak cios młotem kowalskim. Wszystko, co się zdarzyło potem, to chaos pełen odgłosów strzelaniny.

Chcę usiąść, ale tylko jęczę z bólu. Biała zasłona, która odgradza mnie od sąsiedniego pacjenta, nagle odsuwa się gwałtownie i widzę wpatrzoną we mnie Johannę Mason. Z początku czuję się niepewnie, w końcu zaatakowała mnie na arenie, i dopiero po chwili przypominam sobie, że przecież zrobiła to, aby ocalić mi życie. Uczestniczyła w rebelianckim spisku, ale to nie oznacza, że mną nie gardzi. Może jej zachowanie w stosunku do mnie było tylko grą na potrzeby Kapitolu?

— Żyję — oświadczam chrapliwym głosem.

— Co ty powiesz, ciemna maso. — Johanna podchodzi bliżej, ciężko opada na moje łóżko, a ja czuję silny ból w całej klatce piersiowej. Kiedy na ten widok Johanna uśmiecha się szeroko, dociera do mnie, że nie mam co liczyć na serdeczne pojednanie.

— Ciągle trochę obolała? — Wprawnie odłącza końcówkę mojej kroplówki i podczepia rurkę z morfaliną do wenflonu w zgięciu swojego łokcia. — Kilka dni temu zaczęli mi ograniczać podawanie prochów, bo się bali, że zrobią ze mnie takiego czubka jak ci z Szóstki, no więc musiałam trochę od ciebie pożyczać, kiedy nikogo nie było na horyzoncie. Doszłam do wniosku, że nie będziesz miała nic przeciwko temu.

Jak mogłabym mieć, skoro Johanna prawie zginęła na torturach, na które posłał ją Snow po Ćwierćwieczu Poskromienia? Nie mam prawa się sprzeciwiać, a ona świetnie zdaje sobie z tego sprawę.

Johanna wzdycha, gdy morfalina wnika do jej układu krwionośnego.

— Może ci z Szóstki wiedzieli, co robią, jak ćpali, ile wlezie, i malowali sobie kwiatki na skórze. Niegłupi sposób na życie. W każdym razie wydawali się szczęśliwsi niż reszta z nas.

Przez tych kilka tygodni, kiedy nie było mnie w Trzynastce, Johanna częściowo odzyskała dawną wagę, a jej ogoloną głowę pokrył miękki meszek, przysłaniając część blizn. Skoro jednak podbiera mi morfalinę, nie jest jej lekko.

— Wytrzasnęli skądś lekarza od głowy i teraz przyłazi do mnie codziennie i niby pomaga mi dojść do siebie. Dobre sobie, gość, który całe życie spędził w króliczej norze, ma mnie stawiać na nogi. Debil do sześcianu. Co najmniej dwadzieścia razy na sesję powtarza, że zupełnie nic mi nie grozi. — Uśmiecham się z wysiłkiem. To głupota opowiadać takie rzeczy, zwłaszcza zwycięzcy igrzysk. Jakby istniało coś takiego, jak całkowite bezpieczeństwo, czyjekolwiek, gdziekolwiek. — A ty, Kosogłosie? Czujesz się całkiem niezagrożona?

— O, tak. Właśnie tak się czułam, dopóki mnie nie postrzelili — oznajmiam.

— Daj spokój, kula nawet cię nie drasnęła. Cinna o to zadbał — zauważa Johanna.

Myślę o warstwach ochronnego pancerza w kostiumie Kosogłosa. Ale przecież ból nie wziął się znikąd.

— Mam połamane żebra?

— Nawet nie to, tylko solidnie poobijane. Tyle że siła uderzenia rozerwała ci śledzionę i nie udało się jej naprawić. — Lekceważąco macha ręką. — Nie przejmuj się, i tak jej nie potrzebujesz. Gdyby było inaczej, toby ci jakąś znaleźli, nie? Wszyscy musimy dbać o to, żebyś nie umarła.

— Dlatego mnie nie cierpisz?

— Tylko po części — przyznaje. — Z pewnością coś wspólnego ma z tym zazdrość, a poza tym uważam, że trochę trudno cię łyknąć. Te twoje tandetne problemy sercowe i postawa obrończyni uciśnionych! Problem w tym, że nie udajesz i przez to jesteś jeszcze bardziej nieznośna. Oczywiście potraktuj to jako osobistą wycieczkę.

— Sama powinnaś być Kosogłosem. Nikt nie musiałby podpowiadać ci, co masz mówić — zauważam.

— Fakt. Ale mnie nikt nie lubi — oświadcza.

— Mimo to ci zaufali, kiedy trzeba było mnie wydostać — przypominam jej. — No i boją się ciebie.

— Tutaj może i tak, ale w Kapitolu to ty budzisz teraz strach.

— Na progu staje Gale, a Johanna zręcznie odpina rurkę z morfaliną i podczepia ją z powrotem do mojego wenflonu. — Twój kuzyn się mnie nie boi — wyjawia poufnym tonem, zeskakuje z mojego łóżka i idzie do drzwi, a mijając Gale'a, ociera się biodrem o jego nogę. — Prawda, boski? — Słyszymy jej śmiech, gdy znika w głębi korytarza.

Gale bierze mnie za rękę, a ja unoszę brwi.

— Ona mnie przeraża — szepcze. Śmiech po chwili zamiera mi na ustach, które wykrzywia grymas cierpienia. — Tylko spokojnie. — Głaszcze mnie po twarzy i wkrótce ból ustępuje. — Musisz przestać celowo pakować się w kłopoty.

— Wiem. Ale ktoś wysadził górę w powietrze — odpowiadam.

Zamiast się cofnąć, przysuwa się bliżej i zagląda mi w oczy.

— Twoim zdaniem jestem bez serca.

— Wiem, że je masz, ale nie powiem ci, że wszystko jest w porządku — mówię.

Cofa się, niemal niecierpliwie.

— Katniss, widzisz różnicę między zmiażdżeniem wroga w kopalni i zdmuchnięciem go z nieba jedną ze strzał Beetee'ego? Skutek jest taki sam.

— Bo ja wiem? W Ósemce byliśmy atakowani, to po pierwsze. Bomby spadały na szpital — zauważam.

— Zgadza się, a te poduszkowce przyleciały z Drugiego Dystryktu — przypomina. — Strąciliśmy je i dzięki temu udało się nam zapobiec dalszym nalotom.

— Nie wolno tak myśleć... bo dojdziesz do wniosku, że można zabić każdego w dowolnym momencie. W ten sposób da się uzasadnić wysyłanie dzieci na Głodowe Igrzyska, bo wówczas dystrykty się nie buntują.

— Nie kupuję tego — oświadcza.

— A ja tak. To pewnie wynik tych wycieczek na arenę.

— W porządku, umiemy się nie zgadzać, mamy wprawę. Może to i dobrze. A tak między nami, Drugi Dystrykt należy do nas.

— Poważnie? — Przez moment rozpala mnie poczucie mocy, a potem myślę o ludziach na placu. — Wybuchły walki, kiedy ktoś do mnie strzelił?

— Nie bardzo. Robotnicy z Orzecha zwrócili się przeciwko żołnierzom z Kapitolu, rebelianci tylko patrzyli i czekali. Tak naprawdę, to cały kraj patrzył i czekał.

— To ludziom wychodzi najlepiej — wzdycham.

Można by pomyśleć, że utrata ważnego organu wewnętrznego daje człowiekowi prawo do kilku tygodni leżenia, a tymczasem moi lekarze chcą, żebym niemal od razu wstała i czymś się zajęła. Nawet po morfalinie przez pierwsze dni ból jest trudny do zniesienia, ale potem znacząco słabnie. Wygląda jednak na to, że poobijane żebra będą mi jeszcze doskwierały. Johanna zaczyna mnie irytować, kiedy podbiera mi zapasy morfaliny, ale ciągle pozwalam jej brać tyle, ile sobie życzy.

Pogłoski o mojej śmierci stają się coraz powszechniejsze, więc zapada decyzja o sfilmowaniu mnie w szpitalnym łóżku. Prezentuję szwy oraz imponujące siniaki, a następnie składam dystryktom gratulacje. Potem ostrzegam Kapitol, że wkrótce może spodziewać się naszej wizyty.

W ramach rehabilitacji codziennie wychodzę na krótkie spacery po powierzchni. Któregoś popołudnia Plutarch przyłącza się do mnie i nakreśla mi obraz obecnej sytuacji. Teraz, kiedy Drugi Dystrykt jest naszym sprzymierzeńcem, rebelianci mogą odpocząć od walki i dokonać przegrupowania. Powstańcy zajmują się wzmacnianiem linii dostaw, doglądają rannych, reorganizują wojsko. Kapitol, podobnie jak Trzynastka podczas Mrocznych Dni, został całkowicie odcięty od pomocy z zewnątrz, ponieważ dysponuje sprawnym arsenałem nuklearnym. W przeciwieństwie do Trzynastego Dystryktu nie ma jednak szans na odnalezienie się w nowej sytuacji ani na samowystarczalność.

— Och, przez jakiś czas miasto sobie poradzi — twierdzi Plutarch. — Z pewnością są tam wystarczające zapasy na sytuacje awaryjne. Trzynastkę i Kapitol dzieli jednak zasadnicza różnica: oczekiwania mieszkańców. Ludzie w Trzynastce są przyzwyczajeni do niedogodności, a w Kapitolu hołduje się zasadzie *panem et circenses*.

— Co to znaczy? — Rzecz jasna, rozpoznaję słowo Panem, ale reszty nie rozumiem ani w ząb.

— To reguła sprzed tysięcy lat, spisana w języku zwanym łaciną. Dotyczy miasta Rzymu — objaśnia. — *Panem et circenses* oznacza „chleba i igrzysk". Autor, który to zapisał, uważał, że w zamian za pełne brzuchy i rozrywkę jego naród zrezygnował z politycznej odpowiedzialności i tym samym z władzy.

Rozmyślam o Kapitolu, tamtejszym nadmiarze żywności i arcyrozrywce, czyli Głodowych Igrzyskach.

— Więc właśnie po to istnieją dystrykty — domyślam się. — Żeby zapewniać chleb i igrzyska.

— Tak jest. Dopóki było jedno i drugie, dopóty Kapitol mógł kontrolować swoje małe imperium. Teraz nie ma szans, aby zaspokoić oczekiwania ludzi, a już na pewno nie na takim poziomie, do jakiego przywykli — mówi Plutarch. — Za to my mamy żywność i zamierzam zaaranżować rozrywkową propagitę, która na pewno przypadnie widzom do gustu. Ostatecznie, każdy lubi wesela.

Zamieram i nagle robi mi się niedobrze na myśl o tym, co sugeruje. Zamierza zorganizować mi jakiś perwersyjny ślub z Peetą. Odkąd wróciłam, nie jestem w stanie spojrzeć ponownie w lustro weneckie, więc na moją prośbę o aktualnym stanie Peety informuje mnie Haymitch. Mówi jednak bardzo niewiele. Wiem, że stosują rozmaite techniki, ale nie ma co liczyć na całkowite wyzdrowienie Peety. Czy teraz naprawdę chcą, żebym poślubiła go na potrzeby reklamy?

Na widok mojej miny Plutarch od razu śpieszy z zapewnieniem:

— Och, nie, Katniss, nie chodzi o ciebie, tylko o Finnicka i Annie. Wystarczy, że się pokażesz i będziesz udawała radość.

— Akurat przy tej okazji nie będę musiała udawać — zapewniam go.

Następne dni mijają pod znakiem kompletnego zamieszania, które towarzyszy planowaniu ślubu. Dopiero teraz widać przepaść dzielącą Kapitol i Trzynastkę. Kiedy Coin mówi „ślub", ma na myśli dwoje ludzi, którzy składają podpisy na kartce papieru i otrzymują przydział na nową komorę, tymczasem Plutarchowi chodzi o setki elegancko ubranych gości na trzydniowym weselu. To zabawne, jak się targują o drobiazgi. Plutarch musi walczyć o każdego gościa, każdą nutę. Kiedy Coin protestuje przeciwko kolacji, rozrywce i alkoholowi, Plutarch zaczyna wrzeszczeć:

— Po diabła kręcić propagitę, skoro nikt nie będzie się dobrze bawił?

Trudno zmusić Organizatora Igrzysk do przestrzegania finansowych ograniczeń, poza tym nawet skromna uroczystość wywołuje prawdziwe poruszenie w Trzynastce, której mieszkańcy chyba nie znają pojęcia wakacji. Gdy organizowany jest nabór dzieci potrzebnych od odśpiewania pieśni weselnej Czwartego Dystryktu, przychodzą niemal wszystkie dzieciaki, nie brak również ochotników do pomocy przy dekoracjach. W sali jadalnianej ludzie nie przestają trajkotać na temat uroczystości.

Może chodzi o coś więcej niż tylko zabawę, może wszyscy tak bardzo tęsknimy za jakimś miłym zdarzeniem, że chcemy koniecznie brać w nim udział. To by tłumaczyło, dlaczego zgłaszam się, żeby zabrać Annie do mojego domu w Dwunastce, gdzie ma sobie wybrać strój wieczorowy od Cinny. Została ich pełna wielka szafa na parterze, a Plutarch omal nie dostał ataku serca na wieść o tym, w co ma się ubrać panna młoda. Wszystkie suknie ślubne, które zaprojektował dla mnie Cinna, wróciły do Kapitolu, jednak jest jeszcze kilka strojów z Tournée Zwycięzców. Czuję się trochę niepewnie na myśl o wyprawie z Annie, bo tak naprawdę wiem o niej tylko dwie rzeczy: Finnick ją kocha, a wszyscy uważają, że to wariatka. Podczas podróży poduszkowcem dochodzę do wniosku, że jest nie tyle rąbnięta, ile niezrównoważona. Wybucha śmiechem w niektórych momentach rozmowy albo nieoczekiwanie się wyłącza. Jej zielone oczy wpatrują się w jakiś punkt z taką uwagą, że mimowolnie zaczynam się zastanawiać, co ona takiego widzi w pustej przestrzeni. Czasami, zupełnie bez powodu Annie zasłania uszy dłońmi, jakby chciała odgrodzić się od bolesnych dźwięków. Fakt, jest dziwna, ale skoro Finnick ją kocha, to dla mnie wszystko jest w porządku.

Dostałam zgodę na zabranie ekipy przygotowawczej, więc nie muszę podejmować żadnych ubraniowych decyzji. Kiedy otwieram szafę, w pokoju zapada milczenie, tak silnie wyczuwamy obecność Cinny w tych tkaninach. Nagle Octavia pada na kolana, pociera policzek rąbkiem spódnicy i zalewa się łzami.

— Minęło tyle czasu, odkąd widziałam coś ładnego — szlocha.

Pomimo zastrzeżeń Coin, że impreza jest zbyt ekstrawagancka, i Plutarcha, że jest zbyt bezbarwna, ślub okazuje się strzałem w dziesiątkę. Wielu uchodźców oraz trzystu gości, szczęściarzy wybranych spośród mieszkańców Trzynastki, ma na sobie codzienne ubrania, dekoracje są zrobione z jesiennych liści, a wrażeń muzycznych dostarcza dziecięcy chór przy akompaniamencie jednego jedynego skrzypka, któremu podczas ucieczki z Dwunastki udało się zabrać instrument. Uroczystość jest skromna i oszczędna jak na kapitolińskie standardy, ale w sumie nie ma to większego znaczenia, bo uroda młodej pary przyćmiewa wszystko, i to bynajmniej nie ze względu na pożyczone eleganckie stroje, choć Annie wygląda rewelacyjnie w zielonej jedwabnej sukience, którą nosiłam w Piątce, a Finnick doskonale się prezentuje w przerobionym garniturze Peety. Kto nie zauważyłby rozpromienionych twarzy dwojga ludzi, dla których taki dzień dotąd pozostawał wyłącznie w sferze fantazji? Dalton, kowboj z Dziesiątki, prowadzi ceremonię, ponieważ przypomina ona te z jego dystryktu. Zauważam też jednak to, co jest typowe dla Czwórki — sieć uplecioną z długich źdźbeł trawy, która przykrywa parę, kiedy przychodzi pora na słowa przysięgi, dotykanie ust zwilżonymi w słonej wodzie palcami i starą pieśń weselną, która przyrównuje małżeństwo do morskiej podróży.

Nie, naprawdę nie muszę udawać, że cieszę się ich szczęściem.

Po pocałunku pieczętującym związek rozbrzmiewają wiwaty i goście wznoszą toast jabłkowym cydrem, a potem skrzypek gra melodię, która sprawia, że wszystkie głowy z Dwunastki odwracają się ku niemu. Może jesteśmy najmniejszym, najbiedniejszym dystryktem w Panem, ale umiemy tańczyć. W tym momencie nie ma oficjalnego planu, ale Plutarch, który siedzi w reżyserce i kontroluje nagrywanie na potrzeby propagity, z pewnością mocno zaciska kciuki. Jak się należało spodziewać, Śliska Sae chwyta Gale'a za rękę, wlecze go na środek parkietu i staje naprzeciwko niego. Ludzie natychmiast idą w ich ślady, wkrótce tworzą dwa długie szeregi i tak oto zaczynają się tańce.

Trzymam się z boku i klaszczę w rytm, kiedy koścista dłoń szczypie mnie powyżej łokcia. Johanna patrzy na mnie z groźnie zmarszczonymi brwiami.

— Zamierzasz przepuścić okazję pokazania Snowowi, jak tańczysz? — pyta.

Ma rację. Tylko szczęśliwy, wirujący w tańcu Kosogłos może najdobitniej okazać, że zwyciężyliśmy. Odnajduję w tłumie Prim. Podczas zimowych wieczorów miałyśmy sporo czasu na ćwiczenia, więc teraz możemy zabłysnąć jako całkiem niezłe partnerki. Zapewniam ją, że z moim żebrami nie jest najgorzej, i zajmujemy miejsca w szeregach. Boli, ale cierpienie się nie liczy, gdy przepełnia mnie satysfakcja, że Snow widzi, jak tańczę z młodszą siostrą.

Taniec nas odmienia. Uczymy kroków gości z Trzynastego Dystryktu, nalegamy na specjalny taniec dla państwa młodych. Łapiemy się za ręce, tworząc ogromny wirujący krąg, w którym ludzie mogą się popisać sprawnością nóg. Od dawna nie wydarzyło się nic równie niemądrego i radosnego. Tańce mogłyby trwać całą noc, gdyby nie ostatni punkt scenariusza propagity Plutarcha. Nie miałam pojęcia, co się stanie, i nic dziwnego, w końcu to niespodzianka.

Cztery osoby wtaczają z sąsiedniego pomieszczenia ustawiony na wózku ogromny tort weselny. Większość gości się cofa, żeby zrobić miejsce dla tego dzieła sztuki, olśniewającego cuda zwieńczonego błękitnozielonymi falami z kremu i białym lukrem. Po oceanie tortu pływają ryby i jachty, foki i morskie kwiaty, a ja przepycham się między ludźmi, żeby potwierdzić to, co skojarzyłam już na pierwszy rzut oka. Bezbłędnie rozpoznaję rękę Cinny w haftach na sukni Annie i tak samo orientuję się, że kwiaty z lukru na torcie są dziełem Peety.

Na pozór to drobiazg, ale w rzeczywistości okazuje się mieć duże znaczenie. Haymitch ukrywał przede mną mnóstwo informacji. Chłopak, którego ostatnio widziałam, wrzeszczał jak opętany i rozpaczliwie usiłował oswobodzić się z więzów. Ktoś taki z pewnością nie umiałby stworzyć tak idealnej kompozycji dla Finnicka i Annie, nie skupiłby się na pracy, nie zapanował nad rękami. Jakby przewidując moją reakcję, Haymitch natychmiast do mnie podchodzi.

— A teraz sobie porozmawiamy — oznajmia.

Wychodzimy na korytarz, przystajemy z dala od kamer.

— Co się z nim dzieje? — chcę wiedzieć.

Haymitch kręci głową.

— Sam nie wiem. Nikt z nas tego nie wie. Czasami wydaje się zupełnie racjonalny, a potem, bez żadnego powodu, znowu traci rozum. Przygotowanie tortu było dla niego elementem terapii, pracował przy nim całymi dniami. Obserwowałem go, wyglądał prawie tak samo jak dawniej.

— Czy to znaczy, że Peeta swobodnie krąży po Trzynastce? — Na samą myśl zaczynam się denerwować z paru całkiem różnych powodów.

— Och, skąd. Gdy lukrował tort, pilnowali go uzbrojeni po zęby strażnicy, i ciągle trzymamy go pod kluczem. Ale rozmawiałem z nim — wyjawia Haymitch.

— Twarzą w twarz? I co, nie odbiło mu?

— Nie. Wściekał się na mnie, ale miał uzasadnione powody. Przecież nie powiedziałem mu o rebelianckim spisku i takich tam. — Haymitch milknie na moment, jakby podejmował jakąś decyzję. — Powiedział, że chciałby spotkać się z tobą.

Czuję się tak, jakbym trafiła na jacht z lukru kołyszący się na niebieskozielonych falach. Pokład przesuwa się pod moimi nogami, przyciskam dłonie do ściany, żeby nie upaść. Tego nie było w planie, w Dwójce spisałam Peetę na straty. Miałam dotrzeć do Kapitolu, zabić Snowa, a potem dać się zastrzelić, zamach na mnie spowodował jedynie lekkie opóźnienie i tyle. Nie sądziłam, że kiedykolwiek usłyszę słowa: „Powiedział, że chciałby spotkać się z tobą". Teraz jednak, gdy tak się stało, odmowa nie wchodzi w grę.

O północy staję przed drzwiami jego szpitalnego pokoju. Musimy zaczekać, aż Plutarch skończy kręcić materiał z wesela. Jest zadowolony, choć jego zdaniem było za mało, jak to nazwał, blichtru.

— Kapitol ignorował Dwunastkę przez te wszystkie lata, dzięki czemu nadal nie brak wam odrobiny spontaniczności. Publiczność to uwielbia. Jak wtedy, gdy Peeta ogłosił, że cię kocha, albo jak wycięliście numer z jagodami. To dobrze wypada w telewizji.

Żałuję, że nie mogę spotkać się z Peetą sam na sam. Za lustrem weneckim zebrała się widownia złożona z lekarzy uzbrojonych w notesy i długopisy. Gdy słyszę w słuchawce przyzwolenie Haymitcha, powoli otwieram drzwi.

Niebieskie oczy momentalnie kierują się na mnie. Peeta ma po trzy obręcze na każdej ręce i jest podłączony do rurki, którą można błyskawicznie podać środek uspokajający, gdyby stracił panowanie nad sobą. Nie walczy jednak i nie usiłuje się oswobodzić, tylko zatapia we mnie uważne spojrzenie kogoś, kto jeszcze nie wykluczył, że przebywa w obecności zmiecha. Podchodzę bliżej i nieruchomieję w odległości metra od łóżka. Nie wiem, co zrobić z rękami, więc w odruchu obronnym obejmuję się nimi.

— Hej — witam go.

— Hej — odpowiada. Mówi prawie takim głosem jak kiedyś, tyle że słyszę w nim nową nutę, nutę podejrzliwości i przygany.

— Haymitch wspomniał, że podobno chcesz ze mną rozmawiać — mówię.

— Przede wszystkim chcę na ciebie popatrzeć. — Całkiem jakby czekał, aż na jego oczach przeobrażę się w zaślinionego, zmodyfikowanego wilka. Wpatruje się we mnie tak długo, że odruchowo zerkam ukradkiem w weneckie lustro i liczę na jakieś wskazówki od Haymitcha. Słuchawka jednak milczy. — Nie jesteś zbyt wysoka, co? Ani szczególnie ładna.

Wiem, że przebył piekło wzdłuż i wszerz, ale jego komentarz i tak mnie irytuje.

— Tobie też zdarzało się wyglądać lepiej — odgryzam się.

Uwagę Haymitcha, że mam sobie odpuścić, zagłusza śmiech Peety.

— I wcale nie jesteś miła. Żeby mówić tak po tym, co przeszedłem.

— Wszyscy sporo przeszliśmy i to ty słynąłeś z uprzejmości, a nie ja. — Radzę sobie coraz gorzej. Sama nie wiem, czemu jestem taka przewrażliwiona. Przecież Peeta był na torturach! Poddali go osaczaniu! Co się ze mną dzieje? Nagle nabieram przekonania, że zaraz zacznę na niego wrzeszczeć, choć nie jestem pewna, z jakiego powodu. Postanawiam się wycofać. — Wiesz, nie za dobrze się czuję, może wpadnę jutro.

Dochodzę do drzwi, gdy zatrzymuje mnie jego głos:

— Katniss? Pamiętam tę historię z chlebem.

Chleb. Jedyne wspólne doświadczenie przed Głodowymi Igrzyskami.

— Pokazali ci nagranie, na którym o tym mówię — domyślam się.

— Skąd. Naprawdę istnieje jakieś nagranie, na którym o tym opowiadasz? Dlaczego Kapitol nie wykorzystał go przeciwko mnie?

— Wystąpiłam przed kamerami w dniu, w którym cię odbiliśmy. — Ból w klatce piersiowej ściska mi żebra niczym imadło. Taniec to był głupi pomysł. — Więc co pamiętasz?

— Ciebie, w deszczu — wspomina cicho. — Grzebałaś w naszych kubłach na śmieci. Przypaliłem chleb, mama mnie uderzyła. Potem wyniosłem bochenki dla świń, ale zamiast im dałem je tobie.

— To prawda. Tak właśnie było — potwierdzam. — Następnego dnia po szkole chciałam ci jakoś podziękować, tyle że nie wiedziałam, jak.

— Na koniec dnia byliśmy na zewnątrz. Usiłowałem przyciągnąć twoje spojrzenie, ale odwróciłaś wzrok. A potem... sam nie wiem czemu, chyba zerwałaś kwiat mniszka. — Kiwam głową. Naprawdę pamięta tamto zdarzenie. Nigdy nie mówiłam głośno o tym, co się wtedy stało. — Na pewno strasznie cię kochałem.

— Tak. — Łamie mi się głos, więc udaję, że kaszlę.

— A ty? Kochałaś mnie? — dopytuje się.

Nie odrywam wzroku od kafelków na podłodze.

— Wszyscy mówią, że tak. Podobno właśnie dlatego Snow posłał cię na tortury. Chciał mnie złamać.

— Nie odpowiedziałaś na moje pytanie — zauważa. — Nie wiem, co myśleć, kiedy pokazują mi niektóre nagrania. Na pierwszej arenie wyglądało to tak, jakbyś usiłowała mnie zabić gończymi osami.

— Chciałam wtedy zabić was wszystkich — przypominam sobie. — Zagoniliście mnie na drzewo.

— A potem się całowaliśmy, i to sporo. Nie wydawałaś się przy tym specjalnie wiarygodna. Lubiłaś mnie całować?

— Czasami — przyznaję. — Wiesz, że ludzie nas teraz obserwują?

— Wiem. A co z Gale'em?

Ponownie ogarnia mnie złość. Nie obchodzi mnie jego rekonwalescencja, to nie jest sprawa osób po drugiej stronie lustra.

— On też nieźle całuje — mówię krótko.

— I sądzisz, że żadnemu z nas to nie przeszkadzało? Że całowałaś się z nami oboma?

— To nie było w porządku w stosunku do żadnego z was. Ale nie pytałam was o zgodę — informuję go.

Peeta ponownie się śmieje, zimno, obojętnie.

— Niezły z ciebie numer, co?

Haymitch nie protestuje, gdy wychodzę. Idę korytarzem, mijam plątaninę komór i odszukuję w pralni ciepłą rurę, za którą się ukrywam. Dopiero po dłuższym czasie docieram do sedna problemu. Wiem, co mnie denerwuje, ale ta świadomość jest niemal zbyt upokarzająca, żebym ją zaakceptowała. Skończył się czas, kiedy było dla mnie zupełnie oczywiste, że Peeta uważa mnie za cudowną dziewczynę. W końcu dostrzegł, jaka jestem naprawdę. Ujrzał agresywną, nieufną i śmiertelnie niebezpieczną manipulantkę.

Nienawidzę go za to.

Cios w plecy. Tak to odbieram, kiedy Haymitch przekazuje mi informację w szpitalu. Myśli przelatują przez moją głowę w tempie tysiąca na sekundę. Zbiegam po schodach do Dowództwa i wpadam prosto na naradę wojenną.

— Co to ma znaczyć, że nie lecę do Kapitolu? Muszę się tam dostać! Jestem Kosogłosem! — krzyczę.

Coin ledwie raczy unieść wzrok znad ekranu.

— Jako Kosogłos osiągnęłaś swój cel, udało się zjednoczyć wszystkie dystrykty w walce z Kapitolem. Nie martw się, jeśli dobrze pójdzie, polecisz tam, żeby uczestniczyć w kapitulacji.

W kapitulacji?

— Wtedy będzie za późno! Przegapię całą walkę. Potrzebujecie mnie! Jestem waszym najlepszym strzelcem! — wrzeszczę. Zwykle nie przechwalam się swoimi umiejętnościami, ale to akurat jest przynajmniej bliskie prawdy. — Gale leci.

— Gale codziennie stawiał się na ćwiczeniach, chyba że był zajęty innymi ważnymi obowiązkami. Jesteśmy przekonani, że poradzi sobie w walce — objaśnia Coin. — Czy mogłabyś z grubsza oszacować, na ilu sesjach treningowych się zjawiłaś?

Na ani jednej. To fakt.

— Czasami polowałam. I jeszcze... ćwiczyłam z Beetee'em w arsenale broni specjalnej.

— To nie to samo, Katniss — odzywa się Boggs. — Wszyscy wiemy, że nie brak ci inteligencji ani odwagi, a w dodatku świetny z ciebie strzelec, potrzebujemy jednak żołnierzy do walki w polu. Nie masz zielonego pojęcia o wykonywaniu rozkazów, a poza tym nie jesteś w najlepszej formie.

— Jakoś to wam nie przeszkadzało, kiedy byłam w Ósemce czy w Dwójce — zauważam.

— Zasadniczo nie miałaś pozwolenia na udział w czynnej walce — przypomina Plutarch i posyła mi ostrzegawcze spojrzenie. To prawda, jeszcze chwila i ujawnię zbyt dużo.

Bitwa z bombowcami w Ósemce i moja interwencja w Dwójce były spontaniczne, pochopne i zdecydowanie samowolne.

— W obu wypadkach odniosłaś obrażenia — przypomina mi Boggs, a ja nagle dostrzegam siebie z jego perspektywy. Widzę drobną siedemnastolatkę, która nie może złapać tchu, bo jej żebra jeszcze nie całkiem się zaleczyły. Jest rozczochraną, niezdyscyplinowaną rekonwalescentką i nie przypomina żołnierza, lecz kogoś, kto wymaga opieki.

— Ale ja muszę tam lecieć — upieram się.

— Dlaczego? — pyta Coin.

Raczej nie mogę się przyznać, że chodzi o mój osobisty rewanż, że chcę się zemścić na prezydencie. Wolę też nie wyjawiać, iż nie dam rady pozostać tutaj, w Trzynastce, w towarzystwie tego nowego Peety, podczas gdy Gale ruszy do boju. Nie brak mi jednak powodów, dla których chcę walczyć z Kapitolem.

— Z powodu Dwunastki. Dlatego, że oni zniszczyli mój dystrykt.

Prezydent przez chwilę rozważa moje słowa. Spogląda na mnie.

— W takim razie masz trzy tygodnie — oznajmia. — To niezbyt dużo, ale możesz przystąpić do ćwiczeń. Jeśli Rada Przydziałowa uzna cię za dostatecznie sprawną, być może twój wniosek zostanie rozpatrzony ponownie.

I tyle, na więcej nie mam co liczyć. Domyślam się, że sama jestem sobie winna. To prawda, codziennie lekceważyłam harmonogram zajęć, chyba że coś mi akurat odpowiadało. Nie uważałam za priorytet biegania wokół pola z karabinem w rękach, skoro działo się tyle innych ciekawych rzeczy. Teraz słono płacę za własne zaniedbania.

Po powrocie do szpitala zastaję Johannę w takiej samej sytuacji, wściekłą na cały świat. Powtarzam jej słowa Coin.

— Pewnie i ty mogłabyś poćwiczyć.

— Jasne, poćwiczę. Ale dotrę do tego śmierdzącego Kapitolu, nawet jeśli będę musiała zabić załogę poduszkowca i sama nim polecieć — odgraża się.

— Raczej nie poruszaj tego tematu podczas treningu — radzę jej. — Ale dobrze wiedzieć, że znajdzie się dla mnie transport.

Uśmiecha się od ucha do ucha, a ja wyczuwam lekką, lecz znaczącą zmianę w naszych relacjach. Nie wiem, czy już jesteśmy przyjaciółkami, ale słowo „sojuszniczki" chyba dobrze do nas pasuje. Doskonale, przyda mi się sprzymierzeniec.

Następnego ranka, kiedy zgłaszamy się na ćwiczenia o wpół do ósmej, rzeczywistość daje mi kopniaka w tyłek. Dołączono nas do grupy niemal początkującej, złożonej z czternasto- i piętnastolatków. Czujemy się trochę urażone, dopóki nie staje się jasne, że dzieciaki są w znacznie lepszej formie od nas. Gale oraz inne osoby wybrane na wyprawę do Kapitolu znajdują się na innym etapie przyśpieszonego szkolenia fizycznego. Po bolesnych ćwiczeniach rozciągających przychodzi czas na kilka godzin ciężkiej zaprawy wzmacniającej oraz bieg na osiem kilometrów, który okazuje się morderczy. Motywujące obelgi Johanny pomagają mi brnąć przed siebie, ale i tak odpadam przed drugim kilometrem.

— To przez moje żebra — tłumaczę trenerce, rzeczowej kobiecie w średnim wieku, do której mamy się zwracać „żołnierzu York". — Ciągle są posiniaczone.

— Powiem ci coś, żołnierzu Everdeen. Zanim same się zagoją, minie jeszcze co najmniej miesiąc.

Kręcę głową.

— Nie mam tyle czasu.

Żołnierz York mierzy mnie wzrokiem.

— Lekarze nie zaproponowali ci żadnej terapii? — pyta.

— A jest jakaś terapia? — zdumiewam się. — Zapewniono mnie, że wszystko samo się zagoi.

— Zazwyczaj właśnie tak mówią, można jednak przyśpieszyć proces, jeśli wydam takie zalecenie. Ale ostrzegam cię, to nie jest żadna frajda — oświadcza.

— Bardzo bym prosiła. Naprawdę muszę się dostać do Kapitolu — nalegam.

Żołnierz York nie kwestionuje moich słów, tylko skrobie coś na kartce papieru przyczepionej do podkładki i kieruje mnie prosto do szpitala. Waham się, bo nie chcę stracić treningu.

— Wrócę na popołudniową sesję — zapowiadam, a ona tylko zaciska wargi.

Po serii dwudziestu czterech zastrzyków w klatkę piersiową leżę jak kłoda na łóżku szpitalnym i zaciskam zęby, żeby nie błagać o ponowne podłączenie mnie do kroplówki z morfaliną. Do niedawna stała przy moim łóżku, żebym mogła zafundować sobie środek przeciwbólowy, kiedy uznam za stosowne. Od pewnego czasu nie korzystałam z niego, ale trzymałam kroplówkę przez wzgląd na Johannę. Dzisiaj przeprowadzono mi badanie krwi, żeby sprawdzić, czy na pewno nie zawiera morfaliny, bo w połączeniu z lekarstwem, które właśnie pali mi żebra żywym ogniem, dałaby ona niebezpieczne skutki uboczne. Lekarze poinformowali mnie bez ogródek, że muszę się przygotować na kilka ciężkich dni, ale odpowiedziałam im, żeby robili, co trzeba.

Czeka nas koszmarna noc. Sen nie wchodzi w grę. Mam wrażenie, że wyczuwam zapach palonych mięśni wokół mojej klatki piersiowej, a Johanna boryka się z objawami odstawienia. Wczesnym wieczorem przepraszam ją za odcięcie źródła zaopatrzenia w morfalinę, ale ona tylko macha ręką i mówi, że i tak musiało do tego dojść. Przed trzecią nad ranem staję się jednak adresatką wszystkich najsoczystszych wulgaryzmów znanych mieszkańcom Siódmego Dystryktu. O świcie Johanna wywleka mnie z pościeli, zdecydowana stawić się na ćwiczenia.

— Chyba nie dam rady — protestuję.

— Pewnie, że dasz. Obie damy. Jesteśmy zwyciężczyniami, zapomniałaś? Potrafimy sobie poradzić ze wszystkimi kłodami, które nam ciskają pod nogi — warczy na mnie.

Jej skóra przybrała chorobliwie zielonkawy odcień, Johanna ma dreszcze, trzęsie się jak galareta. Ubieram się.

Musimy być zwyciężczyniami, żeby przetrwać poranek. Kiedy dopada nas ulewa, jestem pewna, że Johanna zrezygnuje. Wygląda, jakby przestała oddychać, robi się popielata.

— To tylko woda, nie rozpuści nas — pocieszam ją, a ona zaciska zęby i pakuje się prosto w błoto. Jesteśmy całkiem mokre, gdy ćwiczymy, a potem z wysiłkiem biegniemy. Ponownie odpadam przed drugim kilometrem i muszę się oprzeć pokusie ściągnięcia koszuli, żeby zimna woda wychłodziła mi rozpalone do czerwoności żebra. Wmuszam w siebie polowy lunch, czyli wodnistą potrawkę z ryby i buraków, ale Johanna dociera tylko do połowy miski i zaraz wszystko zwraca. Po południu mamy zajęcia ze składania broni. Jakoś sobie z tym radzę, lecz Johanna nie może zapanować nad drżeniem rąk i nie radzi sobie z dopasowywaniem części. Pomagam jej, kiedy York odwraca się do nas plecami. Choć deszcz nie ustaje, po południu jest nieco lepiej, bo idziemy strzelać. W końcu coś, w czym jestem niezła. Trochę trwa oswajanie się z bronią palną, ale pod koniec dnia uzyskuję najlepszy wynik w grupie.

Ledwie przekraczamy próg szpitala, gdy Johanna oznajmia:

— To się musi skończyć. Nie możemy mieszkać w szpitalu, wszyscy traktują nas jak pacjentki.

Dla mnie to nie problem, wystarczy, że ponownie się wprowadzę do naszej rodzinnej komory, ale Johanna nigdy nie otrzymała przydziału. Gdy usiłuje się wypisać ze szpitala, lekarze nie pozwalają jej zamieszkać samej, nawet jeśli będzie codziennie przychodziła na rozmowę ze specjalistą od chorób głowy. Moim zdaniem wyczuli sprawę z morfaliną, co tylko ich utwierdziło w przekonaniu, że Johanna jest niezrównoważona.

— Nie będzie sama — deklaruję. — Zamieszkam z nią w jednej kwaterze.

Lekarze nie są zgodni w opiniach, ale Haymitch bierze naszą stronę i przed ciszą nocną dostajemy komorę naprzeciwko Prim i mamy, która obiecuje mieć na nas oko.

Biorę prysznic, a Johanna przeciera się wilgotną ściereczką i przystępuje do powierzchownej inspekcji lokalu. W pewnej chwili otwiera szufladę, do której odłożyłam kilka drobiazgów, i zaraz momentalnie ją zamyka.

— Przepraszam — mówi.

Przypominam sobie, że w szufladzie Johanny nie ma nic poza urzędowym przydziałem ubrań, bo ona nie posiada absolutnie nic, co mogłaby nazwać swoją własnością.

— Nie ma sprawy. Możesz obejrzeć moje graty, jeśli chcesz.

Johanna otwiera medalion i wpatruje się w zdjęcia Gale'a, Prim i mamy. Następnie rozkłada srebrny spadochron, wyjmuje ze środka sączek i wsuwa go na mały palec.

— Od samego patrzenia chce się pić — zauważa. Potem dostrzega perłę, prezent od Peety. — Czy to jest...?

— Tak — potwierdzam. — Jakoś przetrwała. — Nie chcę rozmawiać o Peecie. W treningu szczególnie sobie cenię to, że odrywa mnie od myśli o nim.

— Podobno dochodzi do siebie — mówi. — Tak utrzymuje Haymitch.

— Niewykluczone, ale się zmienił.

— Ty też. I ja, a także Finnick, Haymitch i Beetee, nie mówiąc już o Annie Creście. Pobyt na arenie wszystkim nam solidnie pomieszał w głowach, no nie? A może ciągle się czujesz jak dziewczynka, która się zgłosiła za swoją siostrę?

— Nie — odpowiadam.

— Akurat pod tym względem mój lekarz od głowy może mieć rację. Nie ma powrotu, więc równie dobrze możemy żyć dalej.

— Skrupulatnie odkłada moje rzeczy do szuflady i wdrapuje się na łóżko naprzeciwko mojego. W tej samej chwili gasną światła.

— Nie boisz się, że dzisiaj w nocy cię zabiję?

— Bez problemu dałabym ci radę — odpowiadam i obie wybuchamy śmiechem, bo nasze ciała są w tak kiepskim stanie, że chyba tylko cudem uda się nam wstać następnego dnia. Mimo to jakoś się zwlekamy, i to nie tylko tego ranka, ale każdego. Pod koniec tygodnia moje żebra są niemal jak nowe, a Johanna bez pomocy składa swój karabin.

Żołnierz York z aprobatą kiwa głową, gdy kończymy dzienną porcję ćwiczeń.

— Dobra robota, żołnierze.

Kiedy znajdujemy się poza zasięgiem jej słuchu, Johanna szepcze:

— Moim zdaniem łatwiej było zwyciężyć w igrzyskach.

Z jej miny wnioskuję jednak, że jest zadowolona.

W gruncie rzeczy mamy całkiem niezłe humory, kiedy idziemy do jadalni, gdzie Gale już czeka, żeby zjeść ze mną posiłek. Dostaję gigantyczną porcję gulaszu wołowego, co bynajmniej nie pogarsza mi samopoczucia.

— Dzisiaj rano dotarła pierwsza dostawa żywności — informuje mnie Śliska Sae. — To najprawdziwsza wołowina z Dziesiątego Dystryktu, nie jakiś tam wasz dziki pies.

— Nie przypominam sobie, żebyś kiedyś kazała nam zabierać się razem z nim — odgryza się Gale.

Dołączamy do grupy złożonej z Delly, Annie i Finnicka. Z fascynacją obserwuję ogromną przemianę Finnicka od dnia jego ślubu. Wspominam jego wcześniejsze wcielenia: był dekadenckim amantem, którego poznałam przed Ćwierćwieczem, enigmatycznym sprzymierzeńcem na arenie, załamanym młodym mężczyzną, który usiłował pomóc mi wziąć się w garść. Teraz mam przed sobą człowieka tryskającego życiem. Po raz pierwszy w pełni widać jego urokliwe poczucie humoru i bezkonfliktowe usposobienie. Podczas spacerów i jedzenia ani na moment nie puszcza dłoni Annie, wątpię, by kiedykolwiek miał taki zamiar. Z kolei ona sprawia wrażenie zagubionej w oszałamiającym szczęściu. Momentami widać, że coś się zmienia i inny świat przesłania jej rzeczywistość. Wystarcza jednak kilka słów Finnicka, aby do nas powróciła.

Delly, którą znam od dzieciństwa i której nigdy nie poświęcałam najmniejszej uwagi, urosła w moich oczach. Poinformowano ją o tym, co Peeta powiedział do mnie w nocy po ślubie Finnicka i Annie, ale Delly nie jest plotkarą. Zdaniem Haymitcha to mój największy sprzymierzeniec. Kiedy Peeta wpada w ten swój szał i zaczyna po mnie jeździć, Delly zawsze bierze moją stronę, a przyczyn jego negatywnych skojarzeń szuka w kapitolińskich torturach. Ma większy wpływ na Peetę niż ktokolwiek inny, bo on naprawdę ją zna. Zresztą, nawet jeśli Delly przesadza i za bardzo podkreśla moje dobre strony, to jestem jej za to wdzięczna. Szczerze powiedziawszy, przyda mi się odrobina upiększania.

Umieram z głodu, a gulasz jest fantastyczny. Składa się z wołowiny, ziemniaków, rzepy oraz cebuli w gęstym mięsnym sosie, i muszę się powstrzymywać przed połknięciem wszystkiego naraz. Wszędzie wokoło widzę, że obfity posiłek ma orzeźwiający wpływ na ludzi. Są dla siebie uprzejmiejsi, dowcipkują, wydają się bardziej optymistyczni i dociera do nich, że dalsze życie nie jest błędem. To lepsze niż jakiekolwiek lekarstwo. Dlatego staram się przedłużać posiłek i biorę udział w rozmowie. Maczam chleb w mięsnym sosie i pogryzam go, jednocześnie słuchając zabawnej historyjki Finnicka o tym, jak morski żółw odpłynął razem z jego kapeluszem. Śmieję się, aż nagle uświadamiam sobie, kto stoi tuż obok, po drugiej stronie stołu, za pustym krzesłem koło Johanny, i wpatruje się we mnie. Natychmiast chleb z sosem utyka mi w gardle, dławię się.

— Peeta! — odzywa się Delly. — Miło cię widzieć na wolności… znowu z nami.

Za jego plecami stoi dwóch rosłych strażników. Peeta opiera tacę na czubkach palców, bo nadgarstki ma skute kajdankami na krótkim łańcuchu.

— A co to za szałowe bransoletki? — pyta Johanna.

— Jeszcze nie jestem całkiem godny zaufania — wyznaje Peeta. — Nawet nie mogę tutaj usiąść bez waszej zgody. — Wymownie spogląda na strażników.

— Pewnie, że może tutaj usiąść, to nasz stary kumpel — oświadcza Johanna i klepie wolne krzesło. Mundurowi kiwają głowami i Peeta siada. — W Kapitolu posadzili nas w sąsiednich celach. Miałam okazję dobrze się zaznajomić z jego wrzaskami, a on z moimi.

Annie, która siedzi po drugiej stronie Johanny, nagle zatyka sobie uszy i odgradza się od rzeczywistości. Finnick posyła Johannie wściekłe spojrzenie i obejmuje Annie.

— No co? — buntuje się Johanna. — Mój lekarz od głowy mówi, że mam nie cenzurować myśli. To część mojej terapii.

Ożywienie, które poczuliśmy wcześniej, minęło bezpowrotnie. Finnick mruczy coś do Annie, która w końcu powoli opuszcza ręce. Zapada długotrwała cisza, ludzie udają, że jedzą.

— Annie — odzywa się Delly pogodnie — wiedziałaś, że to Peeta zdobił twój tort weselny? U nas w dystrykcie jego rodzina prowadziła piekarnię i tylko on zajmował się lukrowaniem ciast.

Annie ostrożnie zerka na Johannę.

— Dziękuję, Peeta. Tort był piękny.

— Cała przyjemność po mojej stronie, Annie — odpowiada Peeta, a w jego głosie słychać dawną kurtuazję, która najwyraźniej nie zniknęła na zawsze. Co prawda nie jest skierowana do mnie, ale trudno.

— Jeśli mamy wybrać się na ten spacer, to powinniśmy już ruszać — mówi Finnick do żony, a potem zbiera obie ich tace, żeby przenieść je w jednej ręce, a drugą mocno przytulić Annie. — Cieszę się z naszego spotkania, Peeta.

— Bądź dla niej dobry, Finnick, bo jak nie, to może ci ją zabiorę.

Te słowa mogłyby zabrzmieć żartobliwie, gdyby nie ten lodowaty ton. Poza tym treść sugeruje wszystko, co najgorsze. Peeta otwarcie wyraził nieufność wobec Finnicka, między słowami wspomniał, że ma oko na Annie, że mogłaby rzucić Finnicka i że ja w ogóle nie istnieję.

— Ech, Peeta — mówi Finnick lekko. — Nie każ mi żałować, że cię odratowałem.

Wyprowadza Annie, ale wcześniej spogląda na mnie z troską.

— Naprawdę uratował ci życie, Peeta — zauważa Delly z przyganą, kiedy oboje są już daleko. — I to nie raz.

— Zrobił to dla niej. — Kieruje głowę w moim kierunku. — Dla rebelii. Ale nie dla mnie. Nic mu nie jestem winien.

Nie powinnam dać się sprowokować, ale to ponad moje siły.

— Może i nie, ale Mags zginęła, a ty ciągle żyjesz. To się powinno liczyć, prawda?

— Tak, mnóstwo rzeczy powinno się liczyć, a jakoś tak nie jest, Katniss. Mam wspomnienia, z których nic nie rozumiem i nie wydaje mi się, żeby Kapitol przy nich grzebał. Na przykład pamiętam niejedną noc w pociągu — oświadcza.

Znowu te insynuacje. Peeta sugeruje, że w pociągu wydarzyło się więcej niż w rzeczywistości, zatem to, jak było naprawdę, nie ma znaczenia — nie liczą się noce, które przetrwałam przy zdrowych zmysłach tylko dzięki jego objęciom. Wszystko jest kłamstwem, wszystko miało na celu wykorzystanie Peety.

Lekko porusza łyżką, wskazując Gale'a i mnie.

— Więc jak, jesteście już oficjalnie parą, czy nadal ciągną tę historię z nieszczęśliwymi kochankami?

— Nadal ciągną — odzywa się Johanna.

Peeta kurczowo zaciska pięści, a potem dziwacznie rozczapierza palce. Czy tylko tyle może zrobić, żeby nie zacisnąć ich na moim gardle? Wyczuwam, że siedzący obok mnie Gale tężeje, obawiam się awantury.

— Nie uwierzyłbym, gdybym nie zobaczył tego tu na własne oczy — mówi Gale.

— Niby kogo? — Peeta nie rozumie.

— Ciebie — odpowiada Gale.

— Musisz mówić trochę jaśniej — cedzi Peeta. — Co to ma wspólnego ze mną?

— Chodzi o to, że zamienili prawdziwego ciebie na paskudnego zmiecha, którym teraz jesteś — precyzuje Johanna.

Gale dopija mleko.

— Skończyłaś? — zwraca się do mnie, na co wstaję i oboje idziemy odłożyć tace.

Przy drzwiach zatrzymuje mnie starszy człowiek, bo ciągle ściskam w dłoni resztkę chleba z sosem. Traktuje mnie łagodnie, może z powodu mojej miny, a może dlatego, że nawet nie próbowałam ukryć chleba. Pozwala mi wepchnąć go do ust i puszcza mnie wolno. Niedaleko mojej komory Gale odzywa się ponownie.

— Nie spodziewałem się tego.

— Mówiłam ci, że mnie nienawidzi.

— Chodzi o to, jak on to robi. To się wydaje takie... znajome. Kiedyś sam się tak czułem, gdy patrzyłem, jak całował cię w telewizji — przyznaje. — Ale ja wiedziałem, że to nie w porządku z mojej strony, a on nic nie widzi.

Zatrzymujemy się przed drzwiami.

— Może on po prostu zdaje sobie sprawę, jaka naprawdę jestem. Muszę się trochę przespać.

Chwyta mnie za ramię, zanim zdążę zniknąć.

— Właśnie tak teraz myślisz? — Wzruszam ramionami. — Katniss, proszę cię jako twój najstarszy przyjaciel — uwierz mi, że nie zdaje sobie sprawy z tego, jaka jesteś naprawdę.

Całuje mnie w policzek i odchodzi.

Siedzę na łóżku i usiłuję faszerować umysł informacjami z podręcznika taktyki wojskowej, ale bezustannie nawiedzają mnie wspomnienia o nocach z Peetą w pociągu. Po jakichś dwudziestu minutach wchodzi Johanna i wali się w poprzek mojego łóżka, tam gdzie trzymam nogi.

— Przegapiłaś najlepsze — oświadcza. — Delly straciła cierpliwość do Peety, bo źle cię potraktował. Strasznie piszczała, zupełnie jakby ktoś na okrągło kłuł mysz widelcem. Cała sala gapiła się z otwartymi ustami.

— Co zrobił Peeta? — chcę wiedzieć.

— Zaczął się kłócić sam ze sobą, jakby był dwiema osobami. Strażnicy musieli go wyprowadzić. Ale nie ma tego złego, chyba nikt nie zauważył, że dojadłam za niego gulasz. — Johanna gładzi dłonią lekko wystający brzuch, a ja nie mogę oderwać oczu od brudu za jej paznokciami. Ciekawe, czy mieszkańcy Siódemki w ogóle się myją.

Spędzamy kilka godzin na odpytywaniu się nawzajem z terminologii wojskowej, potem wpadam na chwilę do mamy i Prim. Gdy wracam do swojej komory, biorę prysznic, kładę się i wbijam wzrok w ciemność.

— Johanna — mówię w końcu. — Naprawdę słyszałaś, jak wrzeszczał?

— Miałam go słyszeć — zapewnia mnie. — Tak samo jak głoskułki na arenie, tyle że on darł się naprawdę i nie przestawał po godzinie. Tik-tak.

— Tik-tak — odszeptuję.

Róże. Zmiechy w kształcie wilków. Trybuci. Lukrowane delfiny. Przyjaciele. Kosogłosy. Styliści. Ja.

Tej nocy wszystko w moich snach wrzeszczy.

Z mściwym zapałem rzucam się w wir treningu. Jem, żyję i od-dycham szkoleniem, wielokrotnie powtarzanymi ćwiczenia-mi, praktyką z bronią, wykładami z taktyki. Garstka z nas trafia na zajęcia dodatkowe, co daje mi nadzieję, że mogę się liczyć jako kandydatka do wysłania na front. Żołnierze mówią o nich Kwartał, ale tatuaż na mojej ręce określa je skrótem SWU, który pochodzi od nazwy Symulowane Walki Uliczne. W Trzynastce, głęboko pod powierzchnią ziemi, wybudowano atrapę kwartału miejskiego z Kapitolu. Instruktor dzieli nas na ośmioosobowe zespoły i każe nam ruszyć z misją, jakbyśmy przedzierali się przez miasto wroga. Musimy zająć określoną pozycję, znisz-czyć cel albo odszukać dom, ale wszystko jest obmyślone tak, żeby były problemy. Jeden fałszywy krok i wybucha mina. Na dachu pojawia się snajper. Twój karabin się zacina. Płacz dziecka wabi cię w pułapkę, a dowódca twojej drużyny, który jest tylko głosem w słuchawce, ginie w wybuchu pocisku moździerzowe-go i trzeba radzić sobie samemu, bez rozkazów. Choć w głębi duszy wiemy, że to symulacja i na pewno nas nie zabiją — bo jeśli nastąpimy na minę, rozlega się odgłos eksplozji i musimy tylko udawać, że padamy martwi — to pod innymi względami czujemy się tu jak podczas autentycznej walki. Żołnierze wroga są ubrani w mundury Strażników Pokoju, gubimy się w dymie emitowanym przez specjalnie skonstruowane bomby, czasami nawet puszczają na nas gaz. Tylko mnie i Johannie udaje się odpowiednio szybko włożyć maski, reszta drużyny traci przytomność na dziesięć minut. Rzekomo nieszkodliwy gaz, którym odetchnęłam zaledwie kilka razy, wywołuje u mnie koszmarny ból głowy do końca dnia.

Cressida i jej ekipa filmują Johannę oraz mnie na strzelnicy. Wiem, że Gale i Finnick również wezmą udział w nowej serii propagit, ukazującej rebelianckie przygotowania do inwazji na Kapitol. Wszystko zmierza we właściwym kierunku.

Potem na porannych treningach zaczyna pojawiać się Peeta. Jest bez kajdanek, ale nieodmiennie towarzyszą mu dwaj strażnicy. Po lunchu widzę go z drugiej strony pola, gdzie ćwiczy wraz z grupą początkującą. Nie mam pojęcia, co im strzeliło do głowy. Skoro po sprzeczce z Delly kłóci się sam ze sobą, nie ma sensu uczyć go składania broni.

Kiedy pytam o to Plutarcha, zapewnia mnie, że chodzi wyłącznie o występ przed kamerą. Ekipa dysponuje już ślubnymi zdjęciami Annie oraz nagraniem strzelającej do celu Johanny, ale całe Panem zastanawia się, co z Peetą. Ludzie powinni zobaczyć, że walczy po stronie rebeliantów, a nie dla Snowa, no i nie od rzeczy byłoby, gdyby ekipa nagrała kilka ujęć nas dwojga, niekoniecznie podczas pocałunku, ale moglibyśmy wydawać się uszczęśliwieni ponownym spotkaniem…

W tym momencie kończę rozmowę i odchodzę. O czymś takim nie ma mowy.

W rzadkich wolnych chwilach z niepokojem obserwuję przygotowania do inwazji, patrzę, jak ludzie szykują sprzęt i zapasy, jak grupują się dywizje. Od razu można poznać, kto wyruszy w bój, bo żołnierzy strzyże się na bardzo krótkiego jeża. Sporo się mówi o ofensywie otwarcia, której celem będzie przejęcie tuneli kolejowych prowadzących do Kapitolu.

Zaledwie na kilka dni przed wysłaniem pierwszych oddziałów York nieoczekiwanie informuje mnie i Johannę, że zarekomendowała nas do egzaminu i mamy natychmiast stawić się we wskazanym miejscu. Egzamin składa się z czterech części: toru przeszkód, na którym oceni się naszą kondycję fizyczną, pisemnego testu z teorii taktyki, sprawdzianu skuteczności posługiwania się bronią oraz symulowanej walki w Kwartale. Nawet nie mam czasu na to, żeby się zdenerwować pierwszymi trzema etapami — dobrze sobie radzę na każdym z nich, ale w wypadku Kwartału dochodzi do opóźnienia. Chodzi o jakąś techniczną usterkę, którą trzeba naprawić, więc korzystając z chwili, wymieniamy się w grupie informacjami, chyba pewnymi. Ten fragment egzaminu zdaje się pojedynczo i nie sposób przewidzieć, jaką sytuację zaaranżowali organizatorzy. Jeden z chłopaków mówi półgłosem, że podobno kładą szczególny nacisk na indywidualne słabości każdego kandydata.

Jakie są moje słabości? Tych drzwi nawet nie chcę uchylać. Znajduję jednak spokojny kąt i usiłuję je wyliczyć, ale długość listy szybko mnie przygnębia. Brak mi zwierzęcej siły, przeszłam zaledwie podstawowe szkolenie, na dodatek mój status Kosogłosa nie wydaje się atutem w sytuacji, gdy chcą z nas zrobić zgraną grupę. Innymi słowy, mogą mnie przyszpilić na rozmaite sposoby.

Johanna wchodzi trzy osoby przede mną, kiwam jej głową na pożegnanie. Żałuję, że nie jestem pierwsza na liście, bo dopiero teraz naprawdę gorączkowo zastanawiam się nad tym, co mnie czeka. Kiedy wywołują moje nazwisko, nie mam pojęcia, jaką strategię zastosować. Na szczęście już w Kwartale trening, który przeszłam, okazuje się przydatny. Trafiam w zasadzkę, Strażnicy Pokoju pojawiają się niemal natychmiast, a ja muszę dotrzeć do punktu spotkania z rozproszoną drużyną. Powoli wędruję ulicą, po drodze unieszkodliwiając Strażników: dwóch na dachu domu z lewej, jeszcze jednego w drzwiach przede mną. To wyzwanie, ale mniej poważne, niż się spodziewałam. Czuję przez skórę, że skoro idzie mi tak łatwo, najgorsze dopiero przede mną. Znajduję się w odległości paru budynków od celu, gdy robi się gorąco. Zza rogu naciera sześciu Strażników Pokoju. Nie mam z nimi szans, ale zauważam porzuconą w rynsztoku beczkę z benzyną. To jest to — mój prawdziwy sprawdzian. Miałam się zorientować, że wysadzenie beczki w powietrze jest moją jedyną szansą na ukończenie misji. Gdy ruszam wykonać zadanie, dowódca mojej drużyny, dotąd praktycznie bezużyteczny, cicho nakazuje mi paść na ziemię. Sercem i duszą pragnę zlekceważyć rozkaz, pociągnąć za spust, wysadzić Strażników Pokoju w powietrze, i wtedy właśnie uświadamiam sobie, co w oczach wojskowych jest moją największą słabością. Sytuacja się powtarza od pierwszej chwili na igrzyskach, kiedy pobiegłam po pomarańczowy plecak, przez wymianę ognia w Ósemce, do spontanicznego biegu po placu w Dwójce. Nie potrafię słuchać rozkazów.

Rzucam się na ziemię tak mocno i szybko, że przez następny tydzień będę wydłubywała z brody drobiny żwiru. Ktoś detonuje beczkę z benzyną, Strażnicy Pokoju giną, a ja docieram na miejsce spotkania. Gdy opuszczam Kwartał po przeciwnej stronie, jakiś żołnierz składa mi gratulacje, przybija na mojej dłoni stempel drużyny 451 i każe mi się zgłosić do Dowództwa. Niemal chichocząc z radości, biegnę korytarzami, ślizgam się na zakrętach i skaczę po schodach na dół, bo winda jedzie zbyt wolno. Pędem wpadam do pokoju i dopiero wtedy dociera do mnie, że coś jest nie tak. Nie powinnam być w Dowództwie, tylko iść się ostrzyc na jeża. Ludzie przy stole nie są świeżo upieczonymi żołnierzami, tu podejmuje się decyzje.

Boggs się uśmiecha i kręci głową na mój widok.

— Popatrzmy — mówi, a ja niepewnie wyciągam rękę ze stemplem. — Jesteś ze mną, w specjalnej jednostce strzelców wyborowych. Dołącz do drużyny.

Ruchem głowy wskazuje grupę pod ścianą, z Gale'em, Finnickiem i jeszcze pięcioma innymi, których nie znam. Moja drużyna. Nie tylko trafiłam do wojska, ale w dodatku będę służyła pod rozkazami Boggsa z przyjaciółmi. Zmuszam się do spokojnego żołnierskiego kroku, gdy do nich podchodzę, choć najchętniej skakałabym pod sufit.

Niewątpliwie jesteśmy ważni, bo inaczej nie trafilibyśmy do Dowództwa, i nie ma to nic wspólnego z pewnym Kosogłosem. Plutarch pochyla się nad szeroką, płaską tablicą na stole i mówi coś na temat problemów, które napotkamy w Kapitolu. Przychodzi mi do głowy, że ta prezentacja jest bardzo kiepska, bo nawet wspiąwszy się na palce, nie widzę, co widnieje na tablicy. W pewnej chwili Plutarch przyciska jednak guzik i w powietrze wystrzeliwuje holograficzny obraz ulic Kapitolu.

— Tutaj widzimy na przykład obszar wokół jednego z budynków koszar Strażników Pokoju. Nie jest to teren mało istotny, ale też nie należy do naszych najważniejszych celów. Proszę spojrzeć. — Plutarch wystukuje jakiś kod na klawiaturze i widzimy, że na obrazie zaczynają migotać światła w różnych kolorach i w niejednolitym tempie. — Każde światło na mapie to jeden kokon, który symbolizuje taką czy inną przeszkodę, począwszy od bomby, skończywszy na stadzie zmiechów. Pamiętajcie, że zawartość kokonu zawsze ma służyć uwięzieniu lub zabiciu was. Niektóre pozostają w gotowości od Mrocznych Dni, inne tworzono z biegiem czasu. Szczerze powiedziawszy, osobiście skonstruowałem niemałą ich liczbę. Kiedy opuszczaliśmy Kapitol, jeden z naszych ludzi zbiegł razem z programem zawierającym najświeższe informacje o kokonach. Nieprzyjaciel nie wie, że dysponujemy tym zapisem, ale i tak trzeba pamiętać, że w ciągu ostatnich miesięcy zapewne aktywowano nowe. Będziecie musieli stawić im czoło.

Odruchowo przysuwam się do stołu, nieruchomieję zaledwie kilka centymetrów od hologramu. Wyciągam rękę i osłaniam dłonią nerwowo mrugające zielone światełko.

Ktoś staje obok mnie, wyczuwam jego napięcie. To Finnick, rzecz jasna, bo tylko zwycięzca igrzysk może tak szybko dostrzec to samo co ja — arenę usianą kokonami pod kontrolą organizatorów. Finnick muska palcami jednolitą czerwoną poświatę nad progiem.

— Panie i panowie...

Jego głos brzmi cicho, ale mój donośnie rozbrzmiewa w całym pomieszczeniu:

— Siedemdziesiąte Szóste Głodowe Igrzyska uważam za otwarte!

Wybucham śmiechem, szybko, zanim ludzie zdążą zastanowić się nad tym, co się kryje pod wypowiedzianymi przeze mnie słowami. Zanim uniosą brwi, zanim zgłoszą zastrzeżenia i skojarzą fakty. Zanim zorientują się, że najlepiej trzymać mnie jak najdalej od Kapitolu, bo przecież rozwścieczony, niezależnie myślący zwycięzca, poorany psychicznymi bliznami, tak głębokimi, że nie sposób ich usunąć, jest chyba ostatnią osobą, którą warto mieć w drużynie.

— Nie rozumiem, po co w ogóle zawracaliście sobie głowy trenowaniem mnie i Finnicka — dodaję.

— Przecież jesteśmy już dwoma najlepiej przygotowanymi żołnierzami — podkreśla Finnick pyszałkowato.

— Nie myślcie sobie, że to umknęło mojej uwadze — oświadcza Plutarch i niecierpliwie macha ręką. — A teraz do szeregu, żołnierze Odair i Everdeen, mam prezentację do dokończenia.

Idziemy z powrotem na miejsca, nie zwracając uwagi na pytające spojrzenia. Postanawiam udawać niebywałe skupienie i gdy Plutarch kontynuuje, co jakiś czas kiwam głową, a także przesuwam się, aby lepiej widzieć. W myślach powtarzam sobie jednak, że muszę wytrzymać do chwili, gdy znajdę się w lesie, gdzie będę mogła się wywrzeszczeć, zakląć albo się wypłakać. Ewentualnie wszystko naraz.

Jeśli poddano nas sprawdzianowi, to oboje, Finnick i ja, go zaliczyliśmy. Gdy Plutarch kończy i zebranie zostaje odroczone, przeżywam przykrą chwilę, bo okazuje się, że mam otrzymać specjalny rozkaz. Na szczęście chodzi tylko o drobiazg — nie wolno mnie ostrzyc na jeża, bo dowódcy chcą, żeby podczas spodziewanej kapitulacji Kosogłos jak najbardziej przypominał dziewczynę na arenie. To jest potrzebne do telewizji. Wzruszam ramionami, aby zademonstrować, że długość włosów jest dla mnie sprawą całkowicie nieistotną, i wtedy mogę bez problemu odmaszerować.

Na korytarzu wraz z Finnickiem natychmiast ruszamy ku sobie.

— Co ja powiem Annie? — pyta półgłosem.

— Nic — wyjaśniam. — Czyli to samo, co usłyszą ode mnie mama i siostra.

Sami wiemy, że trzeba wracać na w pełni wyposażoną arenę. To wystarczy, nie ma sensu przygnębiać naszych bliskich.

— Jeśli zobaczy ten hologram… — zaczyna.

— Nie zobaczy, to na pewno ściśle tajne — przerywam natychmiast. — Poza tym nie chodzi o typowe igrzyska, bo przecież tym razem może przeżyć każde z nas. Przesadzamy, dlatego że… Sam dobrze wiesz, dlaczego. Ale nadal zamierzasz jechać, prawda?

— Jasne. Chcę zniszczyć Snowa tak samo jak ty.

— Nie będzie tak jak wcześniej — oznajmiam stanowczo, bo usiłuję przekonać także samą siebie, i wtedy uświadamiam sobie piękno sytuacji. — Tym razem także Snow będzie zawodnikiem.

Nie dodajemy ani słowa więcej, bo pojawia się Haymitch. Nie przyszedł na zebranie i nie zawraca sobie głowy arenami, ma inne zmartwienie.

— Johanna wróciła do szpitala.

Zakładałam, że Johanna miewa się dobrze i zdała egzamin, ale po prostu nie otrzymała przydziału do drużyny strzelców wyborowych. Świetnie sobie radzi, gdy trzeba miotać toporem, jednak średnio jej idzie z bronią palną.

— Jest ranna? Co się stało?

— To się stało wtedy, gdy przebywała w Kwartale. Podczas sprawdzianu testuje się potencjalne słabości żołnierza, więc w trakcie egzaminu Johanny zalano ulicę wodą — objaśnia Haymitch.

Nadal niewiele z tego rozumiem, przecież Johanna umie pływać. O ile pamiętam, trochę pływała podczas Ćwierćwiecza

Poskromienia. Nie mogła się równać z Finnickiem, ale nikt z nas nie czuje się w wodzie tak dobrze jak on.

— I co?

— Na tym polegały jej tortury w Kapitolu. Wrzucano ją do wody i rażono prądem — wyjawia Haymitch. — W Kwartale coś jej się przypomniało, wpadła w panikę i kompletnie straciła orientację. Ponownie jest na środkach uspokajających.

Stoimy bez ruchu, ja i Finnick, zupełnie jakby nam odebrało mowę. Myślę o tym, że Johanna nigdy nie brała prysznica, a kiedy padało, zmuszała się do wyjścia na deszcz, zupełnie jakby z nieba płynęły strumienie kwasu. A ja zwaliłam to wszystko na skutki odstawienia morfaliny.

— Oboje powinniście ją odwiedzić — radzi nam Haymitch.

— Nie ma nikogo bliższego.

To dodatkowo komplikuje sytuację. Właściwie nie wiem, co łączy Johannę i Finnicka, ja jednak ledwie ją znam. Nie ma rodziny, przyjaciół ani nawet pamiątki z Siódemki, którą mogłaby odłożyć do anonimowej szuflady obok regulaminowego ubrania. Nic a nic.

— Lepiej powiem Plutarchowi. Nie będzie zachwycony — ciągnie Haymitch. — Chce mieć przed kamerami w Kapitolu jak najwięcej zwycięzców, jego zdaniem to poprawia jakość materiału.

— Pan też jedzie? I Beetee? — pytam.

— Jak najwięcej młodych i atrakcyjnych zwycięzców — poprawia się Haymitch. — Więc my zostaniemy tutaj.

Finnick idzie prosto do Johanny, ale ja czekam jeszcze kilka minut pod drzwiami, aż zjawi się Boggs. Pełni teraz funkcję mojego dowódcy, więc jak rozumiem, właśnie do niego mam się zwracać ze szczególnymi prośbami. Gdy go informuję o swoich zamiarach, wypisuje mi przepustkę, abym mogła wyjść do lasu w porze refleksji, pod warunkiem, że pozostanę w polu widzenia wartowników. Biegnę do komory po spadochron, ale wiąże się z nim mnóstwo paskudnych wspomnień, więc mijam hol i zabieram jedną z białych bawełnianych chust opatrunkowych, które przywiozłam z Dwunastki. Jest kwadratowa i mocna, czyli idealnie się nadaje.

W lesie odszukuję sosnę i zrywam z gałęzi kilka garści aromatycznych igieł. Po usypaniu zgrabnego stosu pośrodku chusty chwytam krawędzie, skręcam je i mocno wiążę winoroślą. W ten sposób powstaje tobołek wielkości jabłka.

W drzwiach sali szpitalnej przez moment obserwuję Johannę i dociera do mnie, że jej postawa twardzielki to głównie poza. Bez niej, jak teraz, jest tylko drobną młodą kobietą o szeroko rozstawionych oczach, których usiłuje nie zamykać mimo zamroczenia lekami. Na pewno przeraża ją to, co może pojawić się we śnie. Podchodzę bliżej i podaję jej tobołek.

— Co to? — pyta chrapliwie. Wilgotne końcówki jej włosów na czole pozlepiały się w przypominające szpikulce strąki.

— Coś, co dla ciebie zrobiłam. Schowasz sobie do szuflady. — Kładę zawiniątko na jej dłoniach. — Powąchaj.

Przykłada kulkę do nosa i ostrożnie wdycha powietrze.

— Pachnie domem. — Jej oczy zachodzą łzami.

— Właśnie na to liczyłam, przecież pochodzisz z Siódemki, i w ogóle — tłumaczę. — Pamiętasz, jak się poznałyśmy? Byłaś drzewem. Co prawda krótko, ale zawsze.

Nieoczekiwanie zaciska palce na moim nadgarstku.

— Katniss, musisz go zabić.

— O to się nie martw. — Mam ochotę wyrwać rękę z jej uścisku, ale się powstrzymuję.

— Przysięgnij na coś, na czym ci zależy — syczy.

— Przysięgam na własne życie.

Nie rozluźnia chwytu.

— Na życie twojej rodziny.

— Przysięgam na życie swojej rodziny. — Widać moja troska o własne życie jej nie przekonuje. Johanna mnie puszcza, a ja rozcieram przegub. — Jak myślisz, ciemna maso, niby po co tam jadę?

Johanna uśmiecha się lekko.

— Właśnie to chciałam usłyszeć. — Przyciska do nosa zawiniątko z igłami sosnowymi i mruży oczy.

Następne dni mijają jak z bicza strzelił. Każdego ranka po krótkim treningu moja drużyna idzie na resztę dnia na strzelnicę. Ćwiczę głównie z bronią palną, ale jedną godzinę dziennie musimy przeznaczyć na specjalne rodzaje uzbrojenia, co w moim wypadku oznacza doskonalenie obsługi łuku Kosogłosa. Gale używa ciężkiego łuku wojskowego. Trójząb zaprojektowany przez Beetee'ego dla Finnicka ma wiele funkcji, ale wrażenie robi zwłaszcza jedna. Gdy Finnick miota bronią, a potem przyciska guzik na metalowej bransolecie na nadgarstku, trójząb powraca prosto do jego ręki, dzięki czemu nie trzeba za nim biegać.

Niekiedy strzelamy do kukieł Strażników Pokoju, żeby się zaznajomić z niedociągnięciami ich kombinezonów ochronnych. Można powiedzieć, że zapamiętujemy, gdzie są słabe punkty. Gdy trafiamy w ciało, otrzymujemy nagrodę w postaci eksplozji strumieni sztucznej krwi. Nasze kukły są skąpane w czerwieni.

Czuję się pokrzepiona na duchu, widząc wysoki poziom celności strzałów w naszej grupie. Oprócz Finnicka i Gale'a w drużynie jest jeszcze pięcioro żołnierzy, sami mieszkańcy Trzynastki. Jackson, kobieta w średnim wieku, która jest bezpośrednią zastępczynią Boggsa, sprawia wrażenie trochę ociężałej, ale umie trafiać do odległych przedmiotów, których reszta z nas nawet nie widzi bez lunety. Mówi, że to dzięki dalekowzroczności. Oprócz niej są jeszcze dwie siostry, dwudziestoparolatki o nazwisku Leeg, które nazywamy Leeg Jeden i Leeg Dwa. W mundurach wydają się identyczne, więc nie jestem w stanie ich odróżnić do czasu, gdy zauważam, że Leeg Jeden ma niezwykłe żółte plamki na tęczówkach. Dwaj starsi wiekiem żołnierze, Mitchell i Homes, zwykle niewiele mówią, ale z odległości pięćdziesięciu metrów umieją zestrzelić pyłek z buta. Orientuję się, że inne drużyny również są całkiem niezłe, ale niezupełnie pojmuję, jaką właściwie mamy odegrać rolę, aż do pewnego ranka, gdy dołącza do nas Plutarch.

— Żołnierze drużyny 451, wybrano was do specjalnej misji — zaczyna, a ja przygryzam wargę, bo wbrew wszystkiemu mam nadzieję, że chodzi o skrytobójczy zamach na Snowa. — Dysponujemy licznymi zastępami strzelców wyborowych, lecz doskwiera nam niedobór ekip telewizyjnych, i właśnie z tego względu starannie wyselekcjonowaliśmy waszą ósemkę. Będziecie, jak to mówimy, naszą „Drużyną Gwiazd", telewizyjnymi twarzami inwazji.

Przez grupę przetacza się pomruk rozczarowania, jesteśmy w szoku, a po chwili czujemy złość.

— Chce pan powiedzieć, że nie trafimy do bezpośredniej walki — warczy Gale.

— Będziecie brali udział w walce, choć niekoniecznie zawsze na linii frontu. O ile w takiej wojnie w ogóle można mówić o wyraźnie nakreślonej linii frontu — zauważa Plutarch.

— Nikt z nas tego nie chce. — Uwaga Finnicka spotyka się z powszechnym pomrukiem aprobaty, ale ja milczę. — Będziemy walczyć.

— Będziecie jak najbardziej użyteczni w działaniach wojennych — poprawia go Plutarch. — Zapadła decyzja, że największą wartość przedstawiacie w telewizji. Wystarczy spojrzeć, jaki efekt wywarła Katniss, biegając w tym swoim kostiumie Kosogłosa. Przecież to ona odmieniła losy rebelii. Zauważyliście, że teraz tylko Katniss nie utyskuje? Wiecie, dlaczego? Bo rozumie potęgę ekranu.

Tak naprawdę Katniss nie utyskuje, bo nie ma zamiaru pozostać w Drużynie Gwiazd, ale rozumie konieczność dostania się do Kapitolu przed wprowadzeniem w życie swoich planów. Wie też, że jej przesadna potulność może wzbudzić podejrzenia.

— Ale nie chodzi wyłącznie o to, żebyśmy udawali? — pytam.

— To byłoby marnowaniem naszych umiejętności.

— Nie martw się, znajdziecie mnóstwo najprawdziwszych celów, do których będziecie mogli mierzyć. Ale nie dajcie się wysadzić w powietrze, mam dostatecznie dużo problemów, nie muszę jeszcze się zastanawiać, kim was zastąpić. A teraz ruszajcie do Kapitolu i odstawcie niezłe przedstawienie.

Rankiem w dniu wyjazdu żegnam się z rodziną. Nie powiedziałam im, jak bardzo system obrony Kapitolu przypomina to, co było na arenie, bo moja wyprawa na wojnę i tak jest dostatecznie okropna. Mama tuli mnie mocno i długo. Czuję łzy na jej policzku, łzy, które tłumiła, kiedy trafiłam na igrzyska.

— Uszy do góry — mówię. — Nic mi nie grozi. Nie jestem nawet prawdziwym żołnierzem, tylko jedną z telewizyjnych marionetek Plutarcha.

Prim odprowadza mnie aż do drzwi szpitala.

— Jak się czujesz?

— Lepiej, bo wiem, że jesteście tam, gdzie Snow was nie dopadnie — zapewniam ją.

— Następnym razem, kiedy się zobaczymy, już go nie będzie — oznajmia Prim stanowczym tonem i zarzuca mi ręce na szyję.

— Uważaj na siebie.

Zastanawiam się, czy przed wyjazdem pożegnać się także z Peetą, ale to nie byłoby dobre dla żadnego z nas. Mimo wszystko wsuwam do kieszeni munduru perłę, pamiątkę od chłopca z chlebem.

Poduszkowiec zabiera nas do Dwunastki — jakby nie było innych miejsc — gdzie poza spaloną strefą zorganizowano prowizoryczny punkt transportowy. Tym razem nie czekają na nas luksusowe pociągi, tylko wagon towarowy załadowany do granic możliwości żołnierzami w ciemnoszarych mundurach, którzy sypiają z głowami na plecakach. Po paru dniach podróży wysiadamy w jednym z prowadzących do Kapitolu górskich tuneli i przez sześć godzin wędrujemy piechotą po fluorescencyjnej, zielonej linii. Nie wolno nam z niej zbaczać, bo wyznacza bezpieczną trasę na powierzchnię.

Wynurzamy się w rebelianckim obozowisku, które rozciąga się na obszarze dziesięciu kwartałów. Jesteśmy przed stacją kolejową, gdzie wcześniej wysiadałam razem z Peetą. Teraz powoli przewalają się tutaj tłumy żołnierzy. Drużyna 451 otrzymuje do dyspozycji skrawek gruntu, na którym rozbijamy namioty. Ten teren pozostaje pod kontrolą rebeliantów już od ponad tygodnia. Powstańcy odepchnęli Strażników Pokoju kosztem wielu setek ofiar. Kapitolińskie siły wycofały się i przegrupowały w dalszej części miasta, więc obecnie dzielą nas od nich ulice najeżone pułapkami, puste i kuszące. Zanim ruszymy naprzód, trzeba gruntownie oczyścić okolicę z kokonów.

Mitchell pyta o bombardowania poduszkowców, bo czujemy się kompletnie odsłonięci na otwartym terenie, ale Boggs zapewnia, że nie ma powodów do obaw. Większość kapitolińskiej floty została zniszczona w Dwójce oraz podczas inwazji. Jeżeli pozostała jeszcze jakaś maszyna, z pewnością trzymają ją w odwodzie, pewnie dlatego, że Snow i jego świta potrzebują pojazdu, aby w ostatniej chwili uciec gdzieś do prezydenckiego bunkra. Nasze poduszkowce zostały uziemione po tym, jak kapitolińska obrona przeciwlotnicza zdziesiątkowała pierwszych kilka fal. Innymi słowy, ta wojna będzie prowadzona na ulicach i można mieć nadzieję, że zginie jak najmniej ludzi, a infrastruktura miejska ucierpi w minimalnym stopniu. Rebelianci pragną zdobyć Kapitol, podobnie jak Kapitol chciał przejąć Trzynastkę.

Po trzech dniach większość drużyny 451 nudzi się do tego stopnia, że jest gotowa zaryzykować dezercję. Cressida i jej ekipa nagrywają nas, kiedy prowadzimy ostrzał. Dowiadujemy się, że stanowimy część zespołu dezinformacyjnego, bo gdyby rebelianci strzelali wyłącznie do kokonów Plutarcha, wówczas siły Kapitolu w dwie minuty zorientowałyby się, że dysponujemy hologramem. W rezultacie poświęcamy mnóstwo czasu na roztrzaskiwanie w drobny mak nieistotnych obiektów tylko po to, by zamydlić wrogowi oczy. Koncentrujemy się głównie na rozbijaniu tęczowego szkła z elewacji pastelowych budynków, którego sterty i tak walają się po chodnikach. Podejrzewam, że nagrywany materiał filmowy z naszym udziałem jest przeplatany ujęciami niszczenia ważnych kapitolińskich celów. Najwyraźniej co pewien czas naprawdę potrzeba strzelców wyborowych. Przy takich okazjach osiem rąk wystrzeliwuje w górę, ale ja nigdy nie jestem wybierana, podobnie jak Gale i Finnick.

— Sam jesteś sobie winien, skoro się tak pchałeś przed kamerę — informuję Gale'a.

Obdarza mnie spojrzeniem zdolnym zabić wołu.

Wygląda na to, że nie bardzo wiadomo, co zrobić z naszą trójką, a zwłaszcza ze mną. Mam ze sobą kostium, ale jak dotąd jestem filmowana wyłącznie w mundurze. Czasami korzystam z pistoletu, kiedy indziej proszą mnie o strzelanie z łuku. Najwyraźniej nie chcą całkiem stracić Kosogłosa, ale postanowili zdegradować mnie do roli zwykłego piechura. Ponieważ nie dbam o to, sytuacja mnie raczej bawi, niż martwi, bo wyobrażam sobie kłótnie, które teraz toczą się w Trzynastce.

Na zewnątrz demonstruję niezadowolenie z powodu pomijania nas w prawdziwych akcjach, ale w gruncie rzeczy jestem zajęta własnymi sprawami. Każdy z nas otrzymał papierowy plan Kapitolu, który został zbudowany na bazie prawie idealnego kwadratu. Mapę podzielono kreskami na mniejsze kwadraty, z literami na szczycie siatki i liczbami z boku. Pilnie studiuję plan, zwracam uwagę na każde skrzyżowanie i boczną uliczkę, ale to mi nie wystarcza. Nasi dowódcy korzystają z hologramu Plutarcha, który wyświetlają na przenośnych urządzeniach zwanych holo. Obraz jest identyczny jak ten w Dowództwie. Do tego mogą przybliżać dowolnie wybrany obszar planu i pokazywać ukryte w mieście kokony. Są niezależne i pełnią funkcję wyrafinowanej mapy, bo nie nadają ani nie odbierają żadnych sygnałów. Tak czy owak, holo jest o niebo lepsze niż moja papierowa mapa.

Holo aktywuje się samodzielnie na dźwięk głosu konkretnego dowódcy, który podaje swoje nazwisko. Uruchomione, reaguje na polecenia głosowe pozostałych członków drużyny, więc gdyby Boggs zginął lub odniósł poważne obrażenia, wówczas mógłby go zastąpić ktoś inny. Jeśli któryś z członków drużyny trzykrotnie powtórzy słowo „łykołak", wówczas holo eksploduje, wysadzając w powietrze wszystko w promieniu pięciu metrów. Wprowadzono to ze względów bezpieczeństwa, na wypadek przechwycenia urządzenia przez wroga. Oczekuje się od nas wszystkich, że w razie potrzeby wysadzimy holo bez wahania. Wychodzi na to, że muszę ukraść Boggsowi uruchomione urządzenie i zniknąć, zanim się zorientuje. Mam wrażenie, że łatwiej byłoby ukraść mu zęby.

Czwartego ranka żołnierz Leeg Dwa trafia w błędnie oznaczony kokon i zamiast chmary zmutowanych komarów, na które rebelianci są przygotowani, ze środka wystrzeliwuje grad metalowych strzałek. Jedna z nich wbija się w mózg Leeg. Gdy przybywają lekarze, jest już trupem. Plutarch obiecuje, że w krótkim czasie sprowadzi kogoś na zastępstwo.

Następnego wieczoru przybywa nowy członek naszej drużyny. Bez kajdanek, bez strażników spokojnie opuszcza stację kolejową z pistoletem maszynowym przewieszonym przez ramię. Jesteśmy wstrząśnięci, zdezorientowani i niechętni, ale na grzbiecie dłoni Peety widnieje świeży stempel z napisem „451". Boggs odbiera Peecie broń i idzie zatelefonować.

— Szkoda fatygi — informuje resztę z nas Peeta. — Pani prezydent osobiście przydzieliła mnie tutaj, bo uznała, że trzeba dodać ognia propagitom.

Może i trzeba. Ale skoro Coin przysłała tu Peetę, najwyraźniej doszła do czegoś jeszcze. Doszła do wniosku, że bardziej jej się przydam martwa niż żywa.

CZĘŚĆ III
ZABÓJCZYNI

Nigdy dotąd nie widziałam rozzłoszczonego Boggsa. Nie wściekał się, kiedy zlekceważyłam jego rozkazy, gdy zwymiotowałam na niego ani gdy Gale złamał mu nos. Po rozmowie telefonicznej z panią prezydent jest jednak zły i w pierwszej kolejności każe żołnierzowi Jackson, swojej zastępczyni, przydzielić Peecie dwuosobową i całodobową straż. Potem zabiera mnie na spacer i prowadzi przez ciągnące się bez końca miasto namiotowe, z dala od naszej drużyny.

— I tak spróbuje mnie zabić — zauważam. — Zwłaszcza tu, gdzie może go sprowokować tyle niedobrych wspomnień.

— Będę go pilnował, Katniss — mówi Boggs.

— Dlaczego Coin chce teraz mojej śmierci?

— Prezydent temu zaprzecza.

— Oboje wiemy, że tak jest — oznajmiam. — Musi pan mieć jakąś teorię.

Boggs posyła mi przeciągłe, surowe spojrzenie i dopiero potem odpowiada.

— Powiem ci, co wiem. Prezydent cię nie lubi i nigdy nie lubiła. Chciała uratować z areny Peetę, nie ciebie, tyle że nikt jej nie poparł. Sytuacja się pogorszyła, kiedy zmusiłaś ją do zapewnienia immunitetu innym zwycięzcom, ale nawet na to można było patrzeć przez palce, skoro tak dobrze odegrałaś swoją rolę.

— Więc o co chodzi? — nalegam.

— W niedalekiej przyszłości wojna się skończy, a wtedy trzeba będzie wybrać nowego przywódcę — zauważa Boggs.

Przewracam oczami.

— Panie Boggs, nikt chyba nie sądzi, że to ja mogłabym zająć jej miejsce! — prycham.

— Fakt, nikt — przyznaje. — Kogoś jednak poprzesz. Czy będzie to prezydent Coin, czy też ktoś inny?

— Nie wiem. Nie zastanawiałam się nad tym.

— Skoro nie odpowiadasz bez wahania, że poprzesz Coin, stanowisz zagrożenie. Jesteś twarzą rebelii, Katniss. Być może masz większy wpływ na bieg zdarzeń niż jakakolwiek inna osoba — podkreśla Boggs. — Tymczasem zaledwie tolerujesz Coin.

— Więc mnie zabije, żebym się przymknęła. — Gdy tylko wypowiedziałam te słowa, od razu do mnie dotarło, że to prawda.

— Już cię nie potrzebuje jako czynnika konsolidacyjnego. Sama oświadczyła, że podstawowy cel, czyli zjednoczenie dystryktów, został osiągnięty — przypomina mi. — Propagity, które teraz powstają, mogłyby równie dobrze być kręcone bez ciebie. Już tylko w jeden sposób mogłabyś dodać ognia rebelii.

— Umierając — dopowiadam cicho.

— Tak. Stałabyś się męczennicą, za którą warto ginąć. Nie dojdzie jednak do tego, dopóki to ja za ciebie odpowiadam, żołnierzu Everdeen. Zakładam, że długo pożyjesz.

— Dlaczego? — Takie myślenie musi go wpędzić w tarapaty. — Nie jest mi pan nic winien.

— Ponieważ sobie zasłużyłaś. A teraz wracaj do drużyny.

Wiem, że powinnam czuć wdzięczność do Boggsa za nadstawianie za mnie karku, ale jestem zwyczajnie sfrustrowana. Jak mam teraz zwinąć mu holo i zdezerterować? Zdradzenie Boggsa i tak było dla mnie trudne do zaakceptowania, nawet bez tego długu wdzięczności. Już wcześniej uratował mi życie.

Wpadam w szał, kiedy widzę, że przyczyna moich obecnych dylematów spokojnie rozbija namiot z tyłu naszego obozowiska.

— O której staję na warcie? — zwracam się do Jackson.

Mruży oczy z powątpiewaniem, a może tylko usiłuje skupić uwagę na mojej twarzy.

— Nie uwzględniłam cię w rozpisce — słyszę.

— Dlaczego?

— Nie jestem pewna, czy w razie konieczności byłabyś w stanie zastrzelić Peetę.

Podnoszę głos, żeby cała drużyna wyraźnie słyszała moje słowa.

— Nie zastrzeliłabym Peety, bo jego już nie ma. Johanna ma rację, równie dobrze mogłabym położyć trupem jakiegoś kapitolińskiego zmiecha. — Po tych wszystkich upokorzeniach, których doświadczyłam od powrotu Peety, z przyjemnością mówię o nim coś okropnego, głośno i przy świadkach.

— Hm, taki komentarz też ci nie pomoże — zauważa Jackson.

— Umieść ją w harmonogramie — rozlega się za mną głos Boggsa.

Jackson kręci głową, ale coś tam skrobie.

— Od północy do czwartej. Stoisz ze mną — mówi krótko.

Słyszymy gwizdek na kolację i razem z Gale'em ustawiam się w kolejce do kuchni polowej.

— Mam go zabić? — pyta mnie bez ogródek.

— Wtedy na pewno odesłaliby nas oboje — zauważam. Choć kipię wściekłością, uderza mnie brutalność tej propozycji. — Poradzę sobie z nim.

— Dopóki się nie ulotnisz, co? Razem ze swoim papierowym planem i ewentualnie holo, o ile uda ci się je zwinąć? — A zatem nie przeoczył moich przygotowań. Mam nadzieję, że inni nie byli aż tak bystrzy. Na szczęście nie czytają w moich myślach tak dobrze jak Gale. — Chyba nie zamierzasz mnie zostawić?

Dotąd taki właśnie miałam zamiar, ale perspektywa ucieczki z partnerem do polowania, który osłaniałby tyły, nie wydaje się teraz najgorsza.

— Jako twoja towarzyszka broni zdecydowanie muszę ci doradzić, żebyś trzymał się drużyny, ale przecież i tak cię nie powstrzymam, prawda?

Gale uśmiecha się szeroko.

— Nie, chyba że chcesz, abym postanowił na nogi resztę armii — mówi.

Członkowie drużyny 451 oraz ekipy telewizyjnej odbierają swoje porcje i posilają się w ciasnym kręgu. Z początku wydaje mi się, że są niepewni ze względu na obecność Peety, ale pod koniec posiłku wyczuwam na sobie nieprzychylne spojrzenia. To zmiana o sto osiemdziesiąt stopni, bo po przybyciu Peety cały zespół przejmował się zagrożeniem z jego strony, zwłaszcza niepokoili się o mnie. Zaczynam rozumieć sytuację dopiero po telefonie od Haymitcha.

— Co ty wyprawiasz? — pyta. — Usiłujesz sprowokować go do ataku?

— Ależ skąd. Zwyczajnie chcę, żeby zostawił mnie w spokoju.

— Nic z tego. Nie po tym, co mu zrobili w Kapitolu — oświadcza Haymitch. — Posłuchaj, nawet jeśli Coin wysłała Peetę, licząc na to, że cię zabije, chłopak o tym nie wie. Nie rozumie, co się z nim stało, dlatego nie obwiniaj go…

— Wcale go nie obwiniam! — protestuję.

— Jasne, że tak! Karzesz go raz za razem za to, nad czym nie panuje. Nie zrozum mnie źle. Moim zdaniem powinnaś mieć pod ręką nabitą broń, i to przez całą dobę, na okrągło. Ale chyba już pora, żebyś spróbowała postawić się na jego miejscu i odegrać w myślach ten krótki scenariusz. Gdybyś trafiła do kapitolińskiej niewoli i została poddana procesowi osaczania, a potem usiłowała zabić Peetę, to jak myślisz, czy traktowałby cię tak jak ty jego?

Milknę. Nie, oczywiście, że nie, wręcz przeciwnie, za wszelką cenę usiłowałby mnie uzdrowić. Na pewno nie odgradzałby się ode mnie, nie porzuciłby mnie, nie traktował wrogo na każdym kroku.

— Pamiętasz? Zawarliśmy porozumienie, ty i ja, że postaramy się uratować Peetę — zauważa Haymitch, a ja nie reaguję, więc mówi dalej: — Spróbuj sobie przypomnieć — i odkłada słuchawkę.

Jesienne dni stają się coraz chłodniejsze, większość drużyny nie wystawia nosów ze śpiworów. Część sypia pod gołym niebem, blisko źródła ciepła pośrodku obozu, inni chowają się w namiotach. Leeg Jeden w końcu się załamała po śmierci siostry i przez płócienny materiał docierają do nas jej stłumione szlochy. Kulę się w swoim namiocie, rozmyślam o słowach Haymitcha, aż wreszcie dociera do mnie cała wstydliwa prawda. Opętana żądzą skrytobójczego zamordowania Snowa, kompletnie zapomniałam o znacznie poważniejszym problemie, czyli o konieczności wyrwania Peety z mrocznego świata, do którego wpędziły go tortury. Nie mam pojęcia, jak go odnaleźć ani tym bardziej wyprowadzić na światło dzienne. Nic nie przychodzi mi do głowy. Mam wrażenie, że w porównaniu z tym przebycie najeżonej niebezpieczeństwami areny, zlokalizowanie Snowa i wpakowanie mu kuli w łeb jest dziecinną igraszką.

O północy wypełzam z namiotu i sadowię się na składanym stołku blisko grzejnika, żeby wraz z Jackson objąć straż. Boggs kazał Peecie nocować na widoku, tam, gdzie możemy mieć na niego oko. Peeta nie śpi, tylko siedzi ze śpiworem podciągniętym do klatki piersiowej i nieporadnie usiłuje splatać węzły na krótkim kawałku sznura. Znam dobrze tę linkę, właśnie ją pożyczył mi Finnick tamtej nocy w schronie. Gdy widzę ją w dłoniach Peety, czuję się tak, jakby Finnick potwierdzał słowa Haymitcha o tym, że spisałam Peetę na straty. Być może nadszedł odpowiedni moment na naprawę szkód. Chcę coś powiedzieć, ale nic nie przychodzi mi do głowy, więc milczę i wsłuchuję się w odgłosy nocy.

Po jakiejś godzinie odzywa się Peeta.

— Ostatnie dwa lata musiały być dla ciebie wyczerpujące — zauważa. — Zabić mnie czy nie, tak czy nie, tak czy nie, na okrągło.

Te słowa wydają mi się okropnie niesprawiedliwe, więc w pierwszym odruchu chcę rzucić coś złośliwego. Przypominam sobie jednak rozmowę z Haymitchem i postanawiam ostrożnie wyciągnąć rękę na zgodę.

— Nigdy nie chciałam cię zabić, może z wyjątkiem pewnego momentu, gdy doszłam do wniosku, że postanowiłeś ułatwić zawodowcom polowanie na mnie. Potem zawsze myślałam o tobie jak o... sojuszniku. — To dobre i bezpieczne określenie. Nie skrywa żadnych emocjonalnych zobowiązań, a zarazem wydaje się niegroźne.

— Sojusznik — powtarza Peeta powoli i delektuje się brzmieniem tego słowa. — Przyjaciółka. Ukochana. Zwyciężczyni. Wróg. Narzeczona. Cel. Zmiech. Sąsiadka. Myśliwa. Trybutka. Sojusznik. Dodam to ostatnie do listy wyrazów, których używam, żeby cię rozgryźć. — Przeplata sznur między palcami, raz za razem. — Problem w tym, że już nie umiem się rozeznać, co jest prawdą, a co zostało wymyślone.

Rytmiczne oddechy raptownie ustały, co dowodzi, że inni albo się obudzili, albo wcale nie spali. Osobiście podejrzewam to drugie.

Z tobołka w cieniu dobiega głos Finnicka:

— Peeta, w takim razie powinieneś pytać. Tak robi Annie.

— Kogo mam pytać? — mówi Peeta. — Komu mogę zaufać?

— Na początek nam — proponuje Jackson. — Jesteśmy twoją drużyną.

— Raczej moimi strażnikami.

— To też. Ale uratowałeś mnóstwo ludzi w Trzynastce, a o czymś takim się nie zapomina.

W ciszy, która zapada, usiłuję wyobrazić sobie, że nie jestem w stanie odróżnić iluzji od rzeczywistości. Że nie wiem, czy Prim i mama mnie kochają, czy Snow jest moim wrogiem, czy osoba po drugiej stronie grzejnika mnie uratowała, czy poświęciła. Przy minimalnym wysiłku moje życie błyskawicznie zmienia się w koszmar i nagle pragnę powiedzieć Peecie wszystko o tym, kim on jest i kim ja jestem, i jak trafiliśmy w to miejsce, ale nie wiem, od czego zacząć. Jestem bezwartościowa, kompletnie bezwartościowa.

Zaledwie kilka minut przed czwartą Peeta ponownie zwraca się do mnie.

— Twój ulubiony kolor… to zielony?

— Tak jest — potwierdzam, a po chwili przychodzi mi do głowy, że też mogę coś powiedzieć. — A twój to pomarańczowy.

— Pomarańczowy? — powtarza bez przekonania.

— Tak, ale nie jaskrawy, a raczej łagodny jak zachód słońca. Przynajmniej tak mi kiedyś powiedziałeś.

— Aha. — Na sekundę zamyka oczy, jakby usiłował przywołać w myślach tamten zachód słońca, a potem kiwa głową. — Dziękuję.

Słowa same zaczynają pchać mi się na usta.

— Jesteś malarzem. Jesteś piekarzem. Lubisz spać przy otwartych oknach. Nigdy nie słodzisz herbaty i zawsze podwójnie wiążesz sznurowadła.

Potem daję nura do namiotu, zanim zrobię coś głupiego, na przykład wybuchnę płaczem.

Rankiem idę z Gale'em i Finnickiem postrzelać trochę do szkła na budynkach, żeby ekipa telewizyjna mogła nakręcić nowy materiał. Po powrocie do obozu zastajemy Peetę siedzącego w wianuszku żołnierzy z Trzynastki, którzy są uzbrojeni, ale swobodnie z nim rozmawiają. Żeby pomóc Peecie, Jackson wymyśliła grę „prawda czy fałsz", która polega na tym, że on wspomina o czymś, co jego zdaniem się zdarzyło, a oni informują go, czy to prawda, czy wytwór wyobraźni, i zazwyczaj dorzucają jakieś krótkie wyjaśnienie.

— Większość mieszkańców Dwunastki zginęła w ogniu.

— Prawda. Do Trzynastki dotarło was mniej niż dziewięć setek.

— Do pożaru doszło z mojej winy.

— Fałsz. Prezydent Snow zniszczył Dwunastkę tak samo jak Trzynastkę, żeby dać jasny sygnał rebeliantom.

Pomysł wydaje się całkiem sensowny, dopóki nie dociera do mnie, że w większości wypadków tylko ja mogę potwierdzić lub rozwiać dręczące Peetę wątpliwości. Jackson wyznacza harmonogram straży, a Finnicka, Gale'a i mnie dobiera w pary z żołnierzami z Trzynastki, dzięki czemu Peeta zawsze będzie miał styczność z kimś, kto go zna. Nie prowadzimy zwykłych rozmów, Peeta bardzo długo roztrząsa nawet drobne informacje, takie jak ta, gdzie mieszkańcy Dwunastki kupowali mydło. Gale mówi mu mnóstwo rzeczy o naszym dystrykcie, a Finnick jest ekspertem od obu igrzysk z udziałem Peety, dlatego że w pierwszych był mentorem, a w drugich trybutem. Ponieważ jednak najwięcej wątpliwości Peety ma związek ze mną, a nie wszystko da się wyjaśnić w prostych słowach, nasze rozmowy są bolesne i skomplikowane, choć dotykamy zaledwie powierzchownych szczegółów. Gadamy zatem o kolorze mojej sukienki w Siódemce, o tym, że lubię bułki z serem, wspominamy nazwisko nauczyciela matematyki. Odtwarzanie związanych ze mną wspomnień Peety okazuje się wyjątkowo bolesne i chyba nawet niemożliwe po tym, co mu zrobił Snow. Mam jednak przekonanie, że próbując pomóc, postępuję słusznie.

Następnego popołudnia dowiadujemy się, że cała drużyna musi wystąpić w dość skomplikowanej propagicie. Peeta miał rację w jednej sprawie: Coin i Plutarch są niezadowoleni z jakości materiałów dostarczanych przez Drużynę Gwiazd, nijakich i bez wyrazu. Rzecz jasna, naszym zdaniem przyczyna jest oczywista: otrzymaliśmy zgodę wyłącznie na występy z bronią, nie na udział w prawdziwej walce. Ponieważ jednak nie chodzi o to, żebyśmy walczyli, tylko dostarczali materiał nadający się do wykorzystania, dzisiaj wyznaczono dla nas specjalny kwartał, gdzie są aż dwa aktywne kokony — pierwszy uruchamia karabiny maszynowe, a drugi chwyta ofiarę w sieć i więzi ją do czasu przesłuchania lub egzekucji, w zależności od decyzji wroga. Kwartał nie ma jednak znaczenia strategicznego i stoją tam wyłącznie budynki mieszkalne.

Ekipa telewizyjna chce podwyższyć poziom emocji poprzez wprowadzenie pozorów zagrożenia i w tym celu rozrzuca granaty dymne oraz dodaje odgłosy wystrzałów z broni palnej. Ubieramy się w ciężkie stroje ochronne, filmowcy również, jakbyśmy mieli trafić w sam środek bitwy. Ci z nas, którzy są wyposażeni w broń specjalnego przeznaczenia, mogą ją zabrać razem z karabinami. Boggs zwraca Peecie jego pistolet maszynowy, ale przy okazji informuje go głośno, że w magazynku znajdują się wyłącznie ślepaki.

Peeta tylko wzrusza ramionami.

— I tak marny ze mnie strzelec — mówi. Wydaje się zajęty obserwowaniem Polluksa, do tego stopnia, że robi się to trochę niepokojące. W końcu jednak rozwiązuje kłopotliwą zagadkę i odzywa się z przejęciem: — Jesteś awoksą, prawda? Poznaję po tym, jak przełykasz. W więzieniu siedziałem z dwojgiem awoksów, Dariusem i Lavinią, ale strażnicy głównie mówili o nich „rudzielce". Obsługiwali nas w Ośrodku Szkoleniowym, więc też trafili za kratki. Patrzyłem, jak zamęczyli ich na śmierć. Lavinii dopisało szczęście, bo przesadzili z wysokim napięciem i jej serce stanęło. Jego wykańczali całymi dniami. Bili go, odcinali mu części ciała i bezustannie zasypywali pytaniami, ale nie mógł mówić, więc tylko wydawał z siebie okropne, zwierzęce ryki. Wiecie, im wcale nie zależało na informacjach. Chcieli, żebym na to patrzył.

Wodzi wzrokiem po naszych wstrząśniętych twarzach, jakby czekał na odpowiedź, ale nikt nic nie mówi.

— Prawda czy fałsz? — dodaje po chwili. Brak reakcji denerwuje go jeszcze bardziej. — Prawda czy fałsz?

— Prawda — odpowiada Boggs. — Przynajmniej o ile mi wiadomo. Prawda.

Peeta zwiesza głowę.

— Tak myślałem. Nic mi tam nie błyszczało — dodaje od rzeczy i oddala się od grupy, mamrocząc coś o palcach u rąk i nóg.

Przysuwam się do Gale'a, przyciskam czoło do pancerza na jego piersi, a on otacza mnie ramieniem. W końcu znamy imię dziewczyny, która na naszych oczach została porwana przez ludzi Kapitolu w lasach Dwunastki, i wiem, co się stało z życzliwym Strażnikiem Pokoju, który usiłował ocalić życie Gale'owi. To nie jest dobra chwila na przywoływanie szczęśliwych, godnych zapamiętania chwil. Oboje stracili życie przeze mnie. Dodaję ich do osobistej listy zamordowanych, którą zaczęłam tworzyć na arenie, a teraz mam na niej tysiące ludzi. Gdy podnoszę wzrok, zauważam, że Gale zareagował inaczej. Jego mina świadczy o tym, że na ziemi nie ma dostatecznie dużo gór, które chciałby rozwalić, ani miast, które pragnąłby zburzyć. Ta twarz zapowiada śmierć.

Mając w pamięci upiorne wspomnienia Peety, przemierzamy ulice, a pod naszymi stopami chrzęści szkło. W końcu docieramy do kresu wędrówki, czyli do kwartału, który musimy zdobyć. To prawdziwy, choć niezbyt istotny cel do osiągnięcia. Zbieramy się wokół Boggsa, żeby obejrzeć holograficzną projekcję okolicy. Kokon z karabinami znajduje się mniej więcej w jednej trzeciej długości ulicy, tuż ponad markizą przy mieszkaniu, powinno się nam udać odpalić go kulami z pistoletów. Kokon z siecią usytuowano na końcu, niemal na rogu, a do jego neutralizacji potrzebny jest człowiek, który uruchomi czujniki. Zgłaszają się wszyscy z wyjątkiem Peety, ale on chyba nie całkiem rozumie, co się dzieje. Nie zostaję wybrana, bo muszę iść do Messalli, który z powodu zaplanowanych zbliżeń nakłada mi na twarz lekki makijaż.

Ustawiamy się na rozkaz Boggsa, a potem musimy zaczekać, aż Cressida rozmieści kamerzystów. Obaj stoją z naszej lewej,

Castor na przodzie, a Pollux z tyłu, żeby nie mogli filmować siebie nawzajem. Messalla wystrzeliwuje w niebo parę ładunków dymnych, podkręcając atmosferę. Ponieważ jednocześnie bierzemy udział w misji i w zdjęciach, chcę spytać, kto nam wydaje rozkazy, dowódca czy reżyserka, kiedy Cressida krzyczy: „Akcja!"

Powoli suniemy zadymioną ulicą, taką samą jak podczas ćwiczeń w Kwartale. Wszyscy mają do rozbicia co najmniej jeden rząd okien, ale to Gale wykona kluczowe zadanie. Gdy trafia w kokon, kryjemy się w drzwiach albo rozpłaszczamy na ładnych, jasnopomarańczowych i różowych kamieniach chodnika. Grad kul fruwa nad naszymi głowami na wszystkie strony, a po chwili Boggs rozkazuje nam ruszać dalej.

Cressida zatrzymuje nas, zanim zdążymy wstać, bo potrzebuje kilku ujęć z bliska. Na przemian odtwarzamy swoje poprzednie reakcje: padamy na ziemię, krzywimy się, dajemy nura do wnęk. Cała sprawa powinna być poważna, to oczywiste, ale ogarnia nas poczucie lekkiego absurdu, zwłaszcza wtedy, gdy się okazuje, że nie jestem najgorszym aktorem w drużynie. Co to, to nie. Wszyscy śmiejemy się do rozpuku, gdy Mitchell usiłuje zademonstrować, jak bardzo jest zdesperowany, i w tym celu zgrzyta zębami oraz rozszerza nozdrza. Dochodzi do tego, że Boggs musi nas przywołać do porządku.

— Weźcie się w garść, drużyno 451 — rozkazuje stanowczym tonem, ale zauważam na jego ustach lekki uśmiech, kiedy po raz drugi sprawdza następny kokon.

Ustawia holo, żeby znaleźć najlepsze światło w zadymionym powietrzu. Stoi twarzą do nas, kiedy cofa lewą stopę na kamień brukowy w kolorze pomarańczowym i w tej samej chwili odpala bombę, która urywa mu obie nogi.

Jest tak, jakby w jednej chwili malowane okno rozprysło się w drobny mak, odsłaniając ukryty za nim brzydki świat. Śmiechy przeradzają się we wrzaski, krew bryzga na pastelowe kamienie, prawdziwy dym przesłania efekty specjalne na potrzeby telewizji.

Druga eksplozja zdaje się rozdzierać powietrze, od jej siły zaczyna mi dzwonić w uszach. Mimo to nie mogę się zorientować, gdzie doszło do wybuchu.

Pierwsza dopadam Boggsa, usiłuję zrozumieć, co się stało, patrzę na rany i brakujące kończyny, szukam czegoś, co zdoła zatamować powódź krwi. Homes odpycha mnie na bok, gwałtownie otwiera przenośną apteczkę, a Boggs chwyta mnie za nadgarstek. Jego twarz, poszarzała od popiołu i utraty krwi, wydaje się coraz bardziej nieobecna, ale wypowiedziane przez niego słowo to rozkaz:

— Holo.

Holo. Rozpaczliwie grzebię w śliskich od krwi odpryskach płytek, wzdrygam się na widok fragmentów ciała. Znajduję holo na klatce schodowej, gdzie trafiło razem z butem Boggsa. Podnoszę je, ocieram gołymi rękami i zwracam Boggsowi.

Homes owinął kikut lewego uda Boggsa opaską uciskową, która zdążyła już przesiąknąć krwią. Teraz usiłuje założyć opatrunek na drugiej nodze, powyżej ocalałego kolana. Reszta drużyny ustawiła się w szyku obronnym wokół nas i filmowców. Finnick próbuje ocucić Messallę, którego siła uderzenia rzuciła na mur.

Jackson wrzeszczy do komunikatora polowego, bezskutecznie starając się zaalarmować obóz i wezwać ekipę medyczną, ale już jest na to za późno. W dzieciństwie podglądałam mamę przy pracy i stąd wiem, że gdy kałuża krwi osiągnie określony rozmiar, nie ma ratunku.

Klękam obok Boggsa, gotowa odegrać tę samą rolę, co przy Rue, z morfaliną z Szóstki na pokrzepienie, kiedy będzie rozstawał się z życiem. Ale Boggs oburącz majstruje przy holo, aktywuje je, przyciska kciuk do ekranu w celu przeprowadzenia identyfikacji daktyloskopijnej, w odpowiedzi na pytanie wypowiada serię liter oraz cyfr. Holo rozświetla się na zielono, rozjaśniając mu twarz.

— Niezdolny do dowodzenia — oświadcza. — Przekazuję zezwolenie na dostęp do ściśle tajnych informacji żołnierzowi Katniss Everdeen z drużyny 451. — Z najwyższym trudem odwraca holo w kierunku mojej twarzy. — Powiedz imię i nazwisko.

— Katniss Everdeen — przemawiam do snopa zielonego światła. Nagle czuję, że w nim uwięzłam, nie mogę się poruszyć ani nawet zamrugać, kiedy obrazy raptownie migają mi przed oczami. Czyżby holo mnie skanowało? A może mnie nagrywa lub oślepia? Wreszcie światło gaśnie, a ja potrząsam głową, żeby otrzeźwieć. — Co pan zrobił?

— Przygotować się do odwrotu! — ryczy Jackson.

Finnick coś jej odwrzaskuje i macha ręką w kierunku skraju kwartału, tam skąd przyszliśmy. Czarna oleista maź tryska niczym gejzer z ulicy, wypiętrza się między budynkami i tworzy nieprzeniknioną ścianę mroku. Nie jest chyba ani płynem, ani gazem, nie wydaje się ani mechaniczna, ani naturalna. Z całą pewnością jest zabójcza, więc nie ma już drogi powrotnej.

Rozbrzmiewa ogłuszający huk wystrzałów, kiedy Gale i Leeg Jeden zaczynają ryć w chodniku ścieżkę do przeciwległego końca kwartału. Nie mam pojęcia, po co to robią, dopóki dziesięć metrów dalej nie eksploduje inna bomba, pozostawiając po sobie lej w kamiennym bruku. Wtedy załapuję, że zamierzają prowizorycznie oczyścić drogę z min. Wraz z Homesem chwytam Boggsa i wleczemy go za Gale'em. W końcu ból dopada Boggsa, który teraz przeraźliwie krzyczy, więc chcę się zatrzymać, znaleźć lepszą metodę transportu, ale ciemność unosi się ponad budynkami, pęcznieje, toczy się ku nam niczym fala.

Siła wybuchu odrzuca mnie do tyłu, puszczam Boggsa i padam jak długa na kamienie. Peeta spogląda na mnie z góry, nieobecny, wściekły, ponownie w swoim osaczonym świecie, i unosi broń, żeby zmiażdżyć mi czaszkę. W ostatniej chwili przetaczam się na bok i słyszę, jak kolba tłucze o chodnik. Kątem oka zauważam padające ciała, kiedy Mitchell rzuca się na Peetę i przygważdża go do ziemi. Ale Peeta, silny jak zawsze, a teraz dodatkowo stymulowany szaleństwem gończych os, mocno wali Mitchella stopami w podbrzusze i odrzuca go od siebie.

Rozlega się donośny trzask pułapki uruchomionej przez uaktywniony kokon. Cztery druty przymocowane do prowadnic na budynkach przebijają się przez kamienie, ciągnąc za sobą sieć, która oplątuje Mitchella. To, że tak szybko zalewa się krwią, wydaje się kompletnie bez sensu, ale po chwili zauważamy sterczące z drutu kolce. Z miejsca go rozpoznaję, to ten sam drut kolczasty, który uwieńczył szczyt ogrodzenia wokół Dwunastki. Krzyczę do Mitchella, żeby się nie ruszał, i jednocześnie dławię się wonią czerni, intensywną i smolistą. Fala się spiętrzyła i teraz opada.

Gale i Leeg Jeden roztrzaskują kulami zamek drzwi wejściowych budynku na rogu, po czym prują seriami w druty podtrzymujące sieć Mitchella. Reszta obezwładnia Peetę, a ja ruszam z powrotem do Boggsa, żeby razem z Homesem wciągnąć go do mieszkania, wlec przez czyjś różowo-biały, pełen aksamitnych tkanin salon, przez korytarz obwieszony rodzinnymi fotografiami, aż do kuchni, w której padamy na marmurową podłogę. Castor i Pollux wprowadzają wyrywającego się Peetę. Jackson jakoś się udaje zakuć go w kajdanki, ale to jeszcze bardziej go rozwściecza, więc muszą Peetę zamknąć w schowku.

W salonie zatrzaskują się drzwi wejściowe, ludzie krzyczą, a potem z korytarza dobiega dudnienie kroków, gdy czarna fala z rykiem przetacza się obok budynku. W kuchni słychać skrzypienie i trzask rozbijanych okien, czuć zabójczy odór smoły. Finnick wnosi Messallę, za nimi wtaczają się Leeg Jeden i Cressida, kaszląc jak oszalałe.

— Gale! — skrzeczę.

Jest. Zatrzaskuje za sobą drzwi do kuchni i wykrztusza tylko jedno słowo:

— Wyziewy!

Castor i Pollux chwytają ręczniki i fartuchy, żeby upchnąć je w szczelinach, a Gale dostaje gwałtownych torsji i wymiotuje do jaskrawożółtego zlewu.

— Mitchell? — pyta Homes.

Leeg Jeden tylko kręci głową.

Boggs wciska mi holo w dłoń i porusza ustami, ale nie mogę zrozumieć, co chce powiedzieć. Przysuwam ucho do jego ust i wsłuchuję się w chrapliwy szept:

— Nie ufaj im. Nie wracaj. Zabij Peetę. Zrób to, po co przyjechałaś.

Cofam się, żeby spojrzeć mu w twarz.

— Co takiego? Panie Boggs? Boggs?

Ciągle ma otwarte oczy, ale już nie żyje. Trzymam w dłoni holo, które lepi mi się do skóry mokrej od jego krwi.

Zamknięty w spiżarce Peeta hałaśliwie kopie w drzwi i zagłusza urywane oddechy moich towarzyszy. Nasłuchujemy, lecz wygląda na to, że z każdą chwilą traci energię. Kopniaki cichną i zmieniają się w nieregularne dudnienie. Potem zapada cisza. Zastanawiam się, czy i on już nie żyje.

— Umarł? — pyta Finnick i spogląda z góry na Boggsa. Kiwam głową. — Musimy wydostać się stąd, i to natychmiast.

Właśnie uruchomiliśmy całą ulicę kokonów. Idę o zakład, że nagrali nas kamerami kontrolnymi.

— Bez dwóch zdań — potakuje Castor. — Aż się od nich roi w tej okolicy. Zakład, że ręcznie uruchomili czarną falę, gdy zobaczyli, jak kręcimy propagitę.

— Nasze radiokomunikatory zdechły niemal natychmiast, pewnie przez jakieś urządzenie emitujące impuls elektromagnetyczny. Ale i tak doprowadzę nas z powrotem do obozu. Dawaj holo. — Jackson wyciąga rękę, ale ja przyciskam holo do piersi.

— Nie. Boggs przekazał je mnie.

— Nie bądź śmieszna — warczy Jackson. Oczywiście uważa, że holo należy się jej, bo przecież jest następna w hierarchii dowodzenia.

— To prawda — popiera mnie Homes. — Tuż przed śmiercią przekazał jej zezwolenie na dostęp do ściśle tajnych informacji. Byłem przy tym.

— Niby dlaczego miałby to zrobić? — Jackson jest wyraźnie zbulwersowana.

Właśnie, dlaczego? Kręci mi się w głowie od upiornych wydarzeń ostatnich pięciu minut: okaleczenie, męka i śmierć Boggsa, morderczy szał Peety, Mitchell skąpany we krwi, pochwycony w sieć i pochłonięty przez odrażającą czarną falę. Spoglądam na Boggsa i myślę, że bardzo będzie mi go brakowało. Nagle nabieram pewności, że on, może tylko on, był całkowicie po mojej stronie. Wspominam jego ostatnie rozkazy…

„Nie ufaj im. Nie wracaj. Zabij Peetę. Zrób to, po co przyjechałaś".

Co miał na myśli? Komu mam nie ufać? Rebeliantom? Coin? Ludziom, którzy w tej chwili na mnie patrzą? Nie wrócę, ale Boggs musiał wiedzieć, że nie wpakuję Peecie kuli w głowę ot tak. Czy jestem do tego zdolna? Czy powinnam to zrobić? Czy Boggs się domyślił, że tak naprawdę przyjechałam tutaj z zamiarem zdezerterowania i zabicia Snowa na własną rękę?

W tej chwili nie poradzę sobie z tymi wszystkimi wątpliwo-ściami, więc postanawiam zastosować się do pierwszych dwóch poleceń. Nie wolno mi nikomu ufać i muszę przemieścić się w głąb Kapitolu. Tylko jak mam to uzasadnić? Jak skłonić resztę drużyny do pozostawienia holo w moich rękach?

— Prezydent Coin wysłała mnie ze specjalną misją. Moim zdaniem tylko Boggs o tym wiedział.

Te słowa zupełnie nie przekonują Jackson.

— Niby co masz zrobić?

Dlaczego nie wyznać im prawdy? Jest równie wiarygodna jak cokolwiek, co mogłabym wymyślić. Muszę tylko udawać, że chodzi o prawdziwą misję, a nie o żądzę zemsty.

— Jestem tu po to, żeby zamordować prezydenta Snowa, zanim liczba ofiar wzrośnie do tego stopnia, że przestaniemy być samowystarczalni.

— Nie wierzę ci — oświadcza Jackson z miejsca. — Jako twój obecny dowódca rozkazuję ci przekazać mi dostęp do ściśle tajnych informacji.

— Nie — odpowiadam. — To byłoby jawne złamanie rozka-zów prezydent Coin.

Sytuacja jest patowa, połowa drużyny mierzy do Jackson, druga połowa do mnie. Strzelanina wisi w powietrzu, kiedy głos zabiera Cressida.

— To prawda — mówi. — Właśnie dlatego tutaj jesteśmy, Plutarch chciał mieć to na taśmie. Twierdzi, że jeśli nagramy, jak Kosogłos zabija Snowa, wojna się skończy.

To daje Jackson do myślenia. Po chwili wskazuje pistoletem spiżarkę.

— A ten tu niby po co?

Jestem ugotowana, nie przychodzi mi do głowy żaden sen-sowny powód, dla którego Coin miałaby przysyłać nam nie-zrównoważonego chłopaka zaprogramowanego na zabicie mnie, skoro mam takie ważne zadanie do wykonania. Ta sprawa całkowicie podważa sens mojej historii, ale Cressida znów przychodzi mi z pomocą.

— Dwa wywiady Caesara Flickermana z Peetą po igrzyskach odbyły się w prywatnej kwaterze prezydenta Snowa. Plutarch uważa, że Peeta może nas doprowadzić do miejsca, o którym prawie nic nie wiemy.

Korci mnie, żeby spytać Cressidę, z jakiego powodu kłamie, dlaczego pomaga mi w tej samowolnej misji, ale to oczywicie nie jest dobry moment.

— Musimy iść! — wtrąca Gale. — Ruszam razem z Katniss. Jeśli ktoś nie chce, niech wraca do obozu. Tak czy owak, na nas pora.

Homes przekręca klucz w drzwiach spiżarki, otwiera je i przerzuca przez ramię nieprzytomnego Peetę.

— Gotów — oznajmia.

— Boggs? — pyta Leeg Jeden.

— Nie możemy go zabrać. Zrozumiałby — mówi Finnick. Sięga po broń Boggsa i przewiesza ją przez ramię. — Prowadź, żołnierzu Everdeen.

Nie wiem jednak, w jaki sposób. Spoglądam na holo, żeby się zorientować, dokąd iść. Holo jest aktywne, ale równie dobrze mogłoby być wyłączone, bo ani trochę nie mogę się w nim połapać. Nie mam czasu na zabawę z przyciskami i próby rozgryzania obsługi.

— Nie wiem, co mam z tym zrobić. Boggs powiedział, że mi pomożesz — zwracam się do Jackson. — Podobno mogę na ciebie liczyć, zapewnił mnie o tym.

Jackson groźnie ściąga brwi, wyrywa mi holo i wystukuje polecenie, a maszyna wyświetla obraz skrzyżowania.

— Za kuchennymi drzwiami znajduje się małe podwórze, a dalej tył innego budynku mieszkalnego na rogu. Teraz widzimy hologram czterech ulic, które stykają się na skrzyżowaniu.

Usiłuję się zorientować, gdzie jestem, gdy patrzę na przekrój mapy pełnej migoczących punktów przedstawiających kokony. Na domiar złego są to tylko kokony znane Plutarchowi. Holo nie wyświetliło żadnej informacji o tym, że kwartał, który właśnie opuściliśmy, był zaminowany, znajdował się w nim czarny gejzer, a sieć w kokonie zrobiono z drutu kolczastego. Poza tym zapewne będziemy musieli stawić czoło Strażnikom Pokoju, a oni już wiedzą, gdzie nas szukać. Przygryzam wargę, wyczuwam na sobie wzrok wszystkich obecnych.

— Włóżcie maski. Wyjdziemy stąd tą samą drogą, którą przyszliśmy.

Od razu wybuchają protesty, muszę przekrzykiwać głosy żołnierzy.

— Skoro fala była tak potężna, mogła uruchomić i pochłonąć inne kokony na naszej drodze.

Ludzie milkną, żeby przetrawić moje słowa. Pollux szybko miga kilka znaków do brata.

— Maź mogła zniszczyć także kamery — tłumaczy Castor. — Wystarczyło, że pokryła obiektywy.

Gale opiera but na blacie i uważnie ogląda plamę czerni na dużym palcu. Następnie zeskrobuje ją kuchennym nożem wyciągniętym z bloku.

— Nie jest żrąca — ocenia. — Moim zdaniem miała nas albo udusić, albo otruć.

— Maski to chyba najlepszy pomysł — dodaje Leeg Jeden.

Sięgamy zatem po maski przeciwgazowe. Finnick poprawia maskę na nieruchomej twarzy Peety, a Cressida i Leeg Jeden biorą między siebie oszołomionego Messallę.

Czekam, aż ktoś stanie na czele drużyny, i nagle sobie przypominam, że teraz to mój obowiązek. Popycham drzwi do kuchni, lecz nie napotykam oporu. Centymetrowej grubości warstwa czarnej brei pokrywa salon i niemal trzy czwarte korytarza. Kiedy ostrożnie dotykam jej czubkiem buta, okazuje się, że ma konsystencję galarety. Unoszę stopę, a wtedy maź lekko się rozciąga i odskakuje z powrotem, więc robię trzy kroki naprzód i oglądam się za siebie. Na galarecie nie pozostały żadne ślady. To pierwsza dobra wiadomość tego dnia. Żel robi się nieco gęstszy, gdy mijam salon. Ostrożnie uchylam drzwi, spodziewając się powodzi, ale galareta pozostaje nieruchoma.

Różowo-pomarańczowy kwartał wygląda tak, jakby ktoś go zanurzył w błyszczącej czarnej farbie i pozostawił do wyschnięcia. Kamienie brukowe, budynki, nawet dachy są pokryte galaretą. Nad ulicą zwisa duża kropla, z której wystają dwa kształty: lufa pistoletu maszynowego oraz ludzka dłoń. Dłoń Mitchella. Czekam na chodniku, wpatruję się w zwłoki, a po chwili dołącza do mnie cała drużyna.

— Jeśli ktoś woli wrócić, wszystko jedno z jakiego powodu, niech to zrobi teraz — oznajmiam. — Nie będzie żadnych pytań ani pretensji.

Najwyraźniej nikt nie jest skłonny do wycofania się, więc ruszam w głąb Kapitolu ze świadomością, że czas goni. Galareta jest tutaj głębsza, ma od dziesięciu do piętnastu centymetrów grubości, a przy każdym uniesieniu nogi rozlega się charakterystyczne cmoknięcie. Mimo to maź konsekwentnie maskuje nasze ślady.

Fala musiała być gigantyczna i niewiarygodnie potężna, bo objęła kilka kwartałów przed nami. Choć zachowuję ostrożność, z każdą chwilą przekonuję się coraz bardziej, że instynkt mnie nie zawiódł, maź rzeczywiście odpaliła inne kokony. Na całej długości jednego z kwartałów widzę złociste trupy gończych os, które z pewnością wyleciały z pułapki tylko po to, by natychmiast zatruć się oparami. Nieco dalej napotykamy zawalony blok mieszkalny, w całości pokryty górą galarety. Biegiem mijam skrzyżowania, po drodze unosząc rękę, żeby inni zaczekali, aż sprawdzę, czy droga jest wolna. Wygląda jednak na to, że fala rozbroiła kokony znacznie skuteczniej, niż mogłaby to zrobić jakakolwiek drużyna rebeliantów.

W piątym kwartale orientuję się, że dotarliśmy do miejsca, w którym fala zaczęła stopniowo słabnąć. Galareta ma tylko trzy centymetry grubości, a za następnym skrzyżowaniem zauważam jasnobłękitne dachy domów. Popołudniowe słońce przygasło, więc nadeszła pora, żebyśmy poszukali schronienia i zastanowili się, co dalej. Wybieram mieszkanie w dwóch trzecich długości kwartału, a Homes wyważa zamek. Rozkazuję wszystkim wejść do środka, jednak sama jeszcze przez chwilę stoję na zewnątrz i patrzę, jak znikają ostatnie odciski naszych butów. Dopiero wtedy zamykam za sobą drzwi.

Latarki wbudowane w naszą broń oświetlają duży salon ze ścianą z luster odbijających nasze twarze. Gale sprawdza okna, które wydają się nienaruszone, i ściąga maskę.

— W porządku — zapewnia. — Zapach jest wyczuwalny, ale niezbyt mocny.

Na pierwszy rzut oka mieszkanie jest rozplanowane tak samo jak to, w którym schroniliśmy się wcześniej. Galareta kompletnie zaciemniła okna od frontu, ale trochę światła wpada zza żaluzji w kuchni. Z holu wchodzi się do dwóch sypialni z łazienkami, a spiralne schody prowadzą z salonu na otwartą przestrzeń, która zajmuje większość pierwszego piętra. Na górze nie ma okien, ale palą się lampy, zapewne pozostawione przez kogoś, kto ewakuował się w pośpiechu. Jedną ścianę zajmuje wielki ekran telewizyjny, ciemny, ale emanujący łagodną poświatą. W różnych miejscach pomieszczenia stoją luksusowe fotele oraz kanapy, i tutaj się gromadzimy, opadamy na wygodne meble, usiłujemy złapać oddech.

Jackson przez cały czas mierzy do Peety, choć ten jest skuty kajdankami i nieprzytomny. Leży na granatowej sofie, tam gdzie cisnął go Homes. Co do cholery mam zrobić z Peetą, z ekipą, właściwie ze wszystkimi poza Gale'em i Finnickiem? Wolałabym wytropić Snowa z nimi dwoma niż bez nich, nie mogę jednak prowadzić dziesięciorga ludzi przez Kapitol, udając, że podążam z misją, nawet gdybym umiała odczytywać informacje z holo. Czy powinnam była i czy mogłam odesłać ich z powrotem, kiedy nadarzała się sposobność? A może niebezpieczeństwo było zbyt poważne, zarówno dla mnie, jak i dla mojej misji? Czy na pewno dobrze zrobiłam, słuchając Boggsa? Przecież umierał, kto wie, czy nie bredził? Może powinnam była umyć ręce? Ale wówczas Jackson przejęłaby dowodzenie i skończylibyśmy w obozie, gdzie musiałabym odpowiedzieć przed Coin.

Złożoność problemów, w które wpakowałam nas wszystkich, zaczyna przeciążać mi umysł, gdy nagle pokojem wstrząsa seria odległych eksplozji.

— To nie było blisko — zapewnia Jackson. — Dobre cztery lub pięć przecznic stąd.

— Tam, gdzie zostawiliśmy Boggsa — dodaje Leeg Jeden.

Choć nikt z nas nawet nie podszedł do telewizora, ten nieoczekiwanie ożywa. Ekran rozbłyskuje, a z głośników słychać przenikliwy pisk. Połowa drużyny zrywa się na równe nogi.

— Spokój! — krzyczy Cressida. — To tylko wiadomości specjalne. Każdy telewizor w Kapitolu jest wyposażony w automatyczny system uruchamiania w wypadku transmisji nadzwyczajnej.

Pojawiamy się na ekranie, w scenie zaraz po tym, jak bomba śmiertelnie okaleczyła Boggsa. Głos z offu informuje widzów, że właśnie oglądają nas podczas próby przegrupowania w reakcji na czarną galaretę, która wystrzeliwuje z ulicy, i że tracimy panowanie nad sytuacją. Widzimy kompletny chaos, a po chwili fala przysłania widok z kamer. W ostatnim ujęciu pojawia się Gale, sam na ulicy, podczas próby porozrywania kulami drutów, które unieruchamiają Mitchella ponad ziemią.

Komentatorka rozpoznaje i nazywa po imieniu Gale'a, Finnicka, Boggsa, Peetę, Cressidę oraz mnie.

— Nie ma transmisji z powietrza. Boggs miał rację, że brakuje im poduszkowców — mamrocze Castor. Nie zwróciłam na to uwagi, ale kamerzysta chyba od razu wyłapuje takie rzeczy.

Nagrywano nas z podwórza za domem, w którym się ukryliśmy. Strażnicy Pokoju ustawiają się na dachu naprzeciwko naszej poprzedniej kryjówki, a pociski artyleryjskie walą w rząd mieszkań i wybuchają jeden po drugim w serii, którą niedawno słyszeliśmy. Po chwili budynek wali się w gruzy, wzniecając chmurę pyłu. Teraz przebitka na transmisję na żywo, dziennikarka stoi na dachu, razem ze Strażnikami, a za nią płonie blok mieszkalny. Strażacy usiłują ugasić pożar wodą z węzów, a my zostajemy uznani za martwych.

— Wreszcie mamy trochę szczęścia — zauważa Homes.

Chyba ma słuszność, lepsze to niż pościg Kapitolu. Wyobrażam sobie jednak, co się dzieje w Trzynastce. Mama, Prim, Hazelle i dzieciaki, Annie, Haymitch i cała masa innych ludzi myśli teraz, że w telewizji nadano relację z naszych ostatnich chwil.

— Tata — odzywa się Leeg Jeden. — Dopiero co stracił moją siostrę, a teraz…

Patrzymy, jak w telewizji powtarzają ten sam materiał na okrągło i delektują się zwycięstwem, zwłaszcza nade mną. Po pewnym czasie kończą powtórki i emitują zmontowany film o Kosogłosie i jego sukcesie wśród rebeliantów. Wygląda na to, że przygotowali ten program już jakiś czas temu, bo jest starannie dopracowany. Następnie prezentują dwójkę komentatorów, którzy na żywo omawiają mój zasłużony nagły koniec. Po wszystkim pada zapowiedź oficjalnego przemówienia Snowa, ekran z powrotem ciemnieje, roztaczając jedynie słabą poświatę.

Rebelianci ani razu nie próbują zagłuszyć programu, co chyba świadczy o tym, że wierzą w informacje Kapitolu. Jeśli tak, to jesteśmy zdani na siebie.

— Skoro nie żyjemy, to jaki będzie nasz następny ruch? — pyta Gale.

— To chyba oczywiste, prawda? — Nikt nie zauważył, że Peeta odzyskał przytomność. Nie wiem, jak długo oglądał telewizję, ale z jego zbolałej miny wnioskuję, że widział, co się stało na ulicy. Patrzył, jak dostał szału, jak usiłował zmiażdżyć mi głowę, jak pchnął Mitchella na kokon. Siada z bolesnym wysiłkiem i kieruje wzrok na Gale'a. — Przyszła pora… żebyśmy mnie zabili.

Nie mija godzina, a to już druga prośba o zabicie Peety.

— Nie bądź śmieszny — odzywa się Jackson.

— Właśnie zamordowałem członka naszej drużyny! — krzyczy Peeta.

— Odepchnąłeś go od siebie. Nie mogłeś wiedzieć, że przez to uruchomisz pułapkę z siecią. — Finnick usiłuje go uspokoić.

— Kogo to obchodzi? Facet nie żyje, tak? — Po policzkach Peety spływają łzy. — Nie wiedziałem. Nigdy dotąd nie byłem w takim stanie. Katniss ma rację, jestem potworem, jestem zmiechem. Snow naprawdę zamienił mnie w broń!

— Peeta, to nie twoja wina — pociesza go Finnick.

— Nie możecie zabrać mnie ze sobą. Na pewno kogoś zabiję, to tylko kwestia czasu. — Peeta wodzi wzrokiem po naszych niepewnych twarzach. — Może uważacie, że szlachetniej będzie porzucić mnie gdzieś, zostawić na pastwę losu. Ale równie dobrze moglibyście przekazać mnie Kapitolowi. Waszym zdaniem byłoby dla mnie lepiej, gdybym znowu trafił w łapy Snowa?

Peeta ponownie w niewoli u prezydenta. Torturowany i męczony tak długo, aż całkowicie i nieodwracalnie zniknie cała jego wcześniejsza osobowość.

Sama nie wiem dlaczego, ale w mojej głowie rozbrzmiewa ostatnia zwrotka *Drzewa wisielców*, w której mężczyzna mówi, że dla jego ukochanej lepsza będzie śmierć niż zetknięcie ze złem tego świata.

Czy chcesz, czy chcesz
Pod drzewem skryć się też?
W naszyjniku ze sznura, u boku mego nie czekaj pomocy.
Dziwnie już tutaj bywało,
Nie dziwniej więc by się stało,
Gdybyśmy się spotkali pod wisielców drzewem o północy.

— Zabiję cię, zanim do tego dojdzie — zapewnia go Gale. — Obiecuję.

Peeta się waha, jakby rozważał wiarygodność tej zapowiedzi, a potem kręci głową.

— To na nic. A jak nie będzie cię w pobliżu? Chcę mieć przy sobie pastylkę z trucizną, jak wy wszyscy.

Łykołak. Jedna pastylka pozostała w obozie, w specjalnej kieszonce w kostiumie Kosogłosa, ale mam dodatkową przy sobie, na piersi, w kieszeni munduru. Ciekawe, że nie wydali trucizny Peecie. Może Coin uznała, że ją połknie, zanim będzie miał okazję mnie zabić? Nie jestem pewna, czy Peeta chce powiedzieć, że zabiłby się teraz, by oszczędzić nam konieczności mordowania go, czy też odebrałby sobie życie wyłącznie w wypadku pojmania go przez Kapitol. W stanie, w którym się znajduje, zapewne bardziej prawdopodobne jest to pierwsze. Tak byłoby lepiej dla nas — nie musielibyśmy go zabijać, no i dodatkowo odpadłby problem z jego morderczymi napadami.

Nie wiem, czy to z powodu kokonów, czy okropnej śmierci Boggsa, ale czuję się, jakbym nigdy nie opuściła areny. Ponownie walczę nie tylko o własne przetrwanie, ale także o życie Peety. Jaką satysfakcję, jaką uciechę miałby Snow, gdybym zabiła Peetę. Gdybym miała na sumieniu i jego śmierć.

— Nie chodzi o ciebie — zapewniam go. — Wyruszyliśmy z misją, a ty jesteś niezbędny do jej ukończenia. — Spoglądam na resztę grupy. — Myślicie, że da radę znaleźć tu coś do żarcia?

Poza apteczką i kamerami mamy tylko mundury i broń.

Połowa z nas zostaje, żeby pilnować Peety i mieć oko na programy Snowa, reszta wyrusza na poszukiwania żywności. Messalla okazuje się najbardziej przydatny, bo mieszkał w niemal idealnej kopii tego mieszkania i wie, gdzie ludzie zwykle trzymają zapasy. Na przykład w schowku zamaskowanym wielkim lustrem w sypialni albo za łatwą do zdemontowania kratką wentylacyjną w przedpokoju. Zatem choć szafki w kuchni świecą pustkami, znajdujemy ponad trzydzieści puszek z żywnością oraz kilka pudełek ciastek.

Te zapasy budzą niesmak wychowanych w Trzynastce żołnierzy.

— To nie jest wbrew prawu? — pyta Leeg Jeden.

— Wręcz przeciwnie. Kto tego nie robił w Kapitolu, był uważany za głupca — zapewnia ją Messalla. — Ludzie zaczęli gromadzić brakujące produkty jeszcze przed Ćwierćwieczem Poskromienia.

— I w rezultacie inni ich nie mieli — dopowiada Leeg Jeden.

— Oczywiście — potwierdza Messalla. — Tak to tutaj wygląda.

— I całe szczęście, bo dzięki temu my mamy kolację — mówi Gale. — Każdy częstuje się puszką!

Część osób ma wyraźne opory, ale to równie dobry sposób jak każdy inny. Nie jestem w nastroju na dzielenie wszystkiego na jedenaście proporcjonalnych części, z uwzględnieniem wieku, wagi ciała i wysiłku fizycznego. Grzebię w stercie i już mam się zadowolić zupą z dorsza, kiedy Peeta podaje mi konserwę.

— Trzymaj — mówi.

Biorę, choć nie wiem, czego się spodziewać. Na etykiecie widnieje napis: „Jagnięcina w potrawce".

Zaciskam wargi na wspomnienie deszczu kapiącego spomiędzy kamieni, moich niezdarnych prób flirtu i chłodnego powietrza o zapachu mojej ulubionej kapitolińskiej potrawy. Cząstka tych samych wspomnień z pewnością ciągle tkwi także w głowie Peety. Pamięta, jacy byliśmy szczęśliwi i bliscy sobie, jak bardzo doskwierał nam głód, kiedy przed naszą jaskinią pojawił się piknikowy koszyk.

— Dzięki. — Otwieram puszkę. — Są tu nawet suszone śliwki.

Wyginam wieczko i wykorzystuję je jako prowizoryczną łyżkę. Teraz to miejsce jeszcze bardziej przypomina mi arenę. Przekazujemy sobie pudełko z fantazyjnymi ciastkami z kremem, kiedy ponownie słychać pisk. Na ekranie pojawia się emblemat Panem i nie znika z wizji przez cały czas trwania hymnu. Potem realizatorzy wyświetlają zdjęcia zmarłych, zupełnie jak kiedyś martwych trybutów na arenie. Początkowo widzimy cztery twarze członków naszej ekipy telewizyjnej, potem pojawiają się Boggs, Gale, Finnick, Peeta i ja. Z wyjątkiem Boggsa, nie ma żadnych żołnierzy z Trzynastki. Realizatorzy nie zawracają sobie nimi głowy, bo albo sami nie wiedzą, co to za jedni, albo dlatego, że widzowie i tak ich nie znają. Potem pojawia się prezydent we własnej osobie. Siedzi za biurkiem na tle udrapowanej flagi, ze świeżą białą różą w butonierce. Wygląda na to, że niedawno znowu poddał się zabiegom upiększającym, bo usta ma pełniejsze niż zwykle. Jego ekipa przygotowawcza naprawdę powinna lżejszą ręką nakładać mu róż na policzki.

Snow gratuluje Strażnikom Pokoju doskonałej roboty i ogłasza, że to właśnie oni uwolnili państwo od zagrożenia znanego jako Kosogłos. Przewiduje, że po mojej śmierci nastąpi zwrot w wojnie, gdyż zniechęceni rebelianci nie będą mieli za kim podążać. Poza tym, niby kim byłam? Biedną niezrównoważoną dziewczynką o umiarkowanym talencie do posługiwania się łukiem i strzałami. Nie wielką myślicielką, nie strategiem rebelii, jedynie twarzą wyłowioną z tłumu, i to tylko dlatego, że przykułam uwagę narodu swoim groteskowym zachowaniem na igrzyskach. Mimo to byłam niezbędna, absolutnie niezbędna, gdyż rebelianci nie mają w swoim gronie żadnego prawdziwego przywódcy.

Gdzieś w Trzynastym Dystrykcie Beetee naciska guzik, bo nagle prezydent Snow znika z ekranu i spogląda na nas prezydent Coin. Przedstawia się całemu Panem, oznajmia, że jest przywódczynią rebelii, a następnie wygłasza peany pod moim adresem. Wychwala dziewczynę, która przetrwała na Złożysku, przeżyła na arenie, po czym zmieniła niewolników systemu w armię bojowników o wolność.

— Żywa czy martwa, Katniss Everdeen pozostanie twarzą powstania. Jeśli kiedykolwiek ogarną was wątpliwości, pomyślcie o Kosogłosie, w niej odnajdziecie siłę potrzebną do uwolnienia Panem od ciemiężycieli.

— Kto by pomyślał, że tyle dla niej znaczyłam — zauważam, co spotyka się z rozbawionym parsknięciem Gale'a i pytającymi spojrzeniami reszty.

Na ekranie pojawia się moje solidnie wyretuszowane zdjęcie — na tle migoczących płomieni wyglądam zarazem pięknie i surowo. Nie padają żadne słowa ani hasła, teraz wystarczy im tylko moja twarz.

Beetee oddaje ekran bardzo opanowanemu Snowowi, który chyba sądził dotąd, że kanał awaryjny jest nienaruszalny. Skoro okazało się, że jest inaczej, zapewne jeszcze tego wieczoru ktoś zapłaci za to głową.

— Jutro rano, kiedy wydobędziemy z popiołów zwłoki Katniss Everdeen, stanie się jasne, kim dokładnie jest Kosogłos. To martwa dziewczyna, która nikogo nie zdołała uratować, nawet siebie. — Godło, hymn i koniec transmisji.

— Tyle, że jej tam nie znajdziecie — mówi Finnick do ciemnego ekranu, wyrażając głośno nasze myśli.

Ale krótko będziemy nad nimi górować. Po przekopaniu zgliszczy okaże się, że brakuje w nich jedenastu ciał, a wtedy nasza ucieczka wyjdzie na jaw.

— Przynajmniej mamy nad nimi przewagę czasową — zauważam.

Nagle ogarnia mnie potworne zmęczenie. Mam chęć położyć się na zielonej pluszowej kanapie, która stoi obok, i zasnąć, otulona kołdrą z króliczego futra i gęsiego pierza. Zamiast tego wyciągam holo i nalegam, żeby Jackson nauczyła mnie paru komend, chcę znać przynajmniej podstawy obsługi. Najważniejsze to umieć wprowadzić dane najbliższego skrzyżowania na siatkę mapy. Kiedy zatem holo wyświetla obraz naszego otoczenia, jestem jeszcze bardziej załamana. Z pewnością znajdujemy się bliżej głównych celów, bo liczba kokonów znacznie wzrosła. Jak mamy się przemieszczać w tej feerii rozmigotanych świateł i jednocześnie liczyć na to, że nas nie wykryją? Nic z tego. A skoro nie możemy iść dalej, to utknęliśmy jak ptaki w sieci. Dochodzę do wniosku, że nie wolno mi traktować tych ludzi z wyższością, zwłaszcza że mój wzrok nieuchronnie wędruje ku zielonej kanapie.

— Ktoś ma jakiś pomysł? — pytam wobec tego.

— Chyba powinniśmy zacząć od wykluczenia tego, co nie wchodzi w grę — proponuje Finnick. — Czyli przemieszczanie się ulicą.

— Dachy też odpadają — dodaje Leeg Jeden.

— Ciągle mamy szansę się wycofać, wrócić tą samą drogą, którą przyszliśmy — zauważa Homes. — Ale to by oznaczało klęskę misji.

Mam poczucie winy, w końcu sama tę misję wymyśliłam.

— Nigdy nie było mowy o tym, że wszyscy musimy tam dotrzeć — oznajmiam. — Mieliście pecha, że trafiliście tu ze mną.

— To bezprzedmiotowa uwaga. Nie możemy poruszać się górą, nie możemy poruszać się na powierzchni, zatem pozostaje tylko jedna droga.

— Pod ziemią — dopowiada Gale.

Pod ziemią. Nienawidzę podziemi, nie cierpię kopalni, tuneli i Trzynastki. Boję się umrzeć pod ziemią, co jest głupie, bo nawet jeśli zginę na powierzchni, to i tak zaraz pochowają mnie pod nią.

Holo jest wyposażone w opcję pokazywania kokonów zarówno na poziomie ulicy, jak i poniżej. Okazuje się, że przejrzyste linie dróg są przeplecione plątaniną chaotycznych tuneli, ale przynajmniej jest tam mniej kokonów.

Dwoje drzwi dalej znajduje się pionowa rura, która łączy nasz rząd mieszkań z tunelami. Żeby dotrzeć do mieszkania z rurą, musimy przecisnąć się przez korytarz techniczny, który biegnie przez całą długość budynku. Do korytarza można się dostać przez tylną ścianę schowka na górnym piętrze.

— Dobra, wszystko ustalone. Spróbujmy doprowadzić to miejsce do porządku, jakby nas tutaj nigdy nie było — proponuję.

Likwidujemy wszystkie ślady naszego pobytu. Puste puszki trafiają do zsypu, pełne do naszych kieszeni. Odwracamy wysmarowane krwią poduszki na kanapie, wycieramy z kafelków ślady galarety. Nie da się naprawić zamka w drzwiach wejściowych, ale możemy je zamknąć na drugą zasuwkę, dzięki czemu nie otworzą się na oścież przy pierwszym dotknięciu.

W końcu pozostaje do załatwienia tylko sprawa Peety, który usiadł na granatowej kanapie i za nic nie zamierza się z niej ruszyć.

— Nigdzie nie idę — oznajmia. — Albo ujawnię wasze miejsce pobytu, albo znowu zrobię komuś krzywdę.

— Ludzie Snowa cię znajdą — zauważa Finnick.

— Więc zostawcie mi pastylkę, wezmę ją tylko w razie konieczności — obiecuje.

— To nie wchodzi w grę, idziesz z nami — decyduje Jackson.

— Bo niby co mi zrobicie? — burczy Peeta. — Wpakujecie kulę w łeb?

— W łeb to ci przywalimy, a potem cię zawleczemy z nami — wyjaśnia mu Homes. — W ten sposób nas spowolnisz i narazisz na jeszcze większe niebezpieczeństwo.

— Przestańcie być tacy szlachetni! Mam gdzieś, że mogę zginąć! — Odwraca się i patrzy na mnie błagalnie: — Katniss, proszę cię. Nie widzisz, że nie chcę brać w tym udziału?

Problem w tym, że świetnie to widzę. Dlaczego nie mogę po prostu mu pomóc? Podsunąć pastylkę, pociągnąć za spust? Za bardzo mi na nim zależy, czy może za bardzo martwię się, że Snow mógłby zwyciężyć? Czy zrobiłam z Peety pionka w moich prywatnych igrzyskach? To godne pogardy, ale wcale nie jestem pewna, czy nie byłabym do tego zdolna. W takim wypadku najszlachetniej byłoby zabić Peetę tu i teraz. Tak czy owak, wiem, że nie kieruję się dobrocią serca.

— Tracimy czas. Idziesz z własnej woli, czy mamy cię ogłuszyć?

Peeta na chwilę skrywa twarz w dłoniach, a potem wstaje, żeby do nas dołączyć.

— Powinniśmy oswobodzić mu ręce? — pyta Leeg Jeden.

— Nie! — warczy Peeta i przyciska kajdanki do ciała.

— Nie — powtarzam. — Ale ja chcę mieć kluczyk.

Jackson przekazuje mi go bez słowa. Wsuwam klucz do kieszeni spodni, gdzie cicho stuka o perłę.

Kiedy Homes ostrożnie uchyla małe metalowe drzwi wychodzące na korytarz techniczny, pojawia się następny problem. Owadzie pancerze za nic nie zmieszczą się w wąskim przejściu. Castor i Pollux zdejmują skorupy i sięgają po zapasowe kamery. Każda z nich ma rozmiary pudełka po butach, ale zapewne nie odbiegają jakością od podstawowych. Messalli nie przychodzi do głowy żadna przyzwoita kryjówka na nieporęczne skorupy, więc ostatecznie trafiają do szafy. Frustruje mnie zostawianie tak oczywistego śladu, ale nie mamy innego wyjścia.

Idąc gęsiego i trzymając plecaki oraz sprzęt przy ciele, ledwie mieścimy się w korytarzu. Mijamy pierwsze mieszkanie i włamujemy się do drugiego, gdzie w jednej z sypialni zamiast wejścia do łazienki znajdują się drzwi z napisem: „Przejście techniczne". W środku natrafiamy na pomieszczenie z wejściem do szybu.

Na widok szerokiej okrągłej pokrywy Messalla marszczy brwi i na moment powraca do świata utraconych luksusów.

— Właśnie dlatego nikt nie chce brać środkowych pomieszczeń mieszkalnych. Robotnicy wchodzą i wychodzą, kiedy im się żywnie podoba, i nie ma drugiej łazienki. Ale czynsz jest znacznie niższy. — Na widok rozbawionej miny Finnicka dodaje szybko: — Mniejsza z tym.

Bez trudu otwieramy właz, a w szybie widzimy szeroką drabinę z gumowymi wykończeniami na szczeblach, które umożliwiają nam sprawne zejście do miejskich trzewi. Zbieramy się u podnóża drabiny i czekając, aż nasz wzrok przywyknie do słabego światła, wdychamy mieszankę zapachową chemikaliów, pleśni i ścieków.

Pollux, blady i spocony, wyciąga rękę i chwyta Castora za nadgarstek, zupełnie jakby mógł upaść, gdyby zabrakło kogoś, kto go podtrzyma.

— Mój brat pracował tutaj na dole po tym, jak zrobili z niego awoksę — wyjaśnia Castor. Oczywiście. Kto inny miałby dbać o te zatęchłe, cuchnące przejścia najeżone kokonami? — Pięć lat minęło, zanim zdołaliśmy przekupić, kogo trzeba, żeby Pollux trafił z powrotem na powierzchnię. Przez ten czas ani razu nie widział słońca.

W lepszych warunkach, w dniu bardziej spokojnym i mniej obfitującym w potworności, któreś z nas na pewno wiedziałoby, co powiedzieć. Tymczasem stoimy tylko przez dłuższy czas i usiłujemy znaleźć właściwe słowa.

Wreszcie Peeta kieruje wzrok na Polluksa.

— No to właśnie stałeś się naszym największym atutem — oświadcza.

Castor rechocze, a Pollux zdobywa się na uśmiech.

W połowie pierwszego tunelu dociera do mnie, co takiego uderzyło mnie w tej rozmowie. Peeta zachował się jak dawniej, kiedy zawsze umiał znaleźć trafną odpowiedź, gdy inni bezradnie milkli. Mówił ironicznie, krzepiąco, trochę się nabijał, ale nigdy cudzym kosztem. Odwracam się i zerkam na niego, gdy idzie z wysiłkiem, pilnowany przez Gale'a i Jackson. Wzrok ma wbity w ziemię, ramiona przygarbione. Kompletnie brak mu ducha walki, ale przez moment naprawdę był tu z nami.

Peeta trafił w dziesiątkę, Pollux nagle stał się dla nas cenniejszy niż tuzin holo. Pod ulicami biegnie prosta sieć szerokich tuneli, które odpowiadają głównym alejom oraz ich przecznicom. Te większe drogi podziemne nazywa się Tranzytem, bo jeżdżą nimi po mieście niewielkie dostawcze furgonetki. W ciągu dnia wiele tutejszych kokonów jest nieaktywnych, ale nocą okolica zamienia się w pole minowe. Mimo to setki dodatkowych przejść, szybów technicznych, torów kolejowych i kanałów odpływowych tworzą wielopoziomowy labirynt. Pollux zna szczegóły, które dla nowo przybyłego mogłyby się stać powodem śmierci, wie, które odgałęzienia są wypełnione trującym gazem, gdzie znajdują się przewody pod napięciem, a gdzie szczury wielkości bobrów. Uprzedza nas o gwałtownie spływającej wodzie, która okresowo ścieka z rur kanalizacyjnych, przewiduje czas zmiany awoksów, prowadzi nas do wilgotnych, ciemnych rur, żebyśmy uniknęli rozjechania przez niemal idealnie ciche pociągi towarowe. Co najważniejsze jednak, orientuje się w rozmieszczeniu kamer. Nie jest ich wiele w tym ponurym, osnutym mgłą miejscu, do tego przede wszystkim koncentrują się w Tranzycie, ale i tak trzymamy się od nich jak najdalej.

Pod przewodnictwem Polluksa wędrujemy w dobrym tempie, wręcz niezwykle dobrym w porównaniu do prędkości przemarszu na powierzchni. Po sześciu godzinach dopada nas zmęczenie. Jest już trzecia nad ranem i chyba za parę godzin wyjdzie na jaw, że brakuje naszych zwłok. Potem rozpoczną się poszukiwania na terenie ruin całego bloku mieszkalnego na wypadek, gdybyśmy usiłowali uciec przez szyby techniczne, po czym wyruszą w pościg.

Nikt się nie sprzeciwia, kiedy proponuję odpoczynek. Pollux wyszukuje małe ciepłe pomieszczenie, w którym słychać buczenie urządzeń nafaszerowanych dźwigniami i wskaźnikami, a potem unosi palce, żeby pokazać nam, że musimy stąd zniknąć za cztery godziny. Jackson opracowuje rozpiskę wart, a ponieważ pierwsza przypadła komuś innemu, wciskam się w wąską przestrzeń między Gale'em oraz Leeg Jeden i z miejsca zasypiam. Czuję się tak, jakby minęło zaledwie parę minut, kiedy Jackson szarpie mnie za ramię i budzi na wartę. Jest szósta, za godzinę musimy ruszać. Jackson każe mi zjeść konserwę i mieć oko na Polluksa, który uparł się czuwać przez całą noc.

— Nie jest w stanie zasnąć tutaj na dole — informuje. Odzyskuję jakoś względną czujność, jem potrawkę z ziemniaków i fasoli, po czym siadam, opierając się o ścianę naprzeciwko drzwi. Pollux w ogóle nie wydaje się senny, pewnie na nowo przeżywa pięć lat uwięzienia. Wyciągam holo, wpisuję naszą pozycję na siatce i przeglądam tunele. Tak jak się spodziewałam, im bardziej zbliżamy się do centrum Kapitolu, tym więcej kokonów na nas czeka. Przez chwilę razem z Polluksem wstukuję polecenia do holo, żeby sprawdzić, gdzie zainstalowano pułapki. Kiedy zaczyna mi się kręcić w głowie, oddaję holo Polluksowi i opieram się o ścianę. Wodzę wzrokiem po śpiących żołnierzach, ekipie, przyjaciołach i zastanawiam się, ilu z nas nigdy więcej nie ujrzy słońca.

Kiedy spoglądam na Peetę, którego głowa leży tuż przy moich stopach, dociera do mnie, że nie śpi. Żałuję, że nie potrafię czytać w jego myślach, chciałabym dostać się do jego mózgu i rozplątać znajdującą się tam sieć kłamstw. Po chwili postanawiam skupić się na czymś bardziej realistycznym.

— Jadłeś coś? — pytam.

Lekko kręci głową. Musi być głodny, więc otwieram puszkę zupy z kurczakiem i ryżem i wręczam mu ją, ale zatrzymuję wieczko, na wypadek, gdyby postanowił podciąć sobie żyły albo zrobić coś równie głupiego. Peeta siada i wlewa w siebie zupę z puszki, nawet nie zawracając sobie głowy przeżuwaniem. W dnie pustej puszki odbijają się światła maszynerii i wtedy przypominam sobie o czymś, co dręczy mnie od wczoraj.

— Peeta, kiedy spytałeś o to, co się stało z Dariusem i Lavinią, a Boggs powiedział ci, że to prawda, odparłeś, że tak myślałeś, bo nic ci tam nie błyszczało. O co chodziło?

— Och, nie wiem dokładnie, jak to wyjaśnić — wzdycha. — Na początku wszystko było pogrążone w kompletnym chaosie, ale teraz mogę uporządkować pewne rzeczy. Wydaje mi się, że dostrzegam jakiś schemat. Wspomnienia, które zmienili przy użyciu jadu gończych os, mają pewną dziwną właściwość. Są trochę zbyt wyraziste albo obrazy nie są stabilne. Pamiętasz, jak to było, kiedy osy nas pożądliły?

— Drzewa się rozchwiały. Przyleciały gigantyczne, barwne motyle, a ja wpadłam do jamy z pomarańczowymi bąbelkami. — Zastanawiam się. — Z błyszczącymi, pomarańczowymi bańkami.

— Właśnie. Darius i Lavinia wyglądali zupełnie zwyczajnie. Wydaje mi się, że wtedy jeszcze nie dostałem żadnej dawki jadu — mówi Peeta.

— To chyba dobrze, prawda? — zauważam. — Skoro umiesz oddzielić wspomnienia, to możesz dojść do tego, co jest prawdą.

— Jasne. A gdybym umiał wyhodować sobie skrzydła, to mógłbym latać — oświadcza. — Tylko że ludziom nie rosną skrzydła. Prawda czy fałsz?

— Prawda. Ale ludzie nie potrzebują skrzydeł, żeby przetrwać.

— W przeciwieństwie do kosogłosów. — Dopija zupę i oddaje mi puszkę.

We fluorescencyjnym świetle koła pod jego oczami wyglądają jak sińce.

— Mamy jeszcze czas. Powinieneś się przespać.

Bez oporu kładzie się z powrotem, ale tylko patrzy na wskazówkę jednego z zegarów, która kołysze się z boku na bok. Powoli, jakbym czuwała przy rannym zwierzęciu, wyciągam rękę i odgarniam falę włosów z czoła Peety. Zamiera, ale nie cofa głowy, więc nadal łagodnie przesuwam jego włosy do tyłu. Pierwszy raz od pobytu na arenie dotykam go z własnej woli.

— Ciągle chcesz mnie chronić. Prawda czy fałsz? — szepcze.

— Prawda — odpowiadam i dodaję dla jasności: — Właśnie to robimy oboje. Chronimy się nawzajem.

Zapada w sen po minucie lub dwóch.

Tuż przed siódmą wstaję, żeby razem z Polluksem po kolei budzić śpiących, a pobudce jak zwykle towarzyszy ziewanie i westchnięcia. Moje uszy wychwytują jednak jeszcze jeden odgłos, który przypomina syczenie. Może to tylko para ulatuje z rury albo gdzieś w oddali jedzie pociąg... Uciszam grupę, żeby lepiej słyszeć. Nie myliłam się, naprawdę coś syczy, ale to nie jest jednostajny, długi dźwięk. Kojarzy mi się ze zwielokrotnionym wydechem, który układa się w słowa. W jedno słowo. Słowo, które odbija się echem w tunelach. To imię, powtarzane raz po raz.

— *Katniss*.

Czas wytchnienia dobiegł końca. Być może Snow kazał swoim ludziom kopać przez całą noc, w każdym razie na pewno wzięli się do roboty zaraz po wygaśnięciu ognia. Bez wątpienia znaleźli zwłoki Boggsa, co ich na pewien czas uspokoiło, a potem, gdy mijały godziny i nie natknęli się na żadne nowe trupy, nabrali podejrzeń. W pewnym momencie musieli uświadomić sobie, że dali się nabrać, a prezydent Snow nie znosi, kiedy ktoś robi z niego głupca. Nie ma znaczenia, czy tropili nas do drugiego mieszkania, czy też założyli, że od razu zeszliśmy pod ziemię. Wiedzą, że teraz wędrujemy tunelami i spuścili za nami jakieś istoty, pewnie watahę zmiechów, które mają mnie dopaść.

— *Katniss*.

Podskakuję, zdumiona bliskością syknięcia. Nerwowo rozglądam się w poszukiwaniu źródła dźwięku, napinam cięciwę, wypatruję celu.

— *Katniss*.

Peeta ledwie porusza ustami, ale nie ulega wątpliwości, że to on wypowiada moje imię. Już nabierałam przekonania, że jest z nim odrobinę lepiej, kiedy zdawał się powracać do mnie, krok po kroku, a teraz mam dowód na to, jak głęboko wniknęła trucizna Snowa.

— *Katniss*.

Zaprogramowano go tak, aby reagował na chóralne syczenie i dołączył do polowania. Porusza się z wolna, a do mnie dociera, że nie mam wyboru. Nakierowuję strzałę na jego głowę, zamierzam przeszyć mu mózg. Prawie nic nie poczuje. Nieoczekiwanie Peeta siada i szeroko otwiera oczy. Wpada w panikę, zaczyna mu brakować tchu.

— Katniss! — Odwraca ku mnie głowę, ale chyba nie dostrzega łuku ani wymierzonej strzały. — Katniss! Uciekaj stąd!

Waham się. Jego głos brzmi niespokojnie, ale nie wydaje się obłąkany.

— Dlaczego? Co wydaje ten dźwięk?

— Nie mam pojęcia, ale to coś na pewno ma cię zamordować — tłumaczy Peeta. — Biegnij! Uciekaj! Prędko!

Chwilowa dezorientacja mija i dochodzę do wniosku, że nie muszę go zabijać. Powoli rozluźniam cięciwę i spoglądam na niespokojne twarze wokół.

— Cokolwiek to jest, chodzi o mnie — wyjaśniam. — Chyba nadeszła pora, żebyśmy się rozdzielili.

— Przecież jesteśmy twoimi strażnikami — protestuje Jackson.

— I twoją ekipą — dodaje Cressida.

— Nie zostawię cię — zapowiada Gale.

Patrzę na ekipę, uzbrojoną wyłącznie w kamery i notatki, i na Finnicka z dwoma pistoletami maszynowymi oraz trójzębem. Mówię, żeby oddał jeden pistolet Castorowi, po czym wyciągam magazynek ślepaków z broni Peety, załadowuję ją ostrą amunicją i uzbrajam Polluksa. Ponieważ ja i Gale mamy łuki, pistolety przekazujemy Messalli i Cressidzie. Nie ma czasu na szczegółowe szkolenie, więc tylko demonstrujemy, jak celować i naciskać spust, podczas walki na krótki dystans tyle chyba wystarczy. Na pewno lepsze to niż brak jakiejkolwiek broni. Jedyną całkiem bezbronną osobą jest teraz Peeta, ale ktoś, kto szepcze moje imię unisono ze zgrają zmiechów, raczej nie powinien mieć dostępu do niebezpiecznych przedmiotów.

Opuszczamy pomieszczenie, pozostawiając po sobie wyłącznie nasz zapach. W tej chwili nie ma sposobu na jego usunięcie.

Domyślam się, że syczące istoty tropią nas właśnie za pomocą węchu. Nosy zmiechów najprawdopodobniej są nieprawdopodobnie czułe, ale spędziliśmy tyle czasu, brnąc przez ścieki, że mamy szansę zmylić mutanty.

Na zewnątrz nie słychać szumu urządzeń, więc syczenie jest donośniejsze, ale dzięki temu lepiej się orientujemy, że zmiechy nadal są dość daleko, choć zmierzają prosto ku nam. Snow kazał je spuścić zapewne nieopodal miejsca, w którym znalazł zwłoki Boggsa. Teoretycznie powinniśmy mieć nad nimi sporą przewagę, choć niewątpliwie poruszały się znacznie prędzej od nas. Mimowolnie powracam myślami do wilkowatych istot na pierwszej arenie, do małp z Ćwierćwiecza Poskromienia, do okropności, które oglądałam w telewizji przez wiele lat, i zastanawiam się, jaką formę przybrały te istoty. Snow na pewno zadbał o to, żebym przeraziła się nie na żarty.

Razem z Polluksem opracowałam plan następnego etapu wędrówki i nie widzę powodu, żeby cokolwiek zmieniać, ponieważ oddalamy się od syczenia. Jeśli będziemy poruszali się z życiem, może dotrzemy do rezydencji Snowa, zanim zmiechy nas dopadną. Szybsze tempo wiąże się jednak z hałasem: źle postawiony but sprawia, że słychać plusk wody, rozkołysana broń co rusz uderza o rury, i nawet moje komendy brzmią zbyt głośno.

Przebyliśmy mniej więcej trzy przecznice, wędrując kanałem burzowym oraz odcinkiem zapuszczonych torów kolejowych, kiedy docierają do nas wrzaski, niskie i gardłowe. Ich dźwięk odbija się od ścian tunelu.

— To awoksy — odzywa się Peeta natychmiast. — Właśnie tak brzmiał głos Dariusa, kiedy wzięli go na tortury.

— Zmiechy ich dopadły, to jasne — dodaje Cressida.

— Więc ścigają nie tylko Katniss — zauważa Leeg Jeden.

— Pewnie zabijają, kogo popadnie, i nie przestaną, dopóki jej nie znajdą — mówi Gale. Po niezliczonych godzinach nauki z Beetee'em raczej się nie myli.

Znowu chodzi o mnie. Wszyscy giną z mojego powodu: przyjaciele, sprzymierzeńcy, całkiem obcy ludzie oddają życie za Kosogłosa.

— Pozwólcie mi iść dalej w pojedynkę, odciągnę zmiechy.

Przeprogramuję holo na Jackson. Przecież sami dacie sobie radę z wypełnieniem misji.

— Nikt się na to nie zgodzi — mówi Jackson z rozdrażnieniem w głosie.

— Tracimy czas — wtrąca się Finnick.

— Posłuchajcie — szepcze Peeta.

Wrzaski ustały i znowu słychać syczenie, tym razem niepokojąco blisko, a w dodatku zarówno z tyłu, jak i pod nami.

— Katniss.

Trącam Polluksa w ramię i ruszamy biegiem. Problem w tym, że zamierzaliśmy przejść na niższy poziom, a teraz nie wchodzi to w grę. Gdy docieramy do schodów prowadzących w dół, wraz z Polluksem spoglądam na holo w poszukiwaniu alternatywy i nagle zaczynam się krztusić.

— Maski! — komenderuje Jackson.

Ale maski przeciwgazowe nie są potrzebne. Wszyscy oddychamy tym samym powietrzem, ale tylko ja zwracam potrawkę. Nikt inny nie reaguje na woń spod schodów, która zagłusza smród ścieków. To zapach róż. Przeszywają mnie dreszcze.

Gwałtownie odwracam głowę i chwiejnym krokiem wychodzę na Tranzyt. Gładkie, wyłożone pastelowymi płytkami ulice są takie same jak na górze, ale zamiast domów po bokach wznoszą się białe, pokryte kafelkami ściany. To droga dla samochodów dostawczych, które dzięki niej unikają korków na ulicach Kapitolu. Trasa świeci teraz pustkami, jesteśmy tu tylko my. Unoszę łuk i posyłam strzałę z ładunkiem wybuchowym prosto w pierwszy kokon, a siła eksplozji zabija gniazdo mięsożernych szczurów wewnątrz pułapki. Biegnę pędem do następnego skrzyżowania. Wiem, że w tym miejscu jeden nieostrożny ruch wystarczy, aby zapadła się ziemia pod naszymi stopami, uruchamiając urządzenie oznaczone jako „mięsogryzarka". Krzyczę do pozostałych, że mają się trzymać blisko mnie. Zamierzam schować się za rogiem, a następnie zdetonować mięsogryzarkę, ale czeka na nas inny, nieoznaczony kokon.

Dzieje się to w całkowitej ciszy, i nic bym pewnie nie zauważyła, gdyby nie zatrzymał mnie głos Finnicka.

— Katniss!

Odwracam się w ułamku sekundy, napinam cięciwę, ale co mogę zrobić? Dwie strzały Gale'a już leżą bezradnie obok szerokiego słupa złocistego światła, które emanuje z sufitu i znika w nawierzchni. W środku tkwi Messalla, nieruchomy niczym posąg. Stoi na palcach jednej nogi, głowę ma odchyloną do tyłu i nie może się wyrwać ze snopa. Nawet nie wiem, czy wrzeszczy, choć usta ma szeroko otwarte. Patrzymy bezradnie, jak ciało spływa mu z kości niczym wosk ze świecy.

— Nie pomożemy mu! — Peeta popycha ludzi naprzód. — Nie da rady!

Aż dziw bierze, że tylko on zachował dość zimnej krwi, aby zmusić nas do dalszej ucieczki. Nie wiem, dlaczego jest taki opanowany ani kiedy dostanie szału i roztrzaska mi czaszkę, wiem za to, że to się może zdarzyć w każdej chwili. Czując jego dłoń na ramieniu, odwracam się od upiornych zwłok, które niegdyś były Messallą. Zmuszam się do odejścia, prędko, tak prędko, że ledwie wyhamowuję przed kolejnym skrzyżowaniem.

Grad kul z pistoletów maszynowych rozrywa gips na ścianach. Rozglądam się pośpiesznie, wypatruję kokonu, aż w końcu odwracam głowę i dostrzegam drużynę Strażników Pokoju, którzy hałaśliwie gnają Tranzytem prosto ku nam. Ponieważ drogę blokuje nam mięsogryzarka, nie mamy wyjścia, musimy odpowiedzieć ogniem. Nieprzyjaciel ma dwukrotną przewagę liczebną, ale wśród nas pozostało sześciu pierwotnych członków Drużyny Gwiazd, którzy usiłują jednocześnie biec i strzelać. „Jakbym wygarniała do ryb w beczce", myślę, gdy na białych mundurach

Strażników wykwitają czerwone plamy. Trzy czwarte ginie na miejscu, kiedy następni wybiegają z boku tunelu, gdzie wcześniej rzuciłam się, żeby umknąć przed zapachem, przed...

To nie są Strażnicy Pokoju.

Widzę białe istoty o czterech kończynach, wzrostem przypominające dorosłych ludzi, lecz na tym podobieństwa się kończą. Stwory są nagie, mają długie, gadzie ogony, wyprężone grzbiety i wysunięte do przodu łby. Tłoczą się nad Strażnikami Pokoju, żywymi i martwymi, zaciskają zęby na ich szyjach i odgryzają głowy w hełmach. Wygląda na to, że kapitoliński rodowód jest tu równie nieprzydatny jak w Trzynastce. Wystarcza kilka sekund, żeby wszyscy Strażnicy zostali bez głów. Zmiechy opadają na cztery łapy i pędzą ku nam.

— Tędy! — wydzieram się, tulę do ściany i raptownie skręcam w prawo, żeby ominąć kokon. Gdy wszyscy są już przy mnie, strzelam w kierunku skrzyżowania i uruchamiam mięsogryzarkę. Ogromne mechaniczne zębiska przebijają się przez ulicę i mielą kafelki na pył. To powinno skutecznie zatrzymać pogoń, ale nie mam pewności. Wilcze i małpie zmiechy, z którymi miałam wcześniej do czynienia, potrafiły dawać niewiarygodnie dalekie susy.

Syk niemal wypala mi uszy, a od smrodu róż wirują ściany wokół mnie.

— Zapomnij o misji. — Chwytam Polluksa za rękę. — Gdzie jest najkrótsza droga na powierzchnię?

Nie ma czasu na sprawdzanie holo. Biegniemy za Polluksem przez mniej więcej dziesięć metrów po drodze Tranzytu i wpadamy do bocznego wejścia. Wyczuwam rękami i nogami, że płytki zmieniły się w beton, kiedy pełzniemy przez wąską, cuchnącą rurę na półkę o szerokości około trzydziestu centymetrów. To główny kanał ściekowy. Metr niżej pieni się toksyczna mieszanka ludzkich odchodów, śmieci i odpadów chemicznych. Fragmenty powierzchni płoną, inne emitują złowrogie chmury oparów. Jedno spojrzenie wystarcza, żeby mieć pewność: kto tam wpadnie, nie przeżyje. Pokonujemy śliską półkę najprędzej, jak się da, docieramy do wąskiego mostka i przedostajemy się na drugą stronę. We wnęce na drugim brzegu znajduje się drabina. Pollux klepie ją dłonią i wskazuje palcem szyb. To nasza droga ucieczki.

Rzut oka na członków wyprawy od razu podpowiada mi, że coś jest nie tak.

— Zaraz! Gdzie Jackson i Leeg Jeden?

— Zostały przy mięsogryzarce, żeby powstrzymać zmiechy — wyjaśnia Homes.

— Co takiego? — Rzucam się z powrotem w stronę mostka, bo nie mam zamiaru zostawiać kogokolwiek na pastwę tych potworów, ale Homes powstrzymuje mnie szarpnięciem.

— Katniss, niech ich śmierć nie będzie bez sensu! Dla nich jest już za późno. Patrz! — Wskazuje głową rurę, skąd zmiechy ześlizgują się na półkę.

— Cofnąć się! — krzyczy Gale i strzałami z ładunkiem wybuchowym odrywa przeciwległy skraj mostka od fundamentów. Konstrukcja wali się w spienioną ciecz w chwili, gdy zmiechy dobiegają do podnóża pomostu.

Po raz pierwszy mam okazję dobrze im się przyjrzeć. To krzyżówka człowieka, jaszczura i diabli wiedzą, czego jeszcze. Pokrywa je biała, gadzia skóra, bardzo napięta i wysmarowana zakrzepłą posoką, ich ręce i nogi kończą się pazurami, a pyski wyglądają jak stworzone z niepasujących do siebie elementów. Teraz zmiechy nie tylko syczą, lecz także piszczą moje imię, wijąc się z wściekłością. Na oślep wymachują ogonami i łapami, odgryzają potężne fragmenty ciał, własnych i swoich towarzyszy, toczą pianę z pysków i widać, że szaleńczo pragną mnie dorwać. Mój zapach musi być dla nich równie nienawistny jak ich woń dla mnie, a nawet bardziej, bo pomimo toksyczności ścieków zmiechy jeden po drugim rzucają się do cuchnącej głębi.

Wszyscy na naszym brzegu otwierają ogień. Sięgam po strzały jak popadnie, przeszywam ciała zmiechów zwykłymi grotami, ładunkami wybuchowymi i zapalającymi. Zmiechy da się zabić, ale to piekielnie trudne — żadne normalne zwierzę nie mogłoby biegać z dwoma tuzinami kul w ciele. Tak, można je załatwić, ale ich ogromna, nieskończona gromada bezustannie wylewa się z rury i bez najmniejszego wahania rzuca do ścieków w kanale. Ręce mi drżą, ale nie dlatego, że jest ich tak wiele. Wszystkie zmiechy są złe, powstają tylko po to, żeby krzywdzić. Jedne odbierają ludziom życie, jak małpy, inne rozum, jak gończe osy. Prawdziwe okrucieństwa, najbardziej przerażające, wiążą się z ich przewrotnym, psychologicznym skrzywieniem, mającym na celu wzbudzenie w ofiarach skrajnego lęku. Tak działa widok wilczego zmiecha o oczach martwego trybuta, a także dźwięk głoskułek naśladujących wrzaski torturowanej Prim oraz mieszanka zapachu róż Snowa i krwi, unosząca się nad ściekami i tak odurzająca, że przebija się nawet poprzez ich fetor. To ona powoduje, że serce wali mi jak oszalałe, skóra lodowacieje, płucom brakuje powietrza. Mam wrażenie, że Snow zieje mi prosto w twarz i informuje mnie, że pora umierać.

Inni krzyczą coś do mnie, ale nie mogę zareagować. Czyjeś mocne ręce unoszą mnie w chwili, gdy rozwalam łeb zmiechowi, który właśnie musnął pazurami moją kostkę. Ktoś rzuca mnie na drabinę, dociska moje dłonie do szczebli i każe mi się wspinać. Posłusznie poruszam zdrewniałymi kończynami marionetki, pod wpływem wysiłku powoli odzyskuję świadomość. Zauważam nad sobą jedną osobę. To Pollux — Peeta i Cressida są w dole. Docieramy do podestu i przeskakujemy na drugą drabinę. Szczeble są śliskie od potu i pleśni. Na następnym podeście myślę już całkiem trzeźwo i w pełni dociera do mnie, co się stało. Nerwowo wciągam wdrapujących się po drabinie. Jest Peeta, jest Cressida i na tym koniec.

Co ja narobiłam? Na co naraziłam tych pod sobą? Gramolę się po drabinie w dół i nagle mój but natrafia na kogoś.

— Na górę! — warczy Gale. Jestem z powrotem na podeście, wyciągam go i wbijam wzrok w ciemności, wypatrując innych.

— Nie.

Gale łapie mnie za brodę i odwraca moją twarz ku sobie, po czym kręci głową. Ma poszarpany mundur, na jego szyi dostrzegam otwartą ranę. W dole słychać ludzki wrzask.

— Ktoś tam jeszcze żyje — nalegam błagalnym tonem.

— Nie, Katniss. Oni już nie przyjdą — mówi Gale. — Ale zmiechy tak.

Nie przyjmuję do wiadomości jego słów, chwytam pistolet Cressidy i celuję w głąb szybu zainstalowaną na broni latarkę. W dole z trudem rozpoznaję Finnicka, który walczy z trzema rozszarpującymi go zmiechami. Gdy jeden z nich raptownie odchyla łeb, aby przegryźć mu gardło, nagle mam wrażenie, że to ja nim jestem, a przed oczami przepływają mi różne sceny. Widzę maszt łodzi, srebrny spadochron, roześmianą Mags, różowe niebo, trójząb Beetee'ego, Annie w sukni ślubnej, fale uderzające o skały. Potem wszystko gaśnie.

Wysuwam holo zza paska.

— Łykołak, łykołak, łykołak — recytuję, choć głos więźnie mi gardle.

Puszczam holo i wraz z innymi przyciskam się do ściany, gdy podmuch eksplozji nagle kołysze podestem, a z szybu wylatuje na nas kaskada szczątków zmiechów i ludzi.

Pollux zatrzaskuje głośno klapę nad szybem i zamyka ją na zasuwę. On, Gale, Cressida, Peeta i ja — tylko my pozostaliśmy przy życiu. Później przyjdzie pora na ludzkie emocje, teraz kieruje mną wyłącznie zwierzęca potrzeba ocalenia reszty naszej grupy.

— Nie możemy tu zostać.

Ktoś wyciąga bandaż, którym owijamy szyję Gale'a i pomagamy mu wstać. Tylko jedna osoba wciąż się kuli, oparta plecami o ścianę.

— Peeta — mówię. Żadnej reakcji. Stracił przytomność? Kucam przed nim, odciągam mu od twarzy skute kajdankami dłonie. — Peeta?

Oczy ma jak czarne stawy, źrenice rozszerzyły się tak bardzo, że błękitne tęczówki prawie znikły. Mięśnie na jego nadgarstkach stwardniały jak stal.

— Zostawcie mnie — szepcze. — Nie dam rady.

— Przeciwnie, dasz radę — zapewniam go, ale kręci głową.

— Tracę kontrolę nad sobą. Oszaleję jak one.

Jak zmiechy. Jak wściekłe bestie, ponad wszystko pragnące rozedrzeć mi gardło. I tutaj, wreszcie tutaj, w tym miejscu, w tych okolicznościach, będę gotowa go zabić. Wówczas Snow wygra. Przepełnia mnie nienawiść, gorąca i gorzka. Snow i tak odniósł dzisiaj zbyt wielkie zwycięstwo.

Podejmuję śmiałą decyzję, może samobójczą, jednak nic innego nie przychodzi mi do głowy. Pochylam się i mocno całuję Peetę w usta. Całe jego ciało przeszywa dreszcz, ale nie odrywam warg, dopóki nie muszę zaczerpnąć powietrza. Przesuwam palce po jego nadgarstkach, żeby ścisnąć mu dłonie.

— Nie pozwól, żeby mi cię odebrał.

Peeta ciężko dyszy, walcząc z koszmarami, które szaleją mu w głowie.

— Nie. Nie chcę…

Ściskam jego dłonie tak mocno, że aż boli.

— Zostań przy mnie.

Źrenice Peety kurczą się do rozmiaru łebka szpilki, potem gwałtownie rozszerzają i na koniec robią się mniej więcej normalne.

— Zawsze — mamrocze.

Pomagam Peecie wstać i spoglądam na Polluksa.

— Jak daleko stąd do ulicy? — pytam.

Pokazuje, że ulica biegnie bezpośrednio ponad naszymi głowami. Wspinam się po ostatniej drabinie i popycham pokrywę prowadzącą do pomieszczenia technicznego w czyimś mieszkaniu. Stoję wyprostowana, kiedy drzwi otwierają się gwałtownie, a na progu staje nieznajoma kobieta, ubrana w turkusowy, jedwabny szlafrok z haftem przestawiającym egzotyczne ptaki. Jej amarantowe włosy przypominają chmurę i są ozdobione pozłacanymi motylami. Szminka na ustach rozmazała się od tłuszczu z nadgryzionej kiełbaski. Mina kobiety jasno świadczy o tym, że mnie poznaje. Natychmiast otwiera usta, aby wezwać pomoc. Bez wahania strzelam jej prosto w serce.

Nie wiadomo, kogo chciała wezwać ta kobieta, bo po przeszuka-
niu lokalu okazuje się, że była sama. Może jej krzyk miał zaalarmować sąsiada, a może po prostu się przestraszyła i próbowała
dać temu upust. Tak czy owak, nie ma nikogo, kto mógłby ją
usłyszeć.

To mieszkanie byłoby pierwszorzędną kryjówką na jakiś czas,
ale nie możemy sobie pozwolić na taki luksus.

— Jak myślicie, ile czasu minie, zanim się zorientują, że ktoś
z nas miał szansę przeżyć? — pytam.

— Moim zdaniem mogą się tu zjawić w każdej chwili —
mówi Gale. — Wiedzieli, że kierujemy się w stronę ulic. Wybuch
pewnie zatrzyma ich na kilka minut, ale potem zaczną szukać
miejsca naszej ewakuacji z podziemi.

Podchodzę do okna z widokiem na ulicę, a gdy ostrożnie
wyglądam zza żaluzji, zamiast Strażników Pokoju widzę gęsty
tłum ludzi zajętych własnymi sprawami. Podczas podziemnej
wędrówki opuściliśmy strefy ewakuowane i wyłoniliśmy się
z dala od nich, w tętniącej życiem części Kapitolu. Tłum to nasza
jedyna szansa ucieczki. Co prawda straciłam holo, ale mam Cressidę, która też podchodzi do okna, po czym potwierdza, że zna to
miejsce i ku mojemu zadowoleniu oznajmia, że od posiadłości
prezydenta dzieli nas zaledwie parę przecznic.

Jeden rzut oka na moich towarzyszy wystarcza, bym doszła
do wniosku, że to nie pora na skrytobójczy zamach na Snowa.

Gale ciągle krwawi z nieoczyszczonej rany na szyi. Peeta siedzi na aksamitnej kanapie i wbija zęby w poduszkę — albo walczy z szaleństwem, albo usiłuje stłumić wrzask. Pollux łka, opierając głowę o półkę nad eleganckim kominkiem. Cressida dzielnie tkwi u mojego boku, ale jest blada jak kreda. Krew kompletnie odpłynęła z jej warg. Mnie napędza czysta nienawiść. Gdy zabraknie mi na nią energii, stanę się bezużyteczna.

— Zajrzyjmy do szaf — proponuję.

W jednej sypialni natrafiamy na setki damskich strojów, płaszczów, butów, paletę peruk i tyle kosmetyków do makijażu, że dałoby się nimi pomalować cały budynek. W sypialni po drugiej stronie korytarza znajdujemy podobną kolekcję dla mężczyzny. Pewnie należy do jej męża albo kochanka, który miał szczęście przebywać dziś rano poza domem.

Wołam pozostałych, żeby się przebrali, a na widok zakrwawionych przegubów Peety zaczynam szperać po kieszeniach w poszukiwaniu kluczyka do kajdanek. Peeta jednak raptownie odsuwa się ode mnie.

— Wykluczone — oświadcza. — Nie rób tego. Dzięki nim jakoś się trzymam.

— Możesz potrzebować wolnych rąk — zauważa Gale.

— Gdy czuję, że ze mną gorzej, wbijam kajdanki w nadgarstki, wtedy ból ułatwia mi koncentrację — tłumaczy Peeta, a ja daję mu spokój.

Na szczęście na zewnątrz jest zimno, więc możemy ukryć mundury oraz prawie całą broń pod długimi płaszczami i pelerynami. Splątujemy sznurowadła i zawieszamy sobie buty na szyjach, a na stopy wkładamy kretyńskie obuwie. Prawdziwym wyzwaniem są jednak nasze twarze. Cressida i Pollux muszą się liczyć z tym, że ktoś ze znajomych ich rozpozna, Gale'a na pewno zapamiętali z propagit i materiałów z serwisów informacyjnych, a Peetę i mnie zna każdy obywatel Panem. Pośpiesznie pomagamy sobie nawzajem przy rozsmarowywaniu grubych warstw makijażu, wkładaniu peruk i ciemnych okularów. Mnie i Peecie Cressida owija szalikami usta oraz nosy.

Czuję, że czas mija nieubłaganie, ale mimo to przez dłuższą chwilę napycham kieszenie żywnością i artykułami pierwszej pomocy.

— Trzymamy się razem — mówię do innych przed wyjściem, po czym wymaszerowujemy prosto na ulicę.

Z nieba sypie lekki śnieg, a wokół nas kręcą się poruszeni ludzie, zajęci rozmowami o rebeliantach, głodzie i o mnie. Wszyscy mają pretensjonalny kapitoliński akcent. Przechodzimy na drugą stronę ulicy, mijamy jeszcze kilka domów mieszkalnych, a tuż za rogiem niemal zderzamy się z trzema tuzinami Strażników Pokoju. Odskakujemy w bok, jak na porządnych obywateli przystało, i czekamy, aż tłum ponownie się zagęści. Wtedy idziemy dalej.

— Cressida — szepczę. — Przychodzi ci do głowy jakieś miejsce?

— Staram się coś wymyślić — odpowiada.

Mijamy jeszcze jedną przecznicę i wtedy rozlega się wycie syren. Przez okno jednego z mieszkań widzę w telewizji wiadomości z ostatniej chwili, przeplatane zdjęciami naszych twarzy. Jeszcze nie zidentyfikowano, kto z naszej grupy zginął, na fotografiach widzę tylko Castora i Finnicka. Wkrótce każdy przechodzień stanie się równie niebezpieczny jak Strażnik Pokoju.

— Cressida?

— Jest jedna taka kryjówka. Nic nadzwyczajnego, ale chyba możemy ją wypróbować — mówi.

Idziemy za nią, a po minięciu jeszcze kilku przecznic skręcamy w bramę na teren, który wygląda jak prywatna posesja. Okazuje się jednak, że to jakiś skrót, bo za starannie wypielęgnowanym ogródkiem dochodzimy do następnej bramy wychodzącej na małą boczną uliczkę — łącznik między dwiema alejami. Jest tu kilka ciasnych, obskurnych sklepików: w jednym z nich skupują używane rzeczy, w innym sprzedają sztuczną biżuterię.

W pobliżu kręci się parę osób, jednak nie zwracają na nas uwagi. Cressida zaczyna paplać cienkim głosem o futrzanej bieliźnie i o tym, jak niezbędna jest podczas zimnych miesięcy.

— Czekajcie, aż zobaczycie ceny! Wierzcie mi, to połowa tego, co się płaci w alejach!

Zatrzymujemy się przed brudną witryną, zapełnioną manekinami w futrzanej bieliźnie. Sklep wygląda na nieczynny, ale Cressida popycha drzwi wejściowe, trącając nieprzyjemnie brzmiące dzwonki. W pogrążonym w półmroku wąskim sklepie widzę półki z towarem, a moje nozdrza wypełnia zapach zwierzęcych skór. Interes najwyraźniej kiepsko idzie, bo jesteśmy jedynymi klientami. Cressida rusza wprost do przygarbionej postaci w głębi lokalu. Ja też idę w tamtą stronę, a po drodze muskam palcami miękką bieliznę.

Za ladą siedzi najdziwniejsza osoba, jaką kiedykolwiek widziałam. To skrajny przypadek deformacji spowodowanej chirurgicznymi korektami ciała. Ta twarz nawet w Kapitolu nie może uchodzić za atrakcyjną. Skórę operacyjnie naciągnięto i wytatuowano w czarne i złote pasy, nos jest spłaszczony do tego stopnia, że niemal go nie widać. W Kapitolu widywałam już ludzi z kocimi wąsami, ale nie aż tak długimi. W rezultacie spogląda na nas podejrzliwie groteskowa, na wpół kocia maska.

Cressida ściąga perukę, odsłania swoje winorośle.

— Tigris — mówi. — Potrzebujemy pomocy.

Tigris. Mam wrażenie, że gdzieś, kiedyś już słyszałam to imię, i już sobie przypominam. Ta kobieta pracowała przy najstarszych Głodowych Igrzyskach, jakie pamiętam, ale nie wyglądała wtedy tak niepokojąco. Chyba była stylistką, choć nie mogę sobie przypomnieć, którego dystryktu. Na pewno nie Dwunastki. Potem musiała zrobić sobie o jedną operację za dużo i przeholowała — stała się odrażająca.

A więc to do takich miejsc trafiają styliści, kiedy przestają być użyteczni. Kończą w przygnębiających sklepach z dziwaczną bielizną, gdzie, z dala od kamer, czekają na swoją śmierć.

Wpatruję się w jej twarz i zastanawiam, czy rodzice nazwali ją Tigris i w ten sposób pchnęli ku deformacji, czy też sama wybrała sobie styl, a potem zmieniła imię, żeby lepiej komponowało się z paskami.

— Plutarch mówił, że można ci ufać — dodaje Cressida.

Świetnie, ta kobieta jest człowiekiem Plutarcha. Jeśli jej pierwszym posunięciem nie będzie wydanie nas Kapitolowi, to na pewno zawiadomi Plutarcha, czyli siłą rzeczy także Coin, o naszym miejscu pobytu. Cóż, sklep Tigris jest daleki od ideału, ale na razie nie można liczyć na więcej. Nawet nie wiemy, czy ona w ogóle nam pomoże. Teraz spogląda w przestrzeń pomiędzy starym telewizorem na ladzie a nami, jakby nie była pewna, kim jesteśmy. Żeby jej pomóc, ściągam szalik, zdejmuję perukę i podchodzę bliżej, żeby światło z ekranu padło na moją twarz.

Tigris wydaje z siebie głęboki pomruk, całkiem w stylu Jaskra. Ześlizguje się ze stołka i znika za półką z obszytymi futrem legginsami. Słyszymy, jak coś przesuwa, a potem dostrzegamy jej rękę, którą na nas macha. Cressida spogląda na mnie, jakby chciała spytać: „Jesteś pewna?" Tylko czy mamy możliwość wyboru? Powrót na ulicę w takich warunkach oznaczałby niewolę lub śmierć. Przepycham się między futrami i widzę, że Tigris przesunęła panel u podstawy ściany, za którym dostrzegam szczyt stromych, kamiennych schodów. Gestem zachęca mnie do wejścia.

Sytuacja pod każdym względem kojarzy się z pułapką. Na moment wpadam w panikę i spoglądam na Tigris. Patrzę w jej płowe oczy, zastanawiając się, dlaczego ona to robi? Przecież nie jest taka jak Cinna, nie zamierza poświęcać się dla innych. Ta kobieta była ucieleśnieniem kapitolińskiej płytkości, zaliczała się do gwiazd Głodowych Igrzysk dopóty… dopóki nie przestała być jedną z nich. Więc o to chodzi? O gorycz? Nienawiść? Pragnienie zemsty? Prawdę mówiąc, to napawa mnie otuchą. Żądza zemsty może rozpalać człowieka długo i mocno, zwłaszcza jeśli podsyca ją każde spojrzenie w lustro.

— Czy Snow odsunął cię od igrzysk? — pytam, ale ona tylko gapi się na mnie, a jej ogon z pewnością podryguje z niezadowoleniem. — Bo wiesz... ja go zabiję.

Tigris rozciąga usta w grymasie, który postanawiam uznać za uśmiech. Pokrzepiona świadomością, że to nie jest kompletne szaleństwo, wczołguję się do otworu.

Mniej więcej w połowie drogi na dół uderzam twarzą o zwisający łańcuch. Pociągam za niego, a wtedy zapala się migotliwa świetlówka i widzę, że znajdujemy się w małej piwniczce bez drzwi i okien, płytkiej i szerokiej. To zapewne tylko wąska przestrzeń między dwiema prawdziwymi piwnicami, jedynie ktoś bardzo uważny i bystry dostrzegłby ten nieduży schowek. Jest zimno i wilgotno, wszędzie walają się sterty skór, które chyba od lat nie widziały światła słonecznego. Jeśli Tigris nas nie wyda, raczej nas tu nie znajdą. Gdy docieram do betonowej podłogi, reszta jest już na schodach, a panel trafia z powrotem na swoje miejsce. Słyszę skrzypienie kółek podczas przesuwania półek z bielizną, potem Tigris wraca na stołek. My tkwimy w trzewiach jej sklepu.

Ukryliśmy się w samą porę, bo Gale wygląda tak, jakby lada moment miał upaść. Szykujemy legowisko ze skór, zdejmujemy z Gale'a broń i pomagamy mu położyć się na plecach. Na końcu piwnicy, na wysokości trzydziestu centymetrów nad podłogą znajduje się kran z kratką odpływową pod spodem. Przekręcam kurek, kran przez pewien czas się krztusi i pluje rdzą, ale w końcu wypływa z niego czysta woda. Przemywamy ranę na szyi Gale'a, a wtedy uświadamiam sobie, że same bandaże nie wystarczą, trzeba będzie założyć kilka szwów. W apteczce mamy igłę i wyjałowioną nić, ale brakuje nam kogoś, kto zajmie się szyciem. Przychodzi mi do głowy, że najlepiej byłoby wykorzystać do tego Tigris — jako stylistka musi umieć posługiwać się igłą. Wtedy jednak sklep zostałby bez opieki, a Tigris i tak sporo dla nas robi, więc godzę się ze świadomością, że jestem chyba najlepiej przygotowana do roli sanitariuszki. Zaciskam zęby i już po chwili kończę rząd nierównych szwów, które co prawda prezentują się kiepsko, ale spełniają swoją rolę. Smaruję je maścią, owijam, a Gale'owi podaję środki przeciwbólowe.

— Teraz możesz odpocząć. Tutaj nic nam nie grozi — mówię, a on zasypia jak dziecko.

Cressida i Pollux szykują futrzane legowiska dla każdego z nas, ja zajmuję się nadgarstkami Peety. Delikatnie spłukuję krew wodą, podaję środek odkażający i owijam bandażem przeguby pod kajdankami.

— Musisz utrzymywać rany w czystości, bo infekcja może się rozprzestrzenić i...

— Katniss, dobrze wiem, co to posocznica — przerywa mi Peeta. — Chociaż moja matka nie leczy ludzi.

Nagle cofam się w czasie i widzę inną ranę, inny zestaw bandaży.

— Powiedziałeś to samo podczas pierwszych Głodowych Igrzysk. Prawda czy fałsz?

— Prawda — odpowiada. — A ty ryzykowałaś życie, żeby zdobyć lekarstwo, które mnie uratowało.

— Prawda. — Wzruszam ramionami. — Dzięki tobie żyłam i mogłam to zrobić.

— Naprawdę? — Wydaje się zmieszany moim wyjaśnieniem. Wygląda na to, że jakieś błyszczące wspomnienia walczą o jego uwagę, bo ciało Peety tężeje, a dopiero co zabandażowane nadgarstki wbijają się w stalowe kajdanki. Nagle uchodzi z niego cała energia. — Katniss, padam ze zmęczenia.

— Idź spać — radzę mu, ale zasypia dopiero, gdy poprawię mu kajdanki i przykuję go do jednego ze słupków podpierających schody. Z pewnością nie jest mu wygodnie, bo leży z rękami nad głową, ale po kilku minutach zapada w sen.

Cressida i Pollux wyszykowali dla nas posłania, ułożyli żywność i lekarstwa, a teraz chcą wiedzieć, jak zamierzam rozwiązać sprawę wart. Spoglądam na bladego jak kreda Gale'a, na skutego Peetę. Pollux nie spał od kilku dni, a Cressida i ja drzemałyśmy zaledwie przez kilka godzin. Gdyby oddział Strażników Pokoju wdarł się przez drzwi do piwnicy, bylibyśmy uwięzieni jak szczury. Jesteśmy zdani na łaskę i niełaskę sfatygowanej kobiety tygrysicy i możemy tylko liczyć na jej, jak mam nadzieję, nieposkromione pragnienie śmierci Snowa.

— Powiem szczerze. Wystawianie warty chyba nie ma żadnego sensu, więc lepiej spróbujmy się trochę przespać — proponuję. Reszta z otępieniem kiwa głowami i zagrzebujemy się w skórach. Czuję, że wewnętrzny żar we mnie wygasł, a wraz z nim zniknęła moja siła. W miękkich, zatęchłych futrach zapominam o rzeczywistości.

Śni mi się jeden jedyny sen, który pamiętam. Jest długi i męczący, a w jego trakcie usiłuję wydostać się z Dwunastego Dystryktu. Dom, którego szukam, jest nietknięty, ludzie żywi. Podróżuje ze mną Effie Trinket w jaskraworóżowej peruce i w szytym na miarę stroju. Staram się jej pozbyć w rozmaitych miejscach, ale z niewiadomych powodów ciągle pojawia się ponownie u mojego boku i upiera, że będzie mi towarzyszyć, bo tylko dzięki niej będę się trzymała harmonogramu. Tyle że harmonogram bezustannie się zmienia, sypie się z powodu braku pieczątki urzędnika albo przez złamany obcas Effie. Całymi dniami koczujemy na ławce na szarym dworcu kolejowym w Dystrykcie Siódmym w oczekiwaniu na pociąg, który nigdy nie nadjeżdża.

Po przebudzeniu czuję się jeszcze bardziej wyczerpana tym snem niż zwyczajową krwawą jatką noc w noc. Cressida, jedyna osoba, która nie śpi, informuje mnie, że jest późne popołudnie. Zjadam puszkę wołowiny w potrawce i spłukuję ją dużą ilością wody. Potem, oparta o ścianę piwnicy, odtwarzam w myślach wczorajsze wydarzenia. Wspominam jedną śmierć po drugiej i zliczam je na palcach. Pierwsza i druga to Mitchell i Boggs, straciliśmy ich w kwartale. Trzecia to Messalla, stopiony w kokonie. Czwarta i piąta: Leeg Jeden i Jackson, które poświęciły się przy mięsogryzarce. Szósta, siódma i ósma to Castor, Homes i Finnick, dekapitowani przez jaszczurowate zmiechy o różanym zapachu. Osiem trupów w ciągu jednej doby. Wiem, że to prawda, ale nie mogę w nią uwierzyć. Przecież Castor na pewno śpi pod tamtą stertą futer, Finnick za moment zbiegnie w podskokach po schodach, a Boggs wyjawi mi plan naszej ucieczki.

Aby uwierzyć w ich śmierć, muszę się pogodzić ze świadomością, że to ja ich zabiłam. No, może niekoniecznie Mitchella i Boggsa, oni akurat zginęli w akcji. Reszta jednak straciła życie, broniąc mnie w trakcie misji, którą sama wymyśliłam. Mój plan skrytobójczego zamachu na Snowa wydaje się teraz strasznie, dramatycznie głupi. Siedzę w piwnicy, cała drżę i podsumowuję straty, dotykając palcami frędzli na długich srebrnych kozakach, ukradzionych z domu nieznajomej kobiety. No tak, kompletnie o niej zapomniałam. To jeszcze jedna moja ofiara. Teraz zabijam nawet bezbronnych cywilów.

Chyba nadszedł czas, żebym wyjawiła prawdę.

Gdy reszta się w końcu budzi, opowiadam wszystko po kolei. Mówię, jak kłamałam w sprawie misji, jak naraziłam towarzyszy, bo ogarnęła mnie żądza zemsty. Kiedy kończę, zapada długotrwałe milczenie, które przerywa wreszcie Gale.

— Katniss, przecież wiedzieliśmy, że kłamiesz — mówi. — Coin nie mogła cię wysłać z misją zamordowania Snowa.

— Ty może wiedziałeś, ale żołnierze z Trzynastki na pewno nie — protestuję.

— Naprawdę uważasz, że Jackson uwierzyła, że masz specjalne rozkazy od Coin? — dziwi się Cressida. — Jasne, że nie, ale ufała Boggsowi, a on niewątpliwie chciał, żebyś robiła swoje.

— Nigdy nawet nie wspomniałam Boggsowi, jakie mam plany — podkreślam.

— Przecież powiedziałaś to wszystkim w Dowództwie! — przypomina mi Gale. — To był jeden z twoich warunków przyjęcia roli Kosogłosa. „Ja zabiję Snowa".

Te dwie sprawy nie wydają się ze sobą powiązane. Co innego negocjacje z Coin w związku z przywilejem wykonania egzekucji po wojnie, a co innego ta nielegalna wędrówka przez Kapitol.

— Ale nie w taki sposób — oponuję. — Ta misja to kompletna klęska.

— Moim zdaniem można ją uznać za niewątpliwy sukces — oświadcza Gale. — Przeniknęliśmy do obozu nieprzyjaciela, dowodząc w ten sposób, że kapitolińskie struktury obronne nie są niezwyciężone. Nasze podobizny pojawiły się w państwowych wiadomościach i w całym mieście wywołaliśmy chaos, bo wszyscy usiłują nas znaleźć.

— Uwierz mi, Plutarch jest zachwycony — dodaje Cressida.

— Tylko dlatego, że jemu jest wszystko jedno, kto ginie — wzdycham. — Byleby tylko jego igrzyska okazały się sukcesem.

Cressida i Gale na przemian usiłują mnie przekonać do swoich racji, a Pollux kiwa głową na poparcie ich słów. Tylko Peeta nie wygłasza żadnej opinii.

— A ty co o tym myślisz, Peeta? — pytam go w końcu.

— Sądzę… że ciągle nie masz pojęcia, jak działasz na innych. — Przesuwa kajdanki na górę słupka i siada z wysiłkiem. — Żaden z ludzi, których straciliśmy, nie był idiotą. Wiedzieli, co robią. Poszli za tobą, bo wierzyli, że naprawdę jesteś w stanie zabić Snowa.

Nie wiem, dlaczego mnie przekonuje, skoro inni nie zdołali. Jeśli jednak ma rację, a moim zdaniem tak jest, to zaciągnęłam u zmarłych dług, który mogę spłacić tylko w jeden sposób. Wyjmuję z kieszeni munduru papierową mapę i z determinacją rozpościeram ją na podłodze.

— Gdzie jesteśmy? — zwracam się do Cressidy.

Sklep Tigris znajduje się mniej więcej pięć przecznic od rynku oraz posiadłości Snowa. Bez trudu dotrzemy tam piechotą, pokonując strefę, w której kokony pozostają nieaktywne przez wzgląd na bezpieczeństwo mieszkańców. Dysponujemy przebraniami, które po uzupełnieniu kilkoma futrzanymi dodatkami z zapasów Tigris mogłyby umożliwić nam przedostanie się na miejsce. Tylko co potem? Rezydencja jest z pewnością świetnie strzeżona, pozostaje pod całodobowym nadzorem kamer i nie brak w niej kokonów uruchamianych jednym naciśnięciem guzika.

— Najlepiej będzie, jeśli wywabimy go na zewnątrz — mówi Gale. — Jedno z nas bez trudu go zdejmie.

— Czy on jeszcze pokazuje się publicznie? — zastanawia się Peeta.

— Raczej nie — odpowiada Cressida. — Wszystkie ostatnie przemówienia wygłaszał na terenie rezydencji. Nie ruszał się z niej nawet wtedy, gdy jeszcze nie było tutaj rebeliantów. Pewnie stał się czujniejszy po tym, jak Finnick opowiedział o jego zbrodniach.

To prawda. W Kapitolu już nie tylko Tigris ma prawo nienawidzić Snowa. Jego śmierci pragnie także szeroki krąg ludzi, którzy wiedzą, co zrobił ich przyjaciołom i rodzinom. Do wykurzenia go z kryjówki trzeba by zdarzenia graniczącego z cudem. Takiego jak…

— Idę o zakład, że wyszedłby z mojego powodu — oświadczam. — Gdybym wpadła w ręce jego ludzi, chciałby to jak najbardziej upublicznić. Zarządziłby moją egzekucję na schodach frontowych swojego domu. — Milknę na moment, żeby towarzysze przetrawili moje słowa. — Wtedy Gale mógłby wmieszać się w publiczność i zastrzelić Snowa.

— Nie. — Peeta kręci głową. — Ten plan może się rozwinąć w całkiem nieoczekiwany sposób. A jeśli Snow postanowi cię uwięzić i poddać torturom, żeby uzyskać jakieś informacje? Niewykluczone też, że zechce stracić cię publicznie, ale sam nie przyjdzie na egzekucję. Albo zabije cię w swojej posiadłości, a zwłoki wystawi na widok publiczny przed domem.

— Gale? — pytam.

— To chyba zbyt skrajne rozwiązanie, żeby uciekać się do niego tak od razu — mówi. — Może wypróbujemy je, kiedy wszystko inne zawiedzie. Myślmy dalej.

Zapada milczenie, wyraźnie słyszę nad głową przyciszony odgłos miękkich kroków Tigris. Zapewne zbliża się pora zamknięcia sklepu. Tigris rygluje drzwi, może opuszcza żaluzje. Kilka minut później odsuwa się panel na szczycie schodów.

— Chodźcie na górę — słychać chrapliwy głos. — Mam dla was coś do jedzenia.

Przemówiła pierwszy raz, odkąd przybyliśmy. Nie wiem, czy to naturalna skłonność, czy lata praktyki, ale jej sposób mówienia kojarzy się z kocimi pomrukami.

— Tigris, kontaktowałaś się z Plutarchem? — pyta Cressida, gdy wdrapujemy się po stopniach.

— Nie mam możliwości. — Tigris wzrusza ramionami. — Domyśli się, że przebywacie w bezpiecznym domu. Bez obaw.

O jakich obawach mowa? Momentalnie ogarnia mnie ulga, że nie będę otrzymywała bezpośrednich rozkazów z Trzynastki, które musiałabym lekceważyć. Nie muszę też wymyślać wiarygodnych wytłumaczeń decyzji, które podejmowałam przez ostatnich parę dni.

Na ladzie sklepowej czeka na nas kilka kromek czerstwego chleba, klinek spleśniałego sera i pół słoika musztardy. Ten widok przypomina mi, że od pewnego czasu nie każdy w Kapitolu chodzi z pełnym brzuchem. Czuję się zobowiązana wspomnieć Tigris o naszych zapasach, ale ona rozwiewa moje wątpliwości.

— Prawie nic nie jadam — oświadcza. — A jeśli już, to tylko surowe mięso.

Chyba trochę za bardzo wczuła się w rolę, ale nie podaję w wątpliwość jej słów, tylko zeskrobuję pleśń z sera i dzielę żywność między resztę z nas.

Podczas posiłku oglądamy najnowsze wydanie kapitolińskich wiadomości. Okazuje się, że władze ograniczyły liczbę rebelianckich niedobitków do naszej piątki, a za informacje, które doprowadzą do pojmania nas, czekają niebotyczne nagrody. Słyszymy, że jesteśmy wyjątkowo niebezpieczni, realizatorzy pokazują nas podczas wymiany ognia ze Strażnikami Pokoju, ale pomijają epizod ze zmiechami wyrywającymi głowy. Widzimy też dramatyczną laurkę ku czci kobiety, która leży tam, gdzie ją zostawiliśmy, nadal z moją strzałą w sercu. Na potrzeby filmowców ktoś poprawił trupowi makijaż.

Powstańcy ani na moment nie przerywają kapitolińskiego programu.

— Czy rebelianci wygłosili dzisiaj oświadczenie? — pytam Tigris, która kręci głową. — Coin zapewne nie wie, co ze mną zrobić, skoro przeżyłam.

Tigris chichocze gardłowo.

— Nikt nie wie, co z tobą zrobić, laleczko — zauważa i każe mi wziąć parę futrzanych legginsów, choć nie mam czym jej zapłacić. To prezent nie do odrzucenia, a zresztą w piwnicy jest naprawdę zimno.

Po kolacji schodzimy do kryjówki i znowu wytężamy umysły, usiłując stworzyć jakiś plan. Nic mądrego z tego nie wychodzi, ale zgadzamy się, że już nie wolno nam poruszać się w pięcioosobowej grupie i że powinniśmy spróbować wedrzeć się do rezydencji prezydenta, zanim wystawię się na przynętę. Dla uniknięcia dalszej dyskusji zgadzam się z tą decyzją. Jeśli uznam, że powinnam się poświęcić, nie będę potrzebowała niczyjej zgody ani udziału.

Zmieniamy opatrunki, przykuwam Peetę do jego słupka i kładziemy się spać. Kilka godzin później budzę się i słyszę przyciszoną rozmowę Peety i Gale'a. Nie umiem się powstrzymać, nadstawiam uszu i podsłuchuję.

— Dzięki za wodę — mówi Peeta.

— Nie ma sprawy. I tak budzę się po dziesięć razy na noc.

— Chcesz mieć pewność, że Katniss ciągle tu jest? — domyśla się Peeta.

— Coś w tym stylu — przyznaje Gale.

Zapada długotrwałe milczenie, przerwane w końcu przez Peetę.

— To, co powiedziała Tigris, było dziwne. O tym, że nikt nie wie, co z nią zrobić.

— Bo ja wiem? My nigdy nie wiedzieliśmy — zauważa Gale. Obaj wybuchają śmiechem. — Dziwnie się czuję, kiedy rozmawiają niemal jak przyjaciele, którymi nie są i nigdy nie byli. Inna rzecz, że trudno ich nazwać wrogami.

— Ona cię kocha, wiesz? — mówi Peeta. — Wyznała mi to, kiedy cię wychłostali.

— Nie wierz w to — odpowiada Gale. — Lepiej przypomnij sobie, jak cię pocałowała na Ćwierćwieczu Poskromienia. Mnie nigdy tak nie całowała.

— To było tylko na potrzeby widowiska — bagatelizuje sprawę Peeta, choć w jego głosie pobrzmiewa nuta wątpliwości.

— Raczej nie. Podbiłeś jej serce. Dla niej zrezygnowałeś ze wszystkiego. Może to jedyny sposób, aby się przekonała, że ją kochasz. — Milczy przez dłuższy czas i dodaje: — Powinienem był zgłosić się na twoje miejsce podczas pierwszych igrzysk. Mógłbym ją wtedy chronić.

— Gdzie tam — zaprzecza Peeta. — Nigdy by ci nie wybaczyła. Przecież musiałeś zatroszczyć się o jej matkę i siostrę, ich bezpieczeństwo ceni wyżej niż swoje życie.

— Tak czy owak, niedługo problem sam się rozwiąże. To chyba mało prawdopodobne, żeby cała nasza trójka dożyła końca wojny. A gdyby nawet, to chyba Katniss będzie miała twardy orzech do zgryzienia, nie my. Ona postanowi, kogo wybrać. — Gale ziewa. — Powinniśmy się zdrzemnąć.

— Tak. — Słyszę, jak kajdanki Peety ześlizgują się po słupku, kiedy układa się do snu. — Ciekawe, od czego będzie zależała jej decyzja.

— Och, to akurat wiem. — Ledwie słyszę ostatnie słowa Gale'a, bo przykrył głowę futrem. — Katniss zastanowi się, bez którego z nas sobie nie poradzi, i właśnie tego wybierze.

Przeszywa mnie zimny dreszcz. Naprawdę jestem taka chłodna i wyrachowana? Gale nie powiedział: „Katniss wybierze tego, z którego nie będzie mogła zrezygnować, bo pęknie jej serce", czy choćby: „tego, bez którego nie będzie mogła żyć". To by sugerowało, że powoduje mną taka czy inna namiętność. Tymczasem mój najlepszy przyjaciel twierdzi, że po zastanowieniu wybiorę tę osobę, bez której nie dam sobie rady. W ogóle nie zakłada, że pokieruje mną miłość, pożądanie czy choćby myśl o dopasowaniu. Po prostu przeprowadzę chłodną kalkulację, żeby ustalić, który z moich potencjalnych partnerów ma więcej do zaoferowania, zupełnie jakby w ostatecznym rozrachunku chodziło o to, kto mi zapewni dłuższe życie: piekarz czy myśliwy. Słowa Gale'a wydają mi się straszne. Równie okropne jest to, że Peeta im nie zaprzeczył. Wszystkie emocje zostały mi odebrane i użyte przez Kapitol oraz rebeliantów, więc w tej chwili mój wybór byłby prosty: doskonale dałabym sobie radę bez nich obydwu.

Rankiem brak mi czasu i energii na pielęgnowanie zranionych uczuć. Jeszcze przed świtem jemy śniadanie złożone z wątrobianego pasztetu oraz ciastek figowych i oglądamy w telewizorze Tigris jeden z rebelianckich programów Beetee'ego. W działaniach wojennych nastąpił nowy przełom. Pewien przedsiębiorczy powstańczy dowódca, najwyraźniej zainspirowany ideą czarnej fali, wpadł na pomysł konfiskowania porzuconych samochodów i posyłania ich bez kierowców ulicami miasta. Nie odpalają wszystkich kokonów, ale większość i owszem. Mniej więcej o czwartej nad ranem rebelianci przystąpili do torowania trzech niezależnych szlaków, nazywanych po prostu liniami A, B i C, prowadzących do serca Kapitolu. W efekcie odbijali kwartał po kwartale, ponosząc minimalne straty.

— To nie potrwa długo — ocenia Gale. — Prawdę mówiąc, aż dziwne, że się jeszcze ciągnie. Kapitol zmieni taktykę i zdezaktywuje określone kokony, żeby potem uruchamiać je ręcznie, kiedy cel znajdzie się w zasięgu rażenia.

Zaledwie kilka minut później jego przewidywania się sprawdzają, co potwierdza obraz na ekranie telewizora. Drużyna powstańców posyła ulicą samochód, który odpala cztery kokony. Wygląda na to, że wszystko idzie zgodnie z planem. Trzech zwiadowców idzie przodem i bezpiecznie dociera do końca ulicy, ale gdy wyrusza za nimi grupa dwudziestu rebeliańskich żołnierzy, rozrywa ich na strzępy eksplozja rzędu krzewów róż w donicach, ustawionych przed kwiaciarnią.

— Idę o zakład, że Plutarcha trafia szlag, bo nie jest teraz w pomieszczeniu kontrolnym — odzywa się Peeta.

Beetee odstępuje kanał Kapitolowi i na ekranie pojawia się reporterka, żeby z ponurą miną ogłosić, które kwartały podlegają ewakuacji. Dzięki informacjom od niej oraz poprzedniemu materiałowi mogę zaznaczyć na papierowej mapie przybliżone pozycje ścierających się armii.

Gdy słyszę szuranie nóg na ulicy, podbiegam do okna i dyskretnie wyglądam przez szczelinę w żaluzjach. W świetle wczesnego poranka widzę dziwaczne przedstawienie. Uchodźcy z przejętych przez rebeliantów kwartałów masowo zmierzają do centrum Kapitolu. Najbardziej przerażeni mają na sobie tylko nocne koszule i kapcie, ci lepiej przygotowani grubo otulili się warstwami odzieży. Niosą dosłownie wszystko, począwszy od małych piesków i szkatułek z biżuterią, a skończywszy na roślinach doniczkowych. Jakiś mężczyzna w miękkim cienkim szlafroku trzyma tylko przejrzałego banana. Zdezorientowane, senne dzieci wloką się za rodzicami, w większości są zbyt oszołomione albo zbyt osłupiałe, żeby płakać. W moim polu widzenia pojawiają się fragmenty ich ciał: para szeroko otwartych brązowych oczu, ręka zaciśnięta na ukochanej lalce, bose stopy — posiniałe na zimnie i drepczące po nierównych kamieniach brukowych chodnika. Ten widok przypomina mi o dzieciach z Dwunastki, które zginęły podczas ucieczki przed bombami zapalającymi. Odsuwam się od okna.

Tigris proponuje, że tego dnia zostanie naszym szpiegiem, bo spośród obecnych w sklepie tylko za jej głowę nie wyznaczono nagrody. Ukrywa nas w piwnicy, po czym wychodzi na ulice Kapitolu w poszukiwaniu ważnych informacji.

Zamknięta w ciasnym pomieszczeniu drepczę w tę i z powrotem, doprowadzając innych do szału. Przeczucie podpowiada mi, że popełniamy błąd, nie wykorzystując tłoku na ulicach spowodowanego przez wędrujących uchodźców, przecież nie można marzyć o bardziej sprzyjających okolicznościach. Inna sprawa, że nie wmieszalibyśmy się niezauważenie w tłum, bo każda wysiedlona osoba to dodatkowa para oczu wypatrująca piątki rebeliantów na wolności. Ale co możemy zyskać, pozostając w piwnicy? Tak naprawdę tylko zużywamy niewielkie zapasy żywności i czekamy... Na co? Aż rebelianci zdobędą Kapitol? Walki mogą potrwać jeszcze wiele tygodni, a poza tym nie jestem pewna, co bym zrobiła, gdyby im się powiodło. Na pewno nie pobiegłabym ich witać, bo Coin przerzuciłaby mnie z powrotem do Trzynastki, zanim zdążyłabym trzykrotnie powtórzyć „łykołak". Nie po to pokonałam tę drogę i straciłam tylu ludzi, żeby teraz oddać się w ręce tej kobiety. „Ja zabiję Snowa". Poza tym nie umiałabym wytłumaczyć mnóstwa rzeczy z ostatnich kilku dni. Parę spraw po wyjściu na światło dzienne zapewne przekreśliłoby moje porozumienie w sprawie nietykalności zwycięzców. Nie chodzi o immunitet dla mnie, tylko dla innych osób, którym z pewnością bardzo by się przydał, choćby Peecie. Cokolwiek byśmy zrobili i tak na nagraniu rzuca Mitchella na kokon z siatką. Wyobrażam sobie, jak oceniłby to wojenny trybunał Coin.

Późnym popołudniem zaczynamy się niepokoić długotrwałą nieobecnością Tigris. Zastanawiamy się, czy ją złapali i zamknęli, czy złożyła na nas dobrowolne doniesienie, czy też może po prostu została ranna w fali uchodźców. Dopiero koło szóstej słyszymy, jak wchodzi do sklepu. Na górze rozlega się szuranie, potem Tigris odsuwa panel, a wówczas dociera do nas cudowny zapach smażonego mięsa. Przyrządziła nam garnek posiekanej szynki z ziemniakami i jest to pierwszy gorący posiłek, jaki jemy od wielu dni. Czekam, aż napełni mi talerz, i boję się, że ślina pociekanie mi z ust.

Gdy przeżuwam, usiłuję skupić uwagę na słowach Tigris, która opowiada nam o tym, jak zdobyła żywność. Przede wszystkim jednak dociera do mnie, że w tej chwili futrzana bielizna jest wartościowym towarem, zwłaszcza dla ludzi, którzy opuścili domy w nieodpowiedniej odzieży. Wiele osób ciągle kręci się po ulicach i usiłuje znaleźć schronienie na noc. Mieszkańcy luksusowych apartamentów w centrum miasta wcale nie otworzyli drzwi przed przesiedleńcami. Przeciwnie, większość zaryglowała zamki i opuściła żaluzje, aby udawać nieobecnych. Centrum miasta jest teraz pełne uchodźców, a Strażnicy Pokoju wędrują od drzwi do drzwi, w razie potrzeby włamując się do środka, żeby przymusowo dokwaterować potrzebujących.

W telewizji pojawia się Główny Strażnik Pokoju. W zwięzłych słowach wykłada konkretne zasady odnoszące się do liczby osób na metr kwadratowy lokalu i podkreśla, że właściciele mieszkań muszą się zastosować do nowych przepisów. Następnie przypomina obywatelom Kapitolu o spodziewanych na tę noc silnych przymrozkach, informując jednocześnie, że zgodnie z oczekiwaniami prezydenta w dobie kryzysu należy być nie tylko chętnym, ale wręcz entuzjastycznym gospodarzem. Potem oglądamy kilka ewidentnie zaaranżowanych scen z zatroskanymi obywatelami, którzy z uśmiechem na ustach witają w swoich domach wdzięcznych uchodźców. Główny Strażnik Pokoju zapewnia, że sam prezydent polecił na jutro przyszykować część swojej rezydencji na przyjęcie grupy obywateli i dodaje, że również właściciele sklepów muszą być gotowi użyczyć swoich lokali, jeśli zostaną o to poproszeni.

— Tigris, może chodzić też o ciebie — zauważa Peeta.

Rzeczywiście, to niewykluczone. Nawet w tym wąskim jak korytarz sklepie władze zechcą umieścić obywateli, kiedy zbierze się ich zbyt wielu. Wtedy naprawdę utkniemy w piwnicy, w każdej chwili zagrożeni odkryciem. Ile nam zostało dni? Jeden, góra dwa?

Główny Strażnik Pokoju pojawia się ponownie i recytuje dalsze polecenia dla ludności. Wygląda na to, że tego wieczoru doszło do nieszczęśliwego wypadku i tłum zakatował młodego mężczyznę, podobnego do Peety. Z tego względu każdy przypadek zaobserwowania rebelianta należy natychmiast zgłaszać władzom, dopiero one zajmą się identyfikacją oraz aresztowaniem podejrzanych. W telewizji pojawia się fotografia ofiary. Nie licząc niewątpliwie rozjaśnionych loków, człowiek na zdjęciu przypomina Peetę mniej więcej w takim samym stopniu jak ja.

— Ludzie oszaleli — mamrocze Cressida.

Oglądamy krótki powstańczy program informacyjny i dowiadujemy się, że dziś rebelianci zdobyli kilka następnych kwartałów. Zaznaczam na swoim planie odpowiednie skrzyżowania i uważnie się im przyglądam.

— Linia C przebiega w odległości zaledwie czterech przecznic stąd — oświadczam, i z niewiadomych powodów niepokoi mnie to bardziej niż myśl, że Strażnicy Pokoju poszukują wolnych lokali. Nagle robię się bardzo uczynna. — Pozmywam naczynia.

— Pomogę ci. — Gale zbiera talerze.

Wyczuwam, że Peeta odprowadza nas wzrokiem, gdy wychodzimy. W ciasnej kuchni na zapleczu sklepu Tigris napełniam zlew gorącą wodą i dodaję płynu do mycia naczyń.

— Jak myślisz, to prawda? — pytam Gale'a. — Snow zamierza wpuścić uchodźców do posiadłości?

— Teraz chyba musi, przynajmniej przed kamerami — odpowiada.

— Wychodzę jutro rano — postanawiam.

— Idę z tobą — oświadcza Gale. — Co zrobimy z pozostałymi?

— Pollux i Cressida mogą się przydać, to dobrzy przewodnicy — myślę głośno. Oni nie stanowią problemu. — Ale Peeta jest zbyt...

— nieprzewidywalny — dopowiada Gale. — Uważasz, że nadal byłby skłonny się zgodzić, żebyśmy go zostawili?

— Wystarczy mu wyjaśnić, że stanowiłby dla nas zagrożenie. Jeśli go przekonamy, zapewne się zgodzi.

Peeta dość rozsądnie podchodzi do naszej propozycji i natychmiast potwierdza, że jego obecność może zagrażać bezpieczeństwu reszty z nas. Już mi się zdaje, że jest gotów przesiedzieć resztę wojny w piwnicy Tigris, kiedy oznajmia, iż wyrusza w pojedynkę.

— A po co? — pyta Cressida.

— Nie jestem pewien. Chyba miałbym szansę całkiem nieźle sprawdzić się przy odwracaniu uwagi. Sami widzieliście, co się stało z człowiekiem, który wyglądał jak ja — przypomina.

— A jeśli... stracisz panowanie nad sobą? — pytam.

— Niby że wylezie ze mnie zmiech? Jeżeli wyczuję nadchodzącą przemianę, postaram się tu wrócić — zapewnia mnie.

— Przecież Snow może znowu cię schwytać — zauważa Gale. — Nawet nie masz broni.

— Więc będę musiał zaryzykować, podobnie jak wy — mówi Peeta i przez chwilę obaj patrzą sobie w oczy. Potem Gale sięga do kieszeni na piersi i kładzie na dłoni Peety pastylkę z łykołakiem. Peeta nawet nie drgnie, ani nie przyjmuje, ani nie odrzuca trucizny. — A co z tobą?

— Nie przejmuj się. Beetee pokazał mi, jak ręcznie detonować wybuchowe strzały. A jeśli zawiodą, mam jeszcze nóż. No i Katniss, rzecz jasna — dodaje z uśmiechem. — Nie da im tej satysfakcji, nie pozwoli wziąć mnie żywcem.

Wyobraziłam sobie, jak Strażnicy Pokoju odciągają Gale'a i w mojej głowie ponownie rozbrzmiewają słowa piosenki...

Czy chcesz, czy chcesz
Pod drzewem skryć się?

— Weź tę pastylkę, Peeta — mówię z napięciem w głosie, wyciągam rękę i zamykam jego palce na truciźnie. — W pobliżu nie będziesz miał nikogo do pomocy.

Noc jest nerwowa, budzą nas cudze koszmary, w głowach aż nam huczy od planów na następny dzień. Z ulgą witam piątą rano, kiedy wreszcie możemy zacząć przygotowania do tego, co się będzie działo w najbliższych godzinach. Zjadamy zapasy, które nam pozostały, czyli brzoskwinie z puszki, krakersy i ślimaki, a jedną konserwę z łososiem zostawiamy Tigris jako mizerne podziękowanie za wszystko, co dla nas zrobiła. Ten gest chyba ją trochę wzrusza, bo mięśnie jej twarzy kurczą się dziwnie, a ona sama rzuca się w wir pracy. Przez następną godzinę zmienia nas w zupełnie innych ludzi — ubiera w zwykłą odzież, żeby ukryć mundury, choć przecież włożymy jeszcze płaszcze i peleryny. Na nasze wojskowe buty nasuwa coś w rodzaju futrzanych kapci, peruki przypina szpilkami, zmywa z nas pozostałości jaskrawego makijażu, który robiliśmy w pośpiechu, i maluje nas na nowo. Poza tym poprawia na nas odzież, żeby ukryć broń, i wręcza nam torebki oraz zawiniątka z drobiazgami do trzymania w rękach. W rezultacie wyglądamy dokładnie jak uchodźcy uciekający przed rebeliantami.

— Nigdy nie lekceważ talentu wybitnej stylistki — podsumowuje Peeta.

Nie jestem pewna, ale wydaje mi się, że pod paskami na twarzy Tigris wykwitł rumieniec.

W telewizji nie pojawiają się żadne nowe wiadomości, lecz uliczka wydaje się tak samo zatłoczona uciekinierami jak wczoraj rano. Zgodnie z ustalonym planem, mamy przeniknąć do tłumu w trzech grupach. W pierwszej znajdują się Cressida oraz Pollux, którzy spełnią rolę przewodników i będą nas bezpiecznie prowadzić. Po nich pójdę ja z Gale'em, zamierzamy przedrzeć się do grupy kierowanej dzisiaj do rezydencji Snowa. Peeta będzie szedł sam, z tyłu, żeby w razie potrzeby narobić zamieszania i skupić na sobie uwagę otoczenia.

Tigris wypatruje przez żaluzje odpowiedniego momentu, odblokowuje zamek w drzwiach i kiwa głową do Cressidy i Polluksa.

— Trzymaj się — mówi do niej Cressida, a następnie oboje wychodzą.

Pójdziemy w ich ślady za minutę. Wyjmuję kluczyk, ściągam Peecie kajdanki i wpycham je do kieszeni. Rozciera nadgarstki, porusza przegubami, a ja czuję, jak z chwili na chwilę narasta we mnie determinacja. Mam wrażenie, że znowu trafiłam na arenę Ćwierćwiecza Poskromienia, a Beetee wręcza mi i Johannie zwój drutu.

— Pamiętaj, nie rób nic głupiego — mówię.

— Mowy nie ma — odpowiada. — Tylko w absolutnej ostateczności.

Zarzucam ręce na szyję Peety. Wyczuwam jego wahanie, ale w końcu mnie obejmuje. Jego ręce nie są tak pewne jak niegdyś, lecz nadal ciepłe i silne. Przez moją głowę przelatują teraz tysiące wspomnień z czasów, gdy te ręce były moim jedynym schronieniem przed światem. Może dawniej nie dość je doceniałam, lecz zapadły mi w pamięć, a teraz utraciłam je na zawsze.

— Czyli w porządku. — Puszczam go.

— Już czas — mówi Tigris.

Całuję ją w policzek, zapinam czerwoną pelerynę z kapturem, owijam szalikiem twarz, w tym nos, i ruszam za Gale'em na mróz.

Ostre zimne płatki śniegu kąsają odsłonięte fragmenty skóry, wschodzące słońce bez powodzenia usiłuje przebić się przez szarówkę. Światła wystarcza tylko na to, żeby dojrzeć zakutane postacie w najbliższym sąsiedztwie i prawie nic poza tym. Warunki są naprawdę idealne, tyle tylko, że nie mogę zlokalizować Cressidy i Polluksa. Oboje opuszczamy głowy i wleczemy się razem z uchodźcami. Teraz dociera do moich uszu to, czego nie słyszałam, gdy wczoraj zza żaluzji podglądaliśmy uciekinierów — płacze, jęki, posapywania i na dodatek całkiem nieodległe wystrzały z broni palnej.

— Wujku, gdzie idziemy? — pyta mały roztrzęsiony chłopiec i spogląda na mężczyznę zgiętego pod ciężarem niewielkiego sejfu.

— Do posiadłości prezydenta. Tam przydzielą nam nowe miejsce do zamieszkania — dyszy nieznajomy.

Opuszczamy boczną uliczkę i skręcamy w jedną z głównych alej.

— Trzymać się prawej strony! — komenderuje głos, a ja zauważam rozproszonych w tłumie Strażników Pokoju, którzy kierują strumieniem ludzi.

Zza szyb wystawowych spoglądają wystraszone twarze wysiedleńców, już tłoczących się w przeładowanych sklepach. Wszystko dzieje się w takim tempie, że jeszcze przed lunchem Tigris będzie musiała przyjąć uciekinierów z innych kwartałów. Dobrze się złożyło, że już opuściliśmy jej lokal.

Trochę pojaśniało, choć śnieg sypie coraz mocniej. Dostrzegam Cressidę i Polluksa, są jakieś trzydzieści metrów przed nami i powoli suną razem z tłumem. Wyciągam szyję, żeby się rozejrzeć w poszukiwaniu Peety. Nigdzie go nie widzę, ale zauważam zapatrzoną we mnie ciekawską dziewczynkę w cytrynowym płaszczyku. Szturcham Gale'a łokciem i odrobinę zwalniam, aby między nami a małą zgromadził się mur ludzi.

— Niewykluczone, że będziemy musieli się rozdzielić — mówię półgłosem. — Jedna dziewczynka…

Seria wystrzałów wstrząsa tłumem, a kilka osób nieopodal nagle osuwa się na ziemię. Wokoło słychać przeraźliwe wrzaski i wtedy druga seria kosi następną grupę, tym razem gdzieś z tyłu. Ja i Gale pochylamy się nisko, w pośpiechu pokonujemy truchtem trzy metry do rzędu sklepów i ukrywamy się za zastawioną pantoflami na szpilkach półką przed salonem obuwniczym.

Rząd butów zasłania Gale'owi widok.

— Kto to? Widzisz go? — pyta mnie, ale między naprzemiennie ustawionymi parami lawendowych i miętowozielonych skórzanych butów widzę tylko ulicę zasłaną trupami.

Dziewczynka, która mnie obserwowała, klęczy teraz przy nieruchomej kobiecie na ziemi, piszczy przenikliwie i usiłuje ją podnieść. Kolejna seria kul dziurawi płaszczyk dziecka, które zalewa się krwią i pada na plecy. Patrzę na drobne skulone ciało i na chwilę całkiem odbiera mi mowę. W końcu Gale szturcha mnie łokciem.

— Katniss?

— Strzelają z dachu nad nami — informuję go. Rozlega się jeszcze kilka serii, widzę osoby w białych mundurach osuwające się na śnieg. — Usiłują zdejmować Strażników Pokoju, ale raczej daleko im do strzelców wyborowych. Głowę daję, że to rebelianci.

Nie czuję przypływu radości, choć nasi sprzymierzeńcy teoretycznie przebili się na tyły wroga. Nie mogę otrząsnąć się z odrętwienia po tym, jak widziałam, co spotkało dziewczynkę w cytrynowym płaszczyku.

— Jeżeli zaczniemy strzelać, to koniec — uprzedza mnie Gale.

— Cały świat się dowie, że to my.

Fakt. Jesteśmy uzbrojeni wyłącznie w nasze słynne łuki. Gdybyśmy wypuścili choć jedną strzałę, obie strony natychmiast zorientowałyby się, że jesteśmy tuż obok.

— Wykluczone — oznajmiam stanowczo. — Musimy dotrzeć do Snowa.

— W takim razie lepiej ruszajmy w drogę, zanim cały kwartał wstanie z ziemi — proponuje Gale.

Przytuleni do muru, idziemy dalej przed siebie. Problem w tym, że z boku mamy prawie wyłącznie okna wystawowe, za którymi ciągnie się szlak przyciśniętych do szkła, spoconych dłoni i zagapionych na nas twarzy z rozchylonymi ustami. Szarpię szalik wyżej, żeby zasłonić policzki, kiedy przemykamy wśród półek przed sklepami. Za stojakiem pełnym oprawionych w ramki zdjęć Snowa napotykamy rannego Strażnika Pokoju, opiera się o wąski fragment ceglanego muru. Prosi nas o pomoc, a wtedy Gale wali go kolanem w głowę i odbiera mu pistolet. Na skrzyżowaniu kładzie trupem innego Strażnika, dzięki czemu oboje mamy broń palną.

— Więc kogo będziemy teraz udawać? — pytam go.

— Zdesperowanych obywateli Kapitolu — wyjaśnia. — Strażnicy Pokoju będą myśleli, że jesteśmy po ich stronie, i miejmy nadzieję, że rebelianci znajdą sobie lepsze cele.

Zastanawiam się nad sensem naszego najnowszego wcielenia, kiedy sprintem pokonujemy skrzyżowanie. Zanim jednak dotrzemy do następnego kwartału, nie ma już znaczenia, kim jesteśmy ani kim są ludzie wokoło, bo nikt nie patrzy na twarze. Rebelianci są tutaj, zapełniają aleję, kryją się w drzwiach budynków, za samochodami, z ich broni lecą kule, chrapliwe głosy wykrzykują rozkazy, żołnierze szykują się do starcia z zastępami Strażników Pokoju maszerujących prosto ku nim. Pomiędzy dwiema armiami utkwili uchodźcy, bezbronni, zdezorientowani, często ranni.

Przed nami uaktywnia się kokon i bucha kłębem pary, w której gotuje się wszystko, co napotyka na swojej drodze. Poparzeni ludzie, czerwoni jak wnętrzności, padają jak muchy. Potem nikną ostatnie pozory porządku. Pozostała w powietrzu para łączy się ze śniegiem i w rezultacie widoczność ogranicza się do końca lufy mojej broni. Strażnik Pokoju, rebeliant, obywatel... Kto by ich rozróżnił? Celem jest wszystko, co się rusza. Ludzie strzelają odruchowo, a ja nie jestem wyjątkiem. Serce mi łomocze, adrenalina uderza do głowy, każdy jest wrogiem. Każdy z wyjątkiem Gale'a, mojego partnera do polowania, który mnie osłania. Nie pozostaje mi nic innego, jak tylko podążać naprzód i zabijać stojących nam na drodze. Wszędzie wokoło ludzie wrzeszczą, krwawią, umierają. Gdy docieramy do następnego rogu, cały kwartał przed nami rozjaśnia się intensywnie fioletową poświatą. Cofamy się, kryjemy na dole klatki schodowej i spoglądamy ku światłu. Coś dziwnego dzieje się wszędzie tam, dokąd dociera. Ludzie w jego zasięgu zostają porażeni dźwiękiem, a może falą lub laserem. Broń wypada im z dłoni, przyciskają palce do twarzy, a krew tryska ze wszystkich widocznych otworów w ich ciałach: z oczu, z nosa, z ust, z uszu. Po chwili leżą już martwi, a wtedy poświata ustępuje. Zaciskam zęby i biegnę, przeskakuję nad zwłokami, ślizgam się na posoce. Chłostany wiatrem śnieg tworzy oślepiające wiry, które jednak nie tłumią stukotu następnej fali butów zmierzających prosto ku nam.

— Padnij! — syczę do Gale'a i walimy się na ziemię tam, gdzie jesteśmy.

Twarzą ląduję w jeszcze ciepłej kałuży cudzej krwi, ale udaję trupa, leżę nieruchomo, gdy buciory maszerują nad nami. Jedni omijają ciała, inni rozgniatają mi dłoń, plecy, po drodze kopią mnie w głowę. Wkrótce tupot przycicha, więc otwieram oczy i kiwam głową do Gale'a.

W następnym kwartale napotykamy jeszcze więcej przerażonych uchodźców, ale bardzo niewielu żołnierzy. Wygląda na to, że możemy liczyć na chwilę wytchnienia, kiedy rozlega się donośny trzask, jakby odgłos rozbijania jajka o krawędź miski, tylko tysiąckrotnie wzmocniony. Nieruchomiejemy i rozglądamy się w poszukiwaniu kokonu. Nic nie ma, lecz nagle wyczuwam, że czubki moich butów lekko się pochylają.

— Biegiem! — krzyczę do Gale'a.

Brakuje czasu na wyjaśnienia, ale już po kilku sekundach staje się jasne, jaką niespodziankę skrywa ten kokon. W samym środku jezdni pojawiła się szczelina i biegnie przez całą długość alei. Obie strony wyłożonej płytkami drogi składają się jak skrzydła, a ludzie powoli osuwają się do wnętrza ziemi i tego, co tam czeka.

Z jednej strony chcę pognać jak strzała do następnego skrzyżowania, a z drugiej korci mnie, żeby dotrzeć do drzwi przy ulicy i szukać schronienia w budynku. W rezultacie biegnę po łagodnym skosie, ale jezdnia cały czas się zapada, więc moje nogi coraz bardziej się ślizgają na gładkich płytkach i nie mam dla nich punktu oparcia. Czuję się tak, jakbym pędziła po pokrytym lodem zboczu wzniesienia, które przy każdym kroku staje się coraz bardziej strome. Oba moje punkty docelowe, czyli skrzyżowanie i budynki, znajdują się w odległości zaledwie paru metrów, kiedy dociera do mnie, że skrzydło ulicy całkiem opada. Nie mam wyboru, w ostatnich sekundach styczności z nawierzchnią odpycham się i rzucam ku skrzyżowaniu. Oburącz chwytam za jej brzeg i uświadamiam sobie, że aleja otworzyła się całkowicie, a jej połowy zwisają pionowo w dół. Kołyszę nogami w powietrzu, nie mam ich na czym oprzeć. Z głębokości ponad piętnastu metrów wydobywa się odrażający smród, przypominający fetor gnijących zwłok w letnim skwarze. W cieniu pełzną jakieś czarne istoty, które uciszają każdego, kto przeżył upadek.

Z mojego gardła wydobywa się stłumiony krzyk. Nikt nie przybył mi na pomoc, moje palce ześlizgują się z gładkiego jak lód występu i wtedy orientuję się, że zawisłam zaledwie dwa metry od narożnika kokonu. Centymetr po centymetrze przesuwam dłonie po półce i staram się wytłumić w głowie przerażające wrzaski z dołu. Gdy lewą dłonią zawisam po jednej stronie, a prawą po drugiej, przerzucam prawy but ponad krawędź, zahaczam nim o coś i z najwyższym trudem wydobywam się na poziom ulicy. Zadyszana i roztrzęsiona, odczołguję się i dla pewności otaczam ramieniem latarnię, choć w tym miejscu nawierzchnia jest idealnie gładka.

— Gale? — wołam w otchłań, nie zważając na to, że ktoś może mnie rozpoznać. — Gale?

— Tutaj!

Ze zdumieniem spoglądam w lewo. Pułapka pochłonęła wszystko aż do samej podstawy budynków, ale kilkanaście osób zawisło, na czym tylko się dało i teraz ludzie trzymają się kurczowo klamek, kołatek, skrytek na pocztę. Troje drzwi ode mnie wisi Gale, uczepiony ozdobnej żelaznej kraty wokół wejścia do mieszkania. Gdyby drzwi były otwarte, bez trudu wszedłby do środka, ale choć kopie w nie raz za razem, nikt nie przychodzi mu z pomocą.

— Uważaj na twarz! — wrzeszczę i unoszę pistolet. Gale odwraca głowę, a ja pruję w zamek tak długo, aż wreszcie drzwi otwierają się do środka. Rozhuśtany Gale skacze do mieszkania i ląduje na podłodze. Jest uratowany, a ja tryskam entuzjazmem, dopóki nie zauważam, jak wyciągają się ku niemu dłonie w białych rękawiczkach.

Gale spogląda mi w oczy i bezgłośnie mówi coś, czego nie rozumiem. Nie mam pojęcia, co robić. Nie mogę go zostawić, ale też nie mam jak do niego dotrzeć. Znowu porusza ustami, a ja kręcę głową, jestem zdezorientowana. Lada moment Strażnicy Pokoju zorientują się, kogo złapali, a teraz wciągają go do środka.

— Biegnij! — krzyczy.

Odwracam się i uciekam od kokonu. Zostałam zupełnie sama. Gale trafił do niewoli, Cressida i Pollux mogli już zginąć. A Peeta? Nie widziałam go od rozstania z Tigris. Chcę wierzyć, że wrócił, bo mógł przecież wyczuć nadchodzący atak i wycofał się do piwnicy, póki jeszcze panował nad sobą. Może zorientował się, że nie ma potrzeby odwracać niczyjej uwagi, skoro Kapitol sam się tym zajął, i to bardzo skutecznie. Peeta nie musiał wystawiać się na przynętę i nie zachodziła konieczność, żeby połknął pastylkę z łykołakiem… Łykołak! Gale nie ma przy sobie trucizny i na pewno nie zdołał zdetonować ręcznie strzały z ładunkiem wybuchowym. Strażnicy Pokoju niewątpliwie zaczęli od odebrania mu broni.

Popycham jakieś drzwi, oczy piek mnie od łez. „Zastrzel mnie". Właśnie o to usiłował mnie prosić. Miałam go zastrzelić! Do tego się zobowiązałam. Wszyscy zawarliśmy niepisaną umowę, byliśmy to sobie winni. A ja złamałam porozumienie i teraz Kapitol go zamorduje, podda torturom, osaczy albo… Czuję się, jakbym za chwilę miała rozpaść się na drobne kawałki. Pozostał mi tylko jeden promyk nadziei. Jeśli Kapitol upadnie i złoży broń, wówczas może zwolni więźniów, zanim Gale'owi stanie się krzywda. Nie wyobrażam sobie jednak, żeby do tego doszło za życia Snowa.

Obok mnie przebiega dwóch Strażników Pokoju, którzy ledwie rzucają okiem na rozszlochaną kapitolińską dziewczynę, skuloną na progu domu. Przełykam łzy, ocieram mokrą twarz, zanim wilgoć zamarznie, i biorę się w garść. W porządku, nadal jestem anonimowym uchodźcą. A może Strażnicy Pokoju, którzy schwytali Gale'a, dostrzegli mnie podczas ucieczki? Ściągam pelerynę i przewracam ją na drugą stronę, dzięki czemu jest teraz czarna, nie czerwona, ukrywam też twarz pod kapturem. Mocno przyciskam pistolet do piersi, rozglądam się po kwartale. Zauważam tylko garstkę wyraźnie oszołomionych przechodniów i postanawiam ruszyć za dwoma mężczyznami w podeszłym wieku, którzy nie zwracają na mnie uwagi. Nikt nie będzie mnie szukał w towarzystwie staruszków. Gdy przechodzimy na drugą stronę następnego skrzyżowania, obaj nagle nieruchomieją, a ja niemal wpadam im na plecy. Jesteśmy w ścisłym centrum miasta, gdzie po drugiej stronie rozległego placu, otoczonego imponującymi budowlami, mieści się posiadłość prezydenta.

Centrum jest zatłoczone, ludzie kręcą się wszędzie, zawodzą albo po prostu siedzą bezczynnie, podczas gdy śnieg piętrzy się wokół nich. Doskonale wpasowuję się w otoczenie, więc od razu ruszam zygzakiem w kierunku rezydencji, potykając się o porzucony kosztowny dobytek i przyprószone śniegiem ciało. Mniej więcej w połowie drogi zauważam barykadę z betonu, wysoką na niecałe półtora metra i tworzącą duży prostokąt przed posiadłością. Można by pomyśleć, że jest pusta, ale w środku widzę mnóstwo uchodźców. Czy to grupa wybrana do zakwaterowania u prezydenta? Podchodzę bliżej i zauważam coś jeszcze. W betonowej zagrodzie znajdują się wyłącznie dzieci, zarówno małe, jak i nastolatki. Wszystkie są wystraszone i zmarznięte na kość, tłoczą się w grupkach albo bezmyślnie kiwają na ziemi. Nikt nie zamierza ich wprowadzić do rezydencji, są zamknięte i ze wszystkich stron pilnowane przez Strażników Pokoju. Natychmiast się domyślam, że nie chodzi o ich ochronę. Gdyby Kapitol chciał zapewnić im bezpieczeństwo, znalazłyby się w schronie. To Snow pragnie zagwarantować sobie osłonę, a dzieci służą mu za żywą tarczę.

Robi się zamieszanie i tłum nagle przemieszcza się na lewo. Utykam między wyższymi ode mnie ludźmi, którzy napierają i spychają mnie z kursu.

— Rebelianci! Rebelianci! — słychać krzyki i już wiem, że musieli się przedrzeć.

Siła impetu rzuca mnie na maszt flagowy, do którego przywieram. Chwytam linkę podczepioną do szczytu słupa, podciągam się i wyrywam spośród miażdżących mnie ciał. Wtedy zauważam powstańczą armię, która wlewa się do ścisłego centrum i spycha uchodźców z powrotem w głąb alei. Rozglądam się, bo jestem pewna, że za moment ujrzę wybuchające kokony, lecz żaden z nich nie eksploduje. Oto, co się dzieje:

Poduszkowiec z godłem Kapitolu pojawia się bezpośrednio nad odseparowanymi dziećmi i sypie na nie deszcz srebrnych spadochronów. Nawet w tym wszechobecnym chaosie dzieci domyślają się, co się kryje pod małymi czaszkami. Spodziewają się żywności, lekarstw, upominków. Ochoczo wyłapują spadochrony, zmarzniętymi palcami rozplątują sznurki. Poduszkowiec znika, mija pięć sekund i wtedy jednocześnie eksploduje około dwudziestu spadochronów.

W tłumie rozlega się bolesny jęk. Śnieg przybiera czerwoną barwę, wszędzie po ziemi walają się dziecięce szczątki. Wiele dzieci umiera natychmiast, lecz sporo wije się w męczarniach. Część snuje się w milczeniu i spogląda na trzymane w dłoniach, pozostałe srebrne spadochrony, zupełnie jakby mogły jednak zawierać coś cennego. Widzę, że Strażnicy Pokoju są zaskoczeni, bo teraz rozrywają zagrodę, aby dostać się do dzieci. Przez otwór w betonie wpada następna grupa ludzi w białych uniformach, ale tym razem nie są to Strażnicy, tylko rebelianccy lekarze i sanitariusze. Wszędzie rozpoznałabym te mundury. Krążą teraz wśród dzieci z zestawami do pierwszej pomocy.

Najpierw zauważam jasny warkocz na jej plecach. Potem, kiedy ściąga płaszcz, żeby przykryć zapłakane dziecko, widzę kaczy ogonek z wysuniętego fragmentu koszuli. Reaguję tak samo jak wtedy, gdy Effie Trinket wyczytała jej imię i nazwisko w dniu dożynek. Najwyraźniej wiotczeją mi mięśnie, bo nagle jestem u podstawy masztu i nie mam pojęcia, co się zdarzyło w ciągu ostatnich kilku sekund. Potem przedzieram się przez tłum, zupełnie jak kiedyś, wołam ją po imieniu, usiłuję przekrzyczeć ludzi. Jestem już prawie na miejscu, niemal przy samej barykadzie, i chyba wreszcie mnie słyszy, bo patrzy na mnie, a jej usta układają się tak, jakby wypowiadała moje imię.

I wtedy eksplodują pozostałe spadochrony.

Prawda czy fałsz? Płonę. Kule ognia, które wystrzeliły ze spadochronów, przelatują ponad ścianami barykady, przeszywają gęste od śniegu powietrze i lądują w tłumie. Odwracałam się, kiedy jedna z nich mnie dopadła, polizała jęzorem po plecach i przeobraziła w nową istotę, stwora tak samo niewygaszalnego jak słońce.

Ogniowy zmiech zna tylko jedno uczucie: skrajną męczarnię. Nie ma wzroku, nie ma słuchu i nie czuje nic poza nieustępującym bólem palonego ciała. Może pojawiają się okresy braku przytomności, ale co z tego, skoro nie przynoszą mi ulgi? Jestem ptakiem stworzonym przez Cinnę, frunę cała w ogniu, miotam się, żeby uciec przed tym, co nieuchronne. Płomienne pióra wyrastają z mojego ciała, a trzepot skrzydeł tylko podsyca pożar. Spalam samą siebie, ale na próżno.

W końcu moje skrzydła słabną, tracę wysokość, a siła grawitacji ciągnie mnie ku spienionemu morzu o barwie oczu Finnicka. Unoszę się na plecach, które nadal płoną pod wodą, ale męczarnia słabnie i zmienia się w zwykły ból. Dryfuję, nie mogę sobą pokierować, i wtedy przybywają oni. Zmarli.

Ci, których kochałam, fruwają jak ptaki po otwartym niebie nade mną. Szybują, latają w kółko, przywołują mnie, żebym do nich dołączyła. Ogromnie pragnę podążyć za nimi, lecz skrzydła nasiąkły mi wodą morską i teraz nie mogę ich unieść. Ci, których nienawidziłam, zanurzyli się w wodzie. To upiorne, pokryte łuskami stwory, rozrywające moje słone ciało cienkimi jak igły zębami. Kąsają mnie raz za razem, wciągają pod powierzchnię.

Mały białoróżowawy ptak daje nura, zatapia pazury w mojej piersi i usiłuje utrzymać mnie na powierzchni.

— Nie, Katniss! Nie! Nie możesz odejść!

Zwyciężają jednak ci znienawidzeni, a ona również pójdzie na dno, jeśli mnie nie puści.

— Prim, puść!

W końcu odrywa się ode mnie i jestem teraz całkiem sama w morskiej otchłani, opuszczona przez wszystkich. Słyszę tylko swój oddech, z ogromnym wysiłkiem wciągam wodę do płuc i ją z nich wyciskam. Chcę przestać, usiłuję wstrzymać oddech, ale morze wdziera się we mnie wbrew mojej woli.

— Daj mi umrzeć, pozwól mi iść za innymi — błagam to, co mnie tutaj trzyma, ale nie słyszę odpowiedzi.

Tkwię w tej pułapce przez całe dnie, lata, może przez wieki. Jestem martwa, ale nie wolno mi umrzeć. Żyję, choć równie dobrze mogłabym być trupem. Czuję się tak samotna, że ktokolwiek, cokolwiek, nawet coś odrażającego byłoby mile widziane. Kiedy w końcu zjawia się gość, jest miło. Morfalina. Wypełnia mi żyły, łagodzi ból, odciąża ciało, dzięki czemu wznosi się ono i znowu leży na pianie.

Piana. Naprawdę się na niej unoszę. Czuję ją pod opuszkami palców, jak kołysze częściami mojego nagiego ciała. Pojawia się ogromny ból, ale i coś w rodzaju rzeczywistości. Czuję papier ścierny w gardle, woń lekarstwa na oparzenia z pierwszej areny, słyszę głos mamy. Wszystko to mnie przeraża i staram się powrócić do głębin, żeby zrozumieć, o co chodzi, ale nie ma odwrotu. Stopniowo zostaję zmuszona do zaakceptowania, kim jestem: poważnie poparzoną dziewczyną bez skrzydeł, bez ognia, bez siostry.

W olśniewająco białym kapitolińskim szpitalu lekarze odprawiają nade mną swoje czary. Otulają otwarte rany nową warstwą skóry, przekonują komórki, że należą do mnie, manipulują częściami mojego ciała, zginają i rozciągają kończyny, aby zapewnić im odpowiednią sprawność. Co rusz słyszę, że szczęściara ze mnie. Mam nienaruszone oczy, ocalała większość twarzy, a płuca dobrze reagują na leczenie. Będę jak nowo narodzona.

Kiedy moja wrażliwa skóra stwardniała na tyle, żeby wytrzymać dotyk pościeli, przybywają nowi goście. Morfalina otwiera drzwi zarówno przed żywymi, jak i umarłymi. Zjawia się Haymitch, pożółkły i bez uśmiechu, Cinna, zajęty szyciem nowej sukni ślubnej, Delly trajkocząca o tym, jacy mili są ludzie, mój ojciec, który wyśpiewuje wszystkie cztery zwrotki *Drzewa wisielców* i przypomina mi, że mama, między dyżurami sypiająca na krześle, nie może o tym wiedzieć.

Któregoś dnia budzę się zgodnie z oczekiwaniami i wiem, że nie będę mogła żyć w świecie marzeń. Muszę przyjmować pokarmy doustnie, każą mi samodzielnie poruszać mięśniami i chodzić do toalety. Kropka nad i pojawia się wraz z krótką wizytą pani prezydent Coin.

— Nie martw się — mówi. — Zachowałam go dla ciebie.

Lekarze nie posiadają się ze zdumienia, bo nie rozumieją, dlaczego nie mogę mówić. Jestem poddawana wielu badaniom i okazuje się, że choć mam uszkodzone struny głosowe, to jednak nie na tyle, by stracić mowę. Doktor Aurelius, psychiatra, w końcu przedstawił teorię, zgodnie z którą stałam się awoksą, ale nie z przyczyn fizycznych, tylko psychicznych. Moje milczenie zostało podobno spowodowane emocjonalnym wstrząsem. Inni lekarze proponują setki rozmaitych lekarstw, lecz on każe im zostawić mnie w spokoju.

Chociaż nie pytam o nikogo ani o nic, ludzie i tak bezustannie dostarczają mi informacji. W sprawie wojny: Kapitol upadł w dniu zdetonowania spadochronów, władzę nad Panem przejęła prezydent Coin, a wojsko wyruszyło wszędzie tam, gdzie walczą jeszcze małe ośrodki kapitolińskiego oporu. W sprawie prezydenta Snowa: znajduje się w niewoli, czeka na rozprawę sądową i raczej nieuchronną egzekucję. W sprawie mojej drużyny skrytobójców: Cressida i Pollux zostali skierowani do dystryktów, żeby utrwalać na taśmie widok zniszczeń wojennych. Gale dostał dwie kule podczas próby ucieczki, a teraz likwiduje niedobitki Strażników Pokoju w Dwójce. Peeta ciągle przebywa na oddziale poparzeń, bo mimo wszystko udało mu się dotrzeć do ścisłego centrum miasta. W sprawie mojej rodziny: mama intensywnie pracuje, żeby zagłuszyć rozpacz.

Nie mam nic do roboty, więc pogrążam się w bólu, a jedyne, co mnie podtrzymuje na duchu, to obietnica złożona przez Coin. Powiedziała, że mogę zabić Snowa, ale gdy już to zrobię, nie pozostanie mi nic.

W końcu zostaję wypisana ze szpitala i otrzymuję pokój w posiadłości prezydenta, który dzielę z mamą. Ona jednak prawie nigdy tam nie bywa, bo posila się i sypia w pracy, więc obowiązek odwiedzania mnie spada na Haymitcha. To on sprawdza, czy jadam jak należy i czy przyjmuję lekarstwa, lecz nie ma łatwego zadania, bo nie zrezygnowałam ze starych nawyków z Trzynastego Dystryktu. Włóczę się bez pozwolenia po całej rezydencji, zaglądam do sypialni i gabinetów, sal balowych i łazienek. Szukam dziwacznych małych kryjówek, takich jak schowek na futra, skrytka w bibliotece, zapomniana wanna w składziku na stare meble. Wynajduję ciemne i ciche zakamarki, niemożliwe do odkrycia, a następnie zwijam się w nich, kurczę i usiłuję całkiem zniknąć. Pogrążona w ciszy, raz za razem obracam na nadgarstku bransoletkę z napisem: „Dezorientacja psychiczna".

Nazywam się Katniss Everdeen. Mam siedemnaście lat. Pochodzę z Dwunastego Dystryktu, który już nie istnieje. Jestem Kosogłosem i to ja doprowadziłam do upadku Kapitolu. Prezydent Snow mnie nienawidzi. Zabił moją siostrę, a teraz ja zabiję jego. Dopiero wtedy Głodowe Igrzyska dobiegną końca…

Regularnie pojawiam się w swoim pokoju, choć nie wiem, czy z braku morfaliny, czy też z powodu Haymitcha, który wypłasza mnie z kryjówek. Zjadam coś, połykam lekarstwa, a potem muszę się umyć. Nie mam nic przeciwko wodzie, ale nie podoba mi się lustro, w którym odbija się moje nagie ciało ogniowego zmiecha. Przeszczepiona skóra nadal jest różowa jak u niemowlęcia. Te fragmenty tkanki, które uznano za uszkodzone, lecz nadające się do uratowania, są gładkie, czerwone i rozgrzane. Płaty moje dawnego ciała jaśnieją bielą i bladością, a ja sama przypominam patchworkową, uszytą z ludzkiej skóry narzutę. Moje włosy częściowo spłonęły, resztę dziwacznie i nierówno przycięto. Katniss Everdeen, dziewczyna, która igrała z ogniem. W sumie niewiele by mnie to obeszło, ale widok mojego ciała przypomina mi o bólu i o tym, z jakiego powodu go doświadczałam. I o tym, co się zdarzyło tuż przed bólem, kiedy patrzyłam na moją młodszą siostrę, jak zmieniała się w żywą pochodnię.

Zamykam oczy, ale to nie pomaga, bo w ciemności ogień płonie jeszcze jaśniej.

Niekiedy pojawia się doktor Aurelius. Lubię go, bo nie opowiada bredni o tym, że jestem zupełnie bezpieczna, albo że choć teraz w to nie wierzę, któregoś dnia odzyskam szczęście. Nie mówi nawet, że w Panem już będzie lepiej. Po prostu pyta, czy mam ochotę rozmawiać, a kiedy nie odpowiadam, zasypia w fotelu. W gruncie rzeczy uważam, że jego wizyty są w dużej mierze powodowane potrzebą drzemki. Taki układ zadowala i jego, i mnie.

Zbliża się pora, choć nie jestem w stanie precyzyjnie określić godzin i minut. Prezydenta Snowa osądzono, uznano za winnego i skazano na śmierć. Mówi mi to Haymitch, słyszę, jak rozmawiają o tym strażnicy, kiedy ich mijam na korytarzach. W moim pokoju zjawia się kostium Kosogłosa, a także mój łuk, chyba sprawny, tylko brakuje kołczana ze strzałami. Nie dostałam strzał, bo albo zostały uszkodzone, albo dlatego, co bardziej prawdopodobne, że nie powinnam mieć broni. Zastanawiam się trochę, czy nie warto byłoby przygotować się jakoś do tego, co nastąpi, ale nic mi nie przychodzi do głowy.

Któregoś późnego popołudnia, po długim czasie spędzonym na miękkiej ławce pod oknem, za malowanym parawanem, wychodzę z ukrycia, ale zamiast skręcić w prawo, idę w lewo. Trafiam do nieznanej części rezydencji i natychmiast się gubię. W przeciwieństwie do rejonu, w którym mieszkam, tu jest całkiem pusto i nie mam kogo spytać o drogę. Wcale mi to jednak nie przeszkadza i żałuję, że wcześniej tutaj nie trafiłam. Otacza mnie kompletna cisza, grube dywany i ciężkie gobeliny skutecznie pochłaniają dźwięki. Światło jest przytłumione, kolory stonowane. Delektuję się spokojem, dopóki nie wyczuwam zapachu róż. Daję nura za zasłony i w ukryciu czekam na zmiechy, zbyt roztrzęsiona, aby uciec. W końcu dociera do mnie, że nie nadchodzą, więc zastanawiam się, co takiego czuję? Prawdziwe róże? Czy to możliwe, że znajduję się nieopodal ogrodu, w którym rosną te nieszczęsne kwiaty?

Skradam się korytarzem, a zapach staje się coraz intensywniejszy. Może nie jest tak silny jak ten, który bił od zmiechów, za to czystszy, bo nie rywalizuje ze smrodem ścieków i eksplozji. Skręcam za rogiem i napotykam dwóch zaskoczonych strażników. Nie są to Strażnicy Pokoju, ich już nie ma, ale też nie rozpoznaję w nich ubranych w szare mundury żołnierzy z Trzynastki. Ci dwoje, mężczyzna i kobieta, mają na sobie wystrzępione, niedobrane stroje prawdziwych rebeliantów. Poowijani bandażami i wychudzeni, pilnują wejścia do pomieszczenia, z którego czuć zapach róż. Chcę wejść, lecz zagradzają mi drogę pistoletami maszynowymi.

— Nie możesz tam wejść, panienko — informuje mnie mężczyzna.

— Żołnierzu — poprawia go kobieta. — Żołnierzu Everdeen, tam nie wejdziesz. To rozkaz pani prezydent.

Stoję nieruchomo i cierpliwie czekam, aż opuszczą broń i sami zrozumieją, że za tymi drzwiami jest coś, czego potrzebuję. Chcę zabrać różę, tylko jeden kwiat, który wsunę Snowowi do butonierki, zanim go zastrzelę. Wygląda na to, że moja obecność wprawia strażników w zakłopotanie. Rozmawiają o tym, czy powiadomić Haymitcha, kiedy nagle ktoś odzywa się za moimi plecami:

— Wpuśćcie ją.

Znam ten głos, choć w pierwszej chwili nie mogę przypomnieć sobie, do kogo należy. Do nikogo ze Złożyska ani z Trzynastki, a już na pewno nie z Kapitolu. Odwracam się i staję twarzą w twarz z dowódcą Paylor z Ósemki. Tak jak wszyscy, wygląda jeszcze gorzej niż wtedy, w szpitalu.

— Na moją odpowiedzialność — dodaje. — Ona ma prawo do wszystkiego, co się znajduje za tymi drzwiami.

To jej żołnierze, nie Coin, więc bez wahania opuszczają broń, żeby mnie wpuścić.

Na końcu krótkiego korytarza natrafiam na szklane drzwi, które rozsuwam i wchodzę do środka. Zapach jest teraz tak silny, że zaczyna słabnąć, jakby mój nos nie był w stanie wytrzymać tak intensywnych doznań. Wilgotne, umiarkowanie ciepłe powietrze przyjemnie chłodzi moją rozpaloną skórę, a otaczające mnie róże są imponujące. Wokół rosną okazałe kwiaty, soczystoróżowe, pomarańczowe jak zachód słońca, a nawet bladobłękitne. Wędruję między rzędami starannie wypielęgnowanych roślin i patrzę, ale nie dotykam, bo przekonałam się boleśnie, jak śmiertelnie niebezpieczne bywają te piękności. Od razu rozpoznaję tę, której szukałam, gdy dostrzegam ją na szczycie smukłego krzewu. To dostojny biały pąk, właśnie zaczyna się otwierać. Zasłaniam dłoń materiałem lewego rękawa, żeby przypadkiem nie dotknąć łodygi skórą, biorę sekator i przykładam go do rośliny, gdy rozlega się jego głos:

— Ta jest ładna.

Ręka mi drży, ostrza sekatora się zaciskają i tną łodygę.

— Kolory są urocze, rzecz jasna, ale nic nie dorówna bieli.

Nadal go nie widzę, ale jego głos zdaje się dobiegać z przyległej grządki czerwonych róż. Delikatnie trzymając łodygę palcami osłoniętymi materiałem, powoli wychodzę zza rogu i dostrzegam go, jak siedzi na stołku pod ścianą. Jest wymuskany i nosi eleganckie ubranie, jak zawsze, ale teraz ma skute ręce, na nogach kajdany i jeszcze elektroniczne obręcze. W jasnym świetle jego skóra jest chorobliwie bladozielona. W dłoni trzyma białą chustkę z plamami świeżej krwi i choć wygląda źle, jego zimne wężowe oczy lśnią.

— Miałem nadzieję, że znajdziesz drogę do mojego apartamentu.

Jego apartament. Wdarłam się do jego domu, tak samo jak w ubiegłym roku on włamał się do mojego, żeby syczeć groźby tym swoim krwawym, różanym oddechem. Szklarnia to jedno z jego pomieszczeń, może nawet ulubione. Niewykluczone, że w lepszych czasach sam doglądał roślin. Teraz jednak to jest część jego więzienia i dlatego strażnicy mnie zatrzymali. I z tego powodu Paylor pozwoliła mi wejść.

Zakładałam, że wrzucą go do najgłębszego lochu, jakim dysponował Kapitol, a tymczasem Snow opływa w luksusy. Coin pozostawiła go tutaj zapewne po to, by stworzyć precedens. Jeśli w przyszłości sama wypadnie z łask, ludzie będą uważali, że nawet najniegodziwszym prezydentom powinno się zagwarantować specjalne traktowanie. Kto wie, kiedy jej rządy dobiegną kresu?

— Jest mnóstwo spraw, o których powinniśmy porozmawiać, ale mam wrażenie, że wpadłaś na krótko. Zacznijmy zatem od początku. — Rozkasłuje się, a kiedy odsuwa chustkę od ust, jest jeszcze czerwieńsza. — Chciałem przekazać ci wyrazy najgłębszego ubolewania w związku z tym, co spotkało twoją siostrę.

Choć jestem znieczulona lekami, jego słowa powodują ukłucie bólu i przypominam sobie, że okrucieństwo Snowa nie zna granic. Nawet stojąc nad grobem, usiłuje mnie zniszczyć.

— Taka strata, i to całkiem niepotrzebna. Przecież każdy wiedział, że na tym etapie gra dobiegła końca. W gruncie rzeczy właśnie zamierzałem wydać oficjalne oświadczenie o kapitulacji, kiedy oni spuścili spadochrony. — Nie odrywa ode mnie wzroku, nie mruga oczami, jakby ani przez sekundę nie chciał przegapić mojej reakcji. Ale jego słowa nie mają sensu. Jacy oni spuścili spadochrony? — Chyba nie podejrzewałaś, że to ja wydałem ten rozkaz? Przecież gdybym dysponował sprawnym poduszkowcem, wykorzystałbym go do ucieczki. Pomyśl, co miałbym osiągnąć, mordując twoją siostrę? Oboje wiemy, że nie cofnę się przed zabijaniem dzieci, ale marnotrawstwo jest mi obce. Odbieram ludziom życie z bardzo konkretnych przyczyn, a nie miałem żadnego powodu, żeby wymordować całą zagrodę kapitolińskich dzieci. Żadnego.

Zastanawiam się, czy jego następny atak kaszlu jest zaaranżowany, żebym miała czas przetrawić te słowa. Kłamie, z pewnością kłamie, ale przez jego kłamstwa usiłuje się przedrzeć coś, co może być prawdą.

— Muszę jednak przyznać, że było to mistrzowskie posunięcie ze strony Coin. Przekonanie, że bombarduję nasze bezbronne dzieci, momentalnie sprawiło, że moi ludzie odwrócili się ode mnie, zwłaszcza że ich lojalność i tak stała pod znakiem zapytania. Potem nie mogło być mowy o realnym oporze. Wiedziałaś, że to poszło na żywo w telewizji? Czuć w tym rękę Plutarcha. I jeszcze te spadochrony. Przecież właśnie takiego scenariusza można się spodziewać po Głównym Organizatorze Igrzysk, prawda?

— Snow dotyka chustką kącików ust. — Jestem pewien, że nie polował na twoją siostrę, ale takie rzeczy się zdarzają.

Odrywam się myślami od Snowa i powracam do arsenału broni specjalnej w Trzynastce. Jestem tam razem z Gale'em i Beetee'em, oglądam projekty oparte na pułapkach Gale'a, który stworzył je, mając świadomość ludzkich zachowań. Pierwsza bomba zabija ofiary, druga ratowników. Przypominam sobie słowa Gale'a: „Razem z Beetee'em korzystałem ze zbioru tych samych zasad, które przyświecały prezydentowi Snowowi, gdy osaczał Peetę".

340

— Mój błąd polegał na tym, że za późno zrozumiałem plan Coin — mówi Snow. — Zaczekała, aż Kapitol i dystrykty wyniszczą się nawzajem, a potem wkroczyła do akcji i przejęła władzę. Dzięki niej Trzynastka wyszła właściwie bez szwanku. Niech cię nie zwiodą pozory, Coin od samego początku zamierzała zająć moje miejsce i nie powinienem się dziwić. Ostatecznie, to przecież Trzynastka wszczęła bunt, który doprowadził do Mrocznych Dni, a potem porzuciła resztę dystryktów, kiedy sytuacja obróciła się na niekorzyść rebeliantów. Ale ja nie obserwowałem Coin, tylko ciebie, Kosogłosie, a ty mnie. W rezultacie ona zrobiła idiotów z nas obojga.

Nie chcę w to uwierzyć, bo są rzeczy, których nawet ja nie mogę wytrzymać. Wypowiadam pierwsze słowa od śmierci siostry.

— Nie wierzę panu.

Snow szyderczo kręci głową, udaje rozczarowanie.

— Och, moja droga panno Everdeen. Przecież chyba ustaliliśmy, że nie będziemy okłamywać się nawzajem.

W korytarzu natykam się na Paylor. Stoi dokładnie w tym samym miejscu, co poprzednio.

— Znalazłaś to, czego szukałaś? — pyta.

W odpowiedzi unoszę biały pąk i mijam ją chwiejnym krokiem. Najwyraźniej dobrnęłam jakoś do swojego pokoju, bo następne, co pamiętam, to szklanka, do której nalewam wody z kranu i wkładam różę. Potem klękam na zimnych kafelkach i mrużę oczy, patrząc na kwiat. W ostrym świetle jarzeniówek trudno mi skoncentrować się na bieli. Zahaczam palcem o wewnętrzną stronę bransoletki i wykręcam ją z całej siły, jak opaskę uciskową. Liczę na to, że cierpienie pozwoli mi utrzymać kontakt z rzeczywistością, podobnie jak Peecie. Muszę się trzymać. Muszę poznać prawdę o tym, co się zdarzyło.

Wersje są dwie, choć szczegóły z nimi związane mogą się różnić. Zgodnie z pierwszą, w którą dotąd wierzyłam, Kapitol przysłał poduszkowiec, zrzucił spadochrony i poświęcił życie dzieci ze świadomością, że nadchodzący rebelianci pośpieszą im z pomocą. Istnieją dowody na poparcie tej tezy — godło Kapitolu na poduszkowcu, fakt, że nieprzyjaciel nie próbował go zestrzelić, a do tego powszechnie wiadomo, że Kapitol od wielu lat wykorzystywał dzieci jako pionki w bitwie z dystryktami. W wersji Snowa jednak kapitoliński poduszkowiec z rebeliancką załogą zbombardował dzieci, aby doprowadzić do szybszego zakończenia wojny. Jeśli to prawda, to dlaczego Kapitolińczycy nie otworzyli ognia do wroga? Czyżby w tym wypadku zadziałał element zaskoczenia, a może wyczerpały się ich możliwości obronne? Dzieci w Trzynastce są bardzo dobrze traktowane, a przynajmniej tak to zawsze wyglądało. To znaczy wszystkie z wyjątkiem mnie — kiedy zrobiłam swoje, stałam się zbędna. Inna rzecz, że w tej wojnie od dawna nie uważa się mnie za dziecko. Poza tym, z jakiego powodu rebelianci zrzucaliby spadochrony, skoro wiedzieli, że ich ekipy medyczne najpewniej przystąpią do akcji ratunkowej, a drugi wybuch zmiecie je z powierzchni ziemi? Nie, nie zrobiliby tego, nie mogliby, Snow kłamie, manipuluje mną jak zawsze. Ma nadzieję, że zwróci mnie przeciwko powstańcom i być może w ten sposób doprowadzi do ich klęski. Tak, to oczywiste.

Co wobec tego nie daje mi spokoju? Przede wszystkim wybuchające dwuetapowo bomby. Nie chodzi o to, że Kapitol nie może dysponować taką bronią, tylko o moją pewność, że to rebelianci mają ją na sto procent, dzięki pomysłowości Gale'a i Beetee'ego. Poza tym Snow nie podjął żadnej próby ucieczki, a wiem doskonale, że jest mistrzem wychodzenia obronną ręką z największych opresji. Trudno uwierzyć, żeby nie miał gdzieś przyszykowanej kryjówki, jakiegoś schronu solidnie zaopatrzonego w zapasy, gdzie mógłby dożyć końca swoich parszywych, żałosnych dni. Pozostaje jeszcze jego opinia o Coin. Nie sposób zaprzeczyć, że zrobiła dokładnie to, co opisał — zaczekała, aż Kapitol i dystrykty wdepczą się nawzajem w ziemię, a potem wkroczyła do akcji, żeby przejąć władzę. Ale nawet jeśli tak wyglądał plan, nie oznacza to, że zrzuciła spadochrony, przecież zwycięstwo było o krok. Coin miała wszystko pod kontrolą.

Wszystko z wyjątkiem mnie.

Przypominam sobie reakcję Boggsa, kiedy przyznałam, że nie zastanawiałam się zbytnio nad tym, kto będzie następcą Snowa. „Skoro nie odpowiadasz bez wahania, że poprzesz Coin, stanowisz zagrożenie. Jesteś twarzą rebelii, Katniss. Być może masz większy wpływ na bieg zdarzeń niż ktokolwiek inny. Tymczasem w najlepszym wypadku tolerujesz Coin".

Nagle zaczynam myśleć o Prim, która nie miała jeszcze czternastu lat, więc nie przysługiwał jej nawet tytuł żołnierza, a mimo to trafiła na front. Jak mogło do tego dojść? Nie wątpię, że moja siostra chciała tam być i że potrafiła więcej niż niejedna dużo starsza od niej osoba, ale mimo wszystko ktoś bardzo wysoko postawiony musiał przyzwolić na skierowanie trzynastolatki do walki. Czy zrobiła to Coin w nadziei, że utrata Prim kompletnie wyprowadzi mnie z równowagi, a przynajmniej utwierdzi w przekonaniu, iż moje miejsce jest przy pani prezydent? Nie musiałam nawet widzieć tego na własne oczy. W centrum miasta roi się od kamer, które na pewno utrwaliły ten moment na zawsze.

Nie, teraz zaczynam wariować, wpadam w paranoję. Przecież zbyt wielu ludzi dowiedziałoby się o tej misji i ktoś na pewno by się wygadał. A może nie? Kto tak naprawdę musiałby wiedzieć o tej akcji z wyjątkiem Coin, Plutarcha i nielicznej ekipy złożonej z wiernych lub łatwych do usunięcia ludzi?

Desperacko potrzebuję pomocy przy rozwikłaniu tej zagadki, ale nie żyje już nikt, komu ufałam. Cinna, Boggs, Finnick, Prim. Jest jeszcze Peeta, ale on mógłby tylko spekulować, a zresztą kto wie, co się teraz dzieje w jego głowie. Wobec tego zostaje wyłącznie Gale. Jest teraz daleko, ale nawet gdyby był przy mnie, czy na pewno mogłabym mu zaufać? Co miałabym powiedzieć, jak sformułować podejrzenia, nie sugerując jednocześnie, że to jego bomba zabiła Prim? Ta myśl wydaje mi się bardziej niewiarygodna niż cokolwiek innego, więc Snow z pewnością kłamie.

W ostatecznym rozrachunku pozostaje tylko jedna osoba, do której mogę się zwrócić i która może wiedzieć, co się stało, i jeszcze być po mojej stronie. Nawet wzmianka o tym będzie ryzykowna, ale choć Haymitch narażał moje życie na arenie, to jednak nie sądzę, aby doniósł na mnie Coin. Bez względu na problem, wolimy rozwiązywać nasze spory sami.

Gramolę się z podłogi, otwieram drzwi i idę przez korytarz do jego pokoju. Nie odpowiada na pukanie, więc wchodzę. Uch. Aż trudno uwierzyć, że tak szybko potrafi zmienić mieszkanie w melinę. Dookoła walają się talerze z niedojedzonymi posiłkami, porozbijane butelki po alkoholu, a na dodatek szczątki mebli, które połamał podczas ataków pijackiego szału. Nieprzytomny Haymitch, rozczochrany i nieumyty, leży w zmiętej pościeli.

— Panie Haymitch — odzywam się i szarpię go za nogę. To nie wystarcza, rzecz jasna, ale i tak próbuję jeszcze parę razy, zanim chlusnę mu w twarz wodą z dzbanka. Haymitch zachłystuje się, raptownie dochodzi do siebie i na oślep wymachuje nożem. Wygląda na to, że koniec rządów Snowa nie oznacza końca lęków Haymitcha.

— Ach, to ty — bełkoce. Co nie pozostawia wątpliwości, że jeszcze nie wytrzeźwiał.

— Proszę pana... — zaczynam.

— Kto by pomyślał, Kosogłos odzyskał mowę — rechocze. — No, to Plutarch będzie wniebowzięty. — Pociąga łyk z butelki. — Dlaczego jestem cały mokry?

Nieudolnie upuszczam ukryty za plecami dzbanek na stertę brudnych ubrań.

— Potrzebuję pańskiej pomocy — oznajmiam.

Haymitch beka i powietrze wypełnia się oparami bimbru.

— Co tam, skarbie? Nowe problemy z chłopcami?

Sama nie wiem dlaczego, ale te słowa mnie ranią, choć Haymitchowi rzadko udaje się dotknąć mnie do żywego. Najwyraźniej widać to na mojej twarzy, bo mimo upojenia alkoholowego usiłuje cofnąć to, co powiedział.

— No dobra, mało śmieszne. — Jestem już przy drzwiach. — Mało śmieszne! Wracaj!

Słychać głuchy łoskot walącego się na podłogę ciała, co oznacza, że usiłował mnie gonić, ale nic mu z tego nie wyszło.

Lawiruję po rezydencji i w końcu znikam w szafie pełnej jedwabnych ubrań. Ściągam je z wieszaków i układam na stertę, w której się zakopuję. W kieszeni natrafiam na zapomnianą pastylkę morfaliny, więc połykam ją na sucho, żeby oddalić narastającą histerię. To jednak nie wystarcza, żebym wyszła na prostą. W oddali słychać nawoływania Haymitcha, który w stanie, w jakim jest, nie ma szansy mnie znaleźć, zwłaszcza w tej nowej kryjówce. Owinięta jedwabiami, czuję się jak gąsienica w kokonie oczekująca na metamorfozę. Zawsze zakładałam, że to spokojny stan, i z początku tak właśnie jest. W miarę upływu czasu czuję się jednak coraz bardziej uwięziona, duszą mnie śliskie pęta, nie mogę się z nich wydobyć do czasu przepoczwarzenia w stworzenie niezwykłej urody. Wiję się, usiłuję zrzucić zniszczone ciało i poznać sekret wyhodowania sobie nieskazitelnych skrzydeł, ale pomimo nadludzkich wysiłków pozostaję odrażającym stworem, wtłoczonym w obecną formę mocą ognia bomb.

Spotkanie ze Snowem otwiera drzwi przed dobrze mi znanym repertuarem nocnych koszmarów. Jest tak, jakby ponownie pokąsały mnie gończe osy, nachodzi mnie fala upiornych wizji i doświadczam tylko jednej chwili wytchnienia, którą mylę z przebudzeniem. Zaraz potem pochłania mnie nowa fala. Gdy wreszcie odnajdują mnie strażnicy, siedzę w szafie, zaplątana w jedwabie, i wrzeszczę, ile sił w płucach. Z początku walczę, ale w końcu przekonują mnie, że chcą tylko pomóc, wyłuskują mnie z materiałów i odprowadzają do pokoju. Po drodze mijamy okno, za którym widzę Kapitol w szarym świetle śnieżnego poranka.

Walczący z gigantycznym kacem Haymitch czeka już z garścią tabletek i tacą jedzenia, którego żadne z nas nie jest w stanie przełknąć. Bez przekonania próbuje mnie skłonić do rozmowy, ale widząc jałowość tych starań, odsyła mnie do kąpieli, którą ktoś dla mnie przygotował. Wanna jest głęboka, z trzema schodkami. Zanurzam się w ciepłej wodzie, siadam na dnie po szyję w pianie i czekam, aż lekarstwo zacznie działać. W nocy róża rozchyliła płatki i teraz wypełnia parne powietrze mocnym aromatem. Wstaję, sięgam po ręcznik, żeby zdusić tę woń, kiedy rozlega się niepewne pukanie. Drzwi się otwierają i widzę trzy znajome twarze. Usiłują uśmiechać się do mnie, ale nawet Venia nie może ukryć szoku na widok mojego zmiechowatego ciała.

— Niespodzianka! — piszczy Octavia i wybucha płaczem. Zastanawiam się, co tu robią, i nagle dociera do mnie, że z pewnością nadszedł ten dzień, dzień egzekucji. Mają mnie przygotować do występu przed kamerami, przywrócić do stanu bazowego zero. Nic dziwnego, że Octavia płacze, bo to niewykonalne. Ledwie dotykają łat mojej skóry, z obawy, że zrobią mi krzywdę, więc sama się opłukuję i wycieram ręcznikiem. Mówię im, że już prawie nie odczuwam bólu, lecz Flavius i tak się wzdryga, gdy narzuca mi szlafrok na ramiona. W sypialni czeka mnie następna niespodzianka. Siedzi sztywno na krześle, wymuskana od metalicznie złocistej peruki po szpilki z patentowanej skóry. W dłoniach ściska tabliczkę na notatki i aż trudno uwierzyć, że wygląda tak samo jak dawniej. Tylko jej spojrzenie wydaje się zaskakująco nieobecne.

— Effie — mówię.

— Witaj, Katniss. — Wstaje i całuje mnie w policzek, jakby nic się nie wydarzyło od naszego poprzedniego spotkania, w wieczór przed Ćwierćwieczem Poskromienia. — Wygląda na to, że przed nami następny wielki, wielki, wielki dzień. Wobec tego może zacznij przygotowania, a ja potem wpadnę i zobaczę, jak wam idzie.

— Dobrze — mówię do jej pleców.

— Podobno Plutarch i Haymitch z najwyższym trudem ocalili ją przed śmiercią — szepcze Venia. — Pomógł jej fakt, że po twojej ucieczce trafiła do więzienia.

Effie Trinket rebeliantką. Trochę to naciągane, ale nie chcę, aby Coin pozbawiła ją życia, więc wbijam sobie do głowy, że w razie potrzeby mam przedstawiać Effie w korzystnym świetle.

— W sumie chyba dobrze się stało, że Plutarch porwał was troje.

— Jesteśmy jedyną pozostałą przy życiu ekipą przygotowaw-czą. Poza tym wszyscy styliści z Ćwierćwiecza Poskromienia zgi-nęli — informuje mnie Venia, lecz nie dodaje, kto konkretnie ich zabił. Zaczynam się zastanawiać, czy to ma znaczenie. Ostrożnie unosi moją pobliźnioną dłoń i dokonuje oględzin. — Jak widzia-łabyś paznokcie? Czerwone? A może kruczoczarne? Flavius dokonuje cudów z moimi włosami. Udaje mu się wy-równać front, a jednocześnie tak ułożyć kilka dłuższych loków, żeby ukrywały łyse placki z tyłu. Płomienie oszczędziły moją twarz, więc nie stanowi ona szczególnego wyzwania. Gdy jestem już w stroju Kosogłosa projektu Cinny, widać jedynie blizny na szyi, przedramionach i dłoniach. Octavia przypina mi nad sercem broszkę Kosogłosa i cofamy się, żeby spojrzeć do lustra. Nie mogę uwierzyć, że tak normalnie wyglądam na zewnątrz, choć w środku mam kompletne pobojowisko.

Słychać pukanie do drzwi i wchodzi Gale.

— Znajdziesz dla mnie chwilę? — pyta.

W lustrze widzę, jak zdezorientowani członkowie mojej ekipy przygotowawczej parę razy wpadają na siebie w popłochu, po czym idą się zamknąć w łazience. Gale staje za mną i oboje wpa-trujemy się w lustro — on obserwuje mnie, ja jego. Poszukuję jakiegoś znaku, śladu dziewczyny i chłopca, którzy pięć lat temu przypadkiem natknęli się na siebie w lesie i stali się nierozłączni. Rozmyślam o tym, jak by się potoczyły ich losy, gdyby Głodowe Igrzyska nie zabrały dziewczyny. Może zakochałaby się w chłop-cu, nawet wyszła za niego, a kiedyś w przyszłości, kiedy bracia i siostry byliby już odchowani, uciekła wraz z nim do lasu i na zawsze opuściła Dwunastkę. Czy byliby szczęśliwi na odludziu, czy rozdzieliłby ich mroczny, chory smutek, nawet bez udziału Kapitolu?

— Przyniosłem ci coś. — Gale unosi dłoń z kołczanem, a ja biorę go i zauważam, że w środku jest tylko jedna zwykła strzała.

— To ma być symbol — ostatni strzał w tej wojnie pada z twojej ręki.

— A jeśli chybię? — pytam. — Czy Coin pobiegnie po strzałę i mi ją zwróci? A może sama strzeli Snowowi w łeb? — Nie spudłujesz. — Gale przewiesza mi kołczan przez ramię.

Stoimy twarzą w twarz, ale nie patrzymy sobie w oczy. — Nie odwiedziłeś mnie w szpitalu. — Nie odpowiada, więc w końcu wypalam: — To była twoja bomba? — Nie wiem. Beetee też nie — odpowiada. — Czy to ma znaczenie? I tak już zawsze będziesz się nad tym zastanawiała.

Czeka, aż zaprzeczę, a ja bardzo chcę to zrobić, lecz wiem, że ma rację. Nawet teraz widzę błysk, po którym Prim staje w płomieniach, czuję żar ognia. I nigdy nie przestanę łączyć tamtej chwili z Gale'em. Moją odpowiedzią jest milczenie.

— Troszczyłem się o twoją rodzinę i tylko to jedno pozwalało mi funkcjonować — wyznaje Gale. — Strzelaj celnie, dobrze? — Głaszcze mnie po policzku i wychodzi.

Chcę przywołać go z powrotem i zapewnić, że się myliłam, a teraz coś wymyślę, aby odzyskać spokój. Będę pamiętała o okolicznościach, w jakich skonstruował bombę. Wezmę pod uwagę własne niewybaczalne zbrodnie. Dokopię się do prawdy o tym, kto zrzucił spadochrony, i dowiodę, że to nie byli rebelianci. Wybaczę mu. Ponieważ jednak nie jestem w stanie, będę musiała uporać się z bólem.

Wchodzi Effie, żeby zaprowadzić mnie na jakieś zebranie. Biorę łuk i w ostatniej chwili przypominam sobie o róży w szklance. Gdy otwieram drzwi do łazienki, zastaję moją ekipę przygotowawczą, która przygarbiona i zrezygnowana siedzi w rzędzie na brzegu wanny. Przypominam sobie, że nie tylko mój świat legł w gruzach.

— Chodźcie — odzywam się. — Publiczność czeka.

Spodziewam się spotkania, na którym Plutarch poinstruuje mnie, gdzie mam stać, i przekaże mi wskazówki związane z egzekucją Snowa. Tymczasem trafiam do pokoju, w którym wokół stołu siedzi sześć osób: Peeta, Johanna, Beetee, Haymitch, Annie i Enobaria. Wszyscy mają na sobie szare mundury powstańców z Trzynastki i żadne z nich nie wygląda zbyt dobrze.

— O co chodzi? — pytam.

— Nie jesteśmy pewni — odpowiada Haymitch. — To chyba ma być spotkanie pozostałych przy życiu zwycięzców.

— Tylko tylu nas zostało? — dziwię się.

— Oto cena sławy — mówi Beetee. — Obie strony wzięły nas na cel. Kapitol zabijał zwycięzców podejrzewanych o sprzyjanie powstańcom. Rebelianci pozabijali tych, którzy podobno trzymali z Kapitolem.

Johanna groźnie marszczy brwi, spoglądając na Enobarię.

— Więc co ona tutaj robi?

— Chroni ją treść porozumienia, które nazywamy Paktem Kosogłosa — wyjaśnia Coin zza moich pleców. — Zgodnie z umową Katniss Everdeen zobowiązała się wspierać rebeliantów w zamian za objęcie immunitetem pojmanych zwycięzców. Katniss dotrzymała danego słowa, więc i my to uczynimy.

Enobaria uśmiecha się do Johanny.

— Nie ciesz się za wcześnie — warczy Johanna. — I tak cię zabijemy.

— Katniss, usiądź proszę — zwraca się do mnie Coin i zamyka za sobą drzwi. Zajmuję miejsce między Annie i Beetee'em, a różę Snowa ostrożnie kładę na stole. Coin jak zwykle od razu przechodzi do sedna. — Zaprosiłam was tutaj, żeby zakończyć debatę. Dzisiaj dokonamy egzekucji Snowa. W poprzednich tygodniach setki jego współpracowników odpowiedzialnych za zniewolenie Panem zostało osądzonych i teraz czeka na wykonanie kary śmierci. Rzecz w tym, że cierpienie w dystryktach osiągnęło tak dramatyczny poziom, iż zastosowane środki wydają się niedostateczne z punktu widzenia ofiar. Wiele z nich domaga się całkowitej zagłady obywateli Kapitolu. Na to rozwiązanie nie możemy sobie jednak pozwolić przez wzgląd na konieczność zachowania dającej się utrzymać populacji.

Przez wodę w szklance obserwuję zdeformowany obraz dłoni Peety, pełnej blizn po oparzeniach. Oboje jesteśmy teraz ogniowymi zmiechami. Kieruję wzrok na jego czoło, liźnięte jęzorem płomieni, które opaliły mu brwi, ale nie dotarły do oczu. Tych błękitnych oczu, których spojrzenie krzyżowało się z moim w szkole, by potem pośpiesznie skierować się w inną stronę. Tak jak teraz.

— W takiej sytuacji pojawiła się inna propozycja. Ponieważ ani ja, ani moi koledzy nie możemy osiągnąć porozumienia, postanowiliśmy, że ostatecznie zdecydują zwycięzcy. Do poparcia planu potrzebna jest większość głosów, przy czym nikt nie może się od niego wstrzymać — objaśnia Coin. — Proponujemy odstąpienie od eksterminacji mieszkańców Kapitolu, ale zamiast tego urządzimy ostatnie, symboliczne Głodowe Igrzyska, kierując do nich dzieci bezpośrednio spokrewnione z najbardziej wpływowymi z naszych wrogów.

Cała siódemka zgodnie kieruje na nią wzrok.

— Co? — odzywa się Johanna.

— Urządzimy następne Głodowe Igrzyska, do których poślemy kapitolińskie dzieci — powtarza Coin.

— To jakiś żart? — zdumiewa się Peeta.

— Nie. Muszę poinformować was również, że jeśli zorganizujemy igrzyska, opinia publiczna dowie się, iż wyraziliście na nie zgodę. Indywidualny podział głosów zostanie tajemnicą, dla waszego bezpieczeństwa — dodaje Coin.

— Czy to pomysł Plutarcha? — chce wiedzieć Haymitch.

— Mój — odpowiada Coin. — Uznałam, że w ten sposób pogodzimy pragnienie zemsty z minimalizacją utraty zasobów ludzkich. Możecie przystąpić do głosowania.

— Nie! — wybucha Peeta. — Głosuję przeciw, to oczywiste! Nie możemy urządzić kolejnych Głodowych Igrzysk!

— A to dlaczego? — kontruje Johanna. — Jak na mój gust to bardzo sprawiedliwe rozwiązanie. Snow ma przecież wnuczkę. Jestem za.

— Ja też — deklaruje Enobaria niemal obojętnie. — Niech sami skosztują własnego lekarstwa.

— Przecież właśnie dlatego wznieciliśmy powstanie! Zapomnieliście? — Peeta wodzi wzrokiem po twarzach pozostałych.

— Annie?

— Jestem przeciw, tak jak Peeta — oświadcza Annie. — Tak samo zagłosowałby Finnick, gdyby był tutaj z nami.

— Ale go nie ma, bo zabiły go zmiechy Snowa — przypomina jej Johanna.

— Nie — decyduje Beetee. — W ten sposób stworzylibyśmy niedobry precedens. Musimy przestać postrzegać siebie nawzajem w kategoriach wrogów. Na tym etapie jedność jest kluczowa dla naszego przetrwania. Jestem przeciw.

— Pozostają jeszcze Katniss i Haymitch — mówi Coin.

Czy tak to wtedy przebiegało? Jakieś siedemdziesiąt pięć lat temu? Czy grupa ludzi usiadła przy stole i oddała głosy, zapoczątkowując Głodowe Igrzyska? Czy ktoś się sprzeciwił, zaapelował o łaskę, ale został zagłuszony żądaniami śmierci dzieci z dystryktów? Zapach róży Snowa kręci mnie w nosie, spływa do gardła i ściska je mocno rozpaczą. Nie żyją ludzie, których kochałam, a tymczasem my dyskutujemy o następnych Głodowych Igrzyskach, usiłując zapobiec rozlewowi krwi. Nic się nie zmieniło i już nic się nie zmieni.

Uważnie rozważam scenariusze, usiłuję wszystko przemyśleć. Nie odrywając wzroku od róży, mówię:

— Jestem za… dla Prim.

— Haymitch, twój głos jest decydujący — oznajmia Coin.

Wściekły Peeta gorączkowo go przekonuje, żeby nie przykładał ręki do okrucieństwa, ale czuję na sobie wzrok Haymitcha. A zatem decydujący moment właśnie nadszedł. Teraz dowiemy się, jak bardzo jesteśmy do siebie podobni i jak dobrze mnie rozumie.

— Jestem z Kosogłosem — deklaruje.

— Doskonale — mówi Coin. — To przesądza sprawę. Teraz już naprawdę musimy iść na egzekucję.

Gdy mnie mija, unoszę szklankę z różą.

— Czy może pani dopilnować, żeby Snow miał ten kwiat przypięty nad sercem? — pytam.

— Jak najbardziej. — Coin się uśmiecha. — Zadbam też o to, żeby się dowiedział o igrzyskach.

— Dziękuję — odpowiadam.

Ludzie wchodzą do pomieszczenia, otaczają mnie. Jeszcze tylko ostatnie muśnięcie pudrem, instrukcje od Plutarcha i prowadzą mnie do frontowych drzwi rezydencji. Centrum miasta jest całkowicie zatłoczone, ludzie muszą kierować się w boczne uliczki. Reszta publiczności zajmuje miejsca przed budynkiem: strażnicy, dygnitarze, rebelianccy dowódcy, zwycięzcy. Słyszę wiwaty, co oznacza, że Coin pojawiła się na balkonie. Potem Effie klepie mnie po ramieniu, więc wychodzę na chłodne zimowe słońce i przy akompaniamencie ogłuszającego ryku widzów zbliżam się do swojego stanowiska. Zgodnie z poleceniem odwracam się profilem do ludzi i czekam. Gdy Snow zostaje wyprowadzony na zewnątrz, publiczność wpada w szał. Strażnicy wiążą mu ręce z tyłu słupa, choć nie jest to konieczne, bo nie zamierza uciec. Nie ma dokąd. To nie przestronna scena przed Ośrodkiem Szkoleniowym, tylko wąski taras od frontu prezydenckiej posiadłości. Nic dziwnego, że nikt nie zadał sobie trudu, aby przećwiczyć ze mną scenariusz egzekucji. Snow stoi w odległości zaledwie dziesięciu metrów ode mnie.

Czuję, jak łuk mruczy w mojej dłoni. Sięgam ręką za siebie, chwytam strzałę, naciągam cięciwę i celuję w różę, ale patrzę na twarz Snowa. Kaszle, po jego brodzie spływa krwawa strużka. Oblizuje językiem pełne wargi, a ja wbijam wzrok w jego oczy w poszukiwaniu choćby najdrobniejszych oznak strachu, wyrzutów sumienia, złości, czegokolwiek. Widzę jednak tylko to samo rozbawione spojrzenie, które zakończyło naszą ostatnią rozmowę, zupełnie jakby ponownie wypowiadał te same słowa: „Och, moja droga panno Everdeen. Przecież chyba ustaliliśmy, że nie będziemy okłamywać się nawzajem".

Ma rację. Właśnie taka była umowa.

Unoszę grot strzały wyżej i zwalniam cięciwę. Prezydent Coin przechyla się przez balustradę balkonu i nurkuje na ziemię. Martwa.

Osłupiali ludzie milkną i wtedy dociera do mnie tylko jeden dźwięk: śmiech Snowa. Okropny, gardłowy rechot. Towarzyszy mu erupcja pienistej krwi, która sprawia, że Snow pochyla się i wypluwa z siebie życie, dopóki strażnicy nie zasłonią go przede mną.

Szare mundury zaczynają zbliżać się ku mnie, a wtedy myślę o tym, co mnie czeka w mojej krótkiej przyszłości zabójczyni nowej prezydent Panem. Przesłuchanie, prawdopodobnie tortury, na pewno publiczna egzekucja. Będę musiała znowu pożegnać się po raz ostatni z garstką ludzi, którzy ciągle zajmują miejsce w moim sercu. Perspektywa stawienia czoła mamie, odtąd zupełnie samej na świecie, przesądza sprawę.

— Dobranoc — szepczę do łuku w dłoni i czuję, jak nieruchomieje.

Unoszę lewą rękę i wykręcam szyję, żeby wyrwać pastylkę z rękawa, ale zatapiam zęby w ciele. Ze zdumieniem cofam gwałtownie głowę i spoglądam Peecie w oczy. Tym razem nie odwraca wzroku, a ze śladów po ugryzieniu na jego ręce spływa krew. To on zasłonił swoją dłonią moją pastylkę.

— Puszczaj! — warczę, usiłując wyrwać rękę z jego uścisku.

— Nie mogę — odpowiada.

Odciągają mnie od niego i czuję, jak kieszeń odrywa się od rękawa, a jaskrawofioletowa pastylka upada na ziemię. Widzę, że ostatni prezent od Cinny zostaje zmiażdżony pod buciorem strażnika, i wtedy przeistaczam się w dzikie zwierzę, które kopie, drapie, gryzie i robi, co może, byle tylko uwolnić się z sieci rąk napierającego tłumu. Strażnicy unoszą mnie wysoko ponad harmider, ale ja nadal się miotam, sunąc nad ludźmi. Zaczynam wrzaskiem przywoływać Gale'a, lecz nie mogę go znaleźć w tej gęstwinie. Wszystko jedno, i tak wiem, że się zorientuje, czego chcę. Wystarczy jeden celny strzał, aby to zakończyć, tyle że nie ma strzały, brakuje kuli. Czy to możliwe, że mnie nie widzi? Nie. Nad nami, na gigantycznych ekranach ustawionych wokół centrum miasta każdy może oglądać cały rozgrywający się spektakl. Gale widzi i wie, ale nic nie robi, tak samo jak ja, kiedy złapali jego. Żałosne karykatury myśliwych i przyjaciół, oto czym oboje się staliśmy.

Jestem zdana wyłącznie na siebie.

W rezydencji skuwają mi ręce i zawiązują oczy, a potem częściowo wloką, częściowo niosą długimi korytarzami, wiozą windami w górę i w dół, a na końcu zostawiają na wyściełanej dywanem podłodze. Ktoś zdejmuje mi kajdanki i słyszę za sobą trzaśnięcie drzwi. Gdy unoszę opaskę, okazuje się, że jestem w swoim dawnym pokoju w Ośrodku Szkoleniowym. W tym samym, w którym spędziłam ostatnie cenne dni przed moimi pierwszymi Głodowymi Igrzyskami oraz Ćwierćwieczem Poskromienia. Na łóżku leży tylko goły materac, otwarta szafa świeci pustkami, ale i tak zawsze rozpoznałabym ten pokój.

Z wysiłkiem wstaję i zrzucam z siebie kostium Kosogłosa. Jestem fatalnie posiniaczona, pewnie mam złamany palec albo dwa, lecz podczas szamotaniny ze strażnikami najbardziej ucierpiała moja skóra. Świeża, różowa tkanka zwisa postrzępiona jak bibuła, a przez laboratoryjnie wyhodowane komórki sączy się krew. Nie pojawia się obsługa medyczna, a ponieważ osiągnęłam etap, kiedy jest mi wszystko jedno, wczołguję się na materac i czekam, aż się wykrwawię na śmierć.

Nie mam co liczyć na takie szczęście. Do wieczora krew krzepnie, więc leżę sztywna, obolała i lepka, ale żywa. Kuśtykam pod prysznic i nastawiam najdelikatniejszy program, jaki pamiętam, bez żadnych środków myjących i preparatów do włosów. Kucam pod ciepłą mgiełką, opieram łokcie na kolanach, obejmuję głowę dłońmi. Nazywam się Katniss Everdeen. Dlaczego nie zginęłam? Powinnam nie żyć. Byłoby najlepiej dla wszystkich, gdybym odeszła... Kiedy staję na dywaniku, gorące powietrze opieka mi skórę do sucha. Nie mam nic czystego, co mogłabym na siebie włożyć, brakuje nawet ręcznika nadającego się do owinięcia tułowia. Wracam do pokoju i widzę, że zniknął strój Kosogłosa, a w jego miejsce pojawił się papierowy szlafrok. Tajemnicza obsługa przysłała posiłek wraz z pojemniczkiem lekarstw na deser. Idę na całość i zjadam wszystko, łykam pigułki, wcieram maść w skórę. Muszę się skupić na wyborze rodzaju samobójstwa.

Ponownie kulę się na poplamionym krwią materacu. Nie jest mi zimno, ale czuję się zupełnie naga, bo delikatną skórę mam okrytą jedynie papierem. Śmiertelny skok z okna nie wchodzi w grę, szyba ma pewnie z trzydzieści centymetrów grubości. Umiem związać doskonałą pętlę, ale nie mam na czym się powiesić. Może udałoby mi się zebrać dość pigułek, a potem połknąć jedną śmiertelną dawkę, lecz jestem przekonana, że pozostaję pod całodobową obserwacją. Prawie na pewno występuję teraz na żywo w telewizji, a komentatorzy usiłują analizować przyczyny mojego udanego zamachu na Coin. Nadzór uniemożliwia mi skuteczne targnięcie się na życie, a zatem uśmiercenie mnie jest przywilejem Kapitolu. Ponownie.

Mogę dać za wygraną. Postanawiam leżeć w łóżku bez jedzenia, picia i przyjmowania lekarstw. Pewnie bym tak zrobiła, gdyby nie objawy odstawienia morfaliny. Schodzę z niej nie krok po kroku, jak w szpitalu w Trzynastce, tylko szokowo. Z pewnością otrzymywałam sporą dawkę, bo kiedy dopada mnie głód narkotykowy i dostaję dreszczy, przenikliwych bólów, a w dodatku nieznośnie marznę, moje postanowienie wali się niczym domek z kart. Padam na kolana i przeczesuję dywan paznokciami, żeby odszukać cenne pastylki, które rozrzuciłam w przypływie siły, a potem zmieniam samobójcze plany i decyduję się na powolną śmierć z nadużycia morfaliny. Stanę się żółtym, skórzanym workiem z kośćmi, z ogromnymi oczami. Po kilku dniach skutecznej realizacji tego planu dzieje się coś dziwnego.

Zaczynam śpiewać. Przy oknie, pod prysznicem, przez sen. Godzina po godzinie wyśpiewuję ballady, pieśni miłosne, górskie arie. Przypominam sobie wszystkie utwory, których przed śmiercią nauczył mnie ojciec, bo potem w moim życiu rzadko kiedy gościła muzyka. Zdumiewa mnie, jak dobrze je pamiętam, i melodie, i słowa. Mój głos, z początku chrapliwy i załamujący się na wysokich nutach, rozgrzewa się i brzmi fantastycznie. Słysząc go, kosogłosy milkłyby, a następnie zlatywały, żeby się przyłączyć. Mijają dni, tygodnie, patrzę na śnieg, który sypie na parapet za oknem. I przez cały ten czas słyszę tylko swój głos.

Co oni właściwie robią? Skąd to opóźnienie? Czy naprawdę tak trudno jest zorganizować egzekucję jednej nieletniej morderczyni? Kontynuuję proces samozagłady. Moje ciało jest tak chude jak nigdy, a batalia z głodem tak zajadła, że niekiedy moja zwierzęca natura ulega pokusie i zjadam chleb z masłem albo pieczone mięso. Mimo to jestem górą. Przez kilka dni czuję się bardzo źle i myślę, że może wreszcie schodzę z tego świata, kiedy dociera do mnie, iż kurczą się dawki pigułek z morfaliną. Ktoś usiłuje powoli odzwyczaić mnie od leków. Ale dlaczego? Przecież oszołomiony narkotykami Kosogłos byłby łatwiejszy do likwidacji na oczach tłumu. Nagle przychodzi mi do głowy straszna myśl. A jeśli oni nie zamierzają mnie zabić? Może mają inne plany w stosunku do mnie? Czyżby znaleźli jakiś inny sposób na to, żeby mnie przerobić na nowo, przeszkolić i wykorzystać?

Nie zrobię tego. Skoro nie umiem zabić się w tym pokoju, to dokończę dzieła przy pierwszej okazji poza nim. Mogą mnie podtuczyć. Mogą mnie wypacykować na wysoki połysk, ubrać w najlepsze rzeczy i na nowo uślicznić. Niech zaprojektują broń marzeń, która ożyje w moich rękach, ale i tak nie sprawią mi takiego prania mózgu, żebym zrobiła z niej użytek. Nie czuję już żadnego związku z tymi potworami, które zwą się ludźmi, choć sama do nich należę. Wydaje mi się, że nie były pozbawione sensu słowa Peety o tym, iż wybijemy się nawzajem i zwolnimy miejsce dla jakiegoś przyzwoitego gatunku. Przecież zdecydowanie coś jest nie w porządku ze stworzeniem, które poświęca życie swoich dzieci, żeby załatwić własne porachunki, nawet jeśli uważa, że robi to w szlachetnym celu. Snow sądził, że Głodowe Igrzyska są skuteczną metodą trzymania ludzi w ryzach. Coin była zdania, że spadochrony przyśpieszą rozstrzygnięcie wojny. Kto jednak na tym korzysta w ostatecznym rozrachunku? Nikt. Tak naprawdę nikt nie zyskuje na tym, że żyje w świecie, w którym dochodzi do takich rzeczy.

Przez dwa dni leżę na materacu i nie próbuję ani jeść, ani pić, ani nawet połknąć pigułki z morfaliną. Wreszcie drzwi do pokoju się otwierają, ktoś okrąża łóżko i staje w polu mojego widzenia. To Haymitch.

— Twój proces dobiegł końca — oznajmia. — Wstawaj, wracamy do domu.

Do domu? Co on wygaduje? Mój dom przepadł. Nawet gdybym mogła jakoś powrócić w to nierealne miejsce, to i tak jestem zbyt słaba, żeby się poruszać. Przybywają nieznajomi, którzy mnie nawadniają i karmią, kąpią i ubierają. Jeden z nich podnosi mnie jak szmacianą lalkę i niesie na dach, ładuje na pokład poduszkowca, sadza w fotelu i zapina pasy. Haymitch i Plutarch zajmują miejsca naprzeciwko, a po chwili wzbijamy się w powietrze.

Nigdy dotąd nie widziałam Plutarcha w tak szampańskim nastroju. Dosłownie promienieje.

— Z pewnością miliony pytań cisną ci się na usta — zauważa, a nie doczekawszy się mojej reakcji, i tak udziela mi odpowiedzi.

Po zabójstwie Coin rozpętało się piekło, a kiedy zapanował względny spokój, odkryto zwłoki Snowa, ciągle przywiązane do słupa. Nie wiadomo, czy udławił się, rycząc ze śmiechu, czy zginął zmiażdżony przez tłum. W gruncie rzeczy nikogo to nie obchodzi. Ogłoszono przedterminowe wybory, w których zwyciężyła Paylor. Plutarch został mianowany sekretarzem łączności, co oznacza, że odpowiada za program radiowo-telewizyjny. Pierwszym ważnym wydarzeniem transmitowanym na falach eteru był mój proces, w którym Plutarch wystąpił jako główny świadek, mojej obrony, rzecz jasna. Zostałam uwolniona od zarzutów przede wszystkim dzięki doktorowi Aureliusowi, który najwyraźniej zapracował na swoje drzemki, bo przedstawił mnie jako beznadziejny przypadek wariatki cierpiącej na stres pourazowy. Jednym z warunków mojego zwolnienia jest kontynuowanie leczenia pod jego kierunkiem. Musi ono być prowadzone telefonicznie, doktor Aurelius w żadnym razie nie zamieszkałby w tak zakazanym miejscu jak Dwunasty Dystrykt, którego nie wolno mi opuszczać do odwołania. Tak naprawdę nie bardzo wiadomo, co ze mną zrobić teraz, po zakończeniu wojny. Gdyby jednak rozpętała się następna, zdaniem Plutarcha z pewnością znalazłaby się dla mnie jakaś rola do odegrania. Plutarch mówi to, a potem wybucha śmiechem. Jak zwykle nie przeszkadza mu, że nikogo poza nim to nie śmieszy.

— Szykujecie się do nowej wojny? — pytam Plutarcha.

— Och, nie teraz. Obecnie przechodzimy ten uroczy etap, kiedy to wszyscy są zgodni, że nie wolno już nigdy dopuścić do tego, żeby powtórzyły się niedawne okropności — wyjaśnia.

— Ogół jednak dość szybko zaczyna się różnić opiniami. Jesteśmy kapryśnymi, głupimi istotami o marnej pamięci i wielkim talencie do samozniszczenia. Ale kto wie? Może to właśnie to, Katniss.

— Co? — chcę wiedzieć.

— Czas, który już pozostanie. Może jesteśmy świadkami ewolucji ludzkiej rasy. Zastanów się nad tym.

Następnie pyta mnie, czy chciałabym wziąć udział w nowym programie rozrywkowym, który zamierza rozkręcić za parę tygodni. Oznajmia, że powinnam zaśpiewać coś żwawego i że przyśle ekipę do mojego domu.

Na chwilę lądujemy w Trzecim Dystrykcie, żeby zostawić tam Plutarcha, który wybiera się na spotkanie z Beetee'em w sprawie modernizacji technicznej systemu nadawczego.

— Nie izoluj się — radzi mi na pożegnanie.

Gdy znowu lecimy wśród chmur, spoglądam na Haymitcha.

— A pan dlaczego wraca do Dwunastki?

— Wygląda na to, że i dla mnie trudno jest znaleźć miejsce w Kapitolu — wyjaśnia.

Z początku nie podważam jego słów, ale nachodzą mnie wątpliwości. Haymitch nikogo nie zabił, więc może jechać tam, dokąd zechce. Skoro wraca do Dwunastki, to najwyraźniej otrzymał taki rozkaz.

— Ma się pan mną opiekować, prawda? Jako mój mentor? — Wzrusza ramionami i nagle uświadamiam sobie, co to oznacza.

— Mama nie wraca ze mną.

— Nie — przyznaje i wyjmuje z kieszeni kurtki kopertę, którą mi wręcza. Z uwagą przyglądam się delikatnym, kształtnym literom. — Pomaga przy powstawaniu szpitala w Czwartym Dystrykcie i chce, żebyś do niej zadzwoniła, gdy tylko dotrzemy na miejsce. — Wodzę palcem po eleganckich krzywiznach zawijasów. — Wiesz, dlaczego nie może wrócić. — Tak, wiem dlaczego. Bo życie w otoczeniu popiołów bez ojca i Prim byłoby zbyt bolesne. Ale najwyraźniej nie dla mnie. — Chcesz wiedzieć, kogo jeszcze nie będzie?

— Nie — odpowiadam. — Niech to będzie niespodzianką.

Jak przystało na dobrego mentora, Haymitch robi mi kanapkę, a potem udaje, że wierzy, że resztę podróży przesypiam. Tymczasem jego pochłania przetrząsanie wszystkich przedziałów na pokładzie poduszkowca, wyszukiwanie alkoholu i gromadzenie go we własnej torbie. Po zmroku lądujemy na zielonym terenie Wioski Zwycięzców. W połowie budynków palą się światła w oknach, także u nas i u Haymitcha. Dom Peety tonie w ciemnościach. Ktoś napalił w naszej kuchni, więc siadam w fotelu bujanym przed kominkiem i ściskam list od mamy.

— Do zobaczenia jutro — odzywa się Haymitch.

Gdy w oddali cichnie pobrzękiwanie butelek w jego torbie, szepczę:

— Wątpię.

Nie mogę się ruszyć z fotela. Reszta domu wydaje się zimna, pusta i ciemna, więc przykrywam się starym szalem i wpatruję w płomienie. Chyba zasypiam, bo następne, co rejestruję, to ranek i Śliską Sae, która hałaśliwie rozbija się przy palenisku. Smaży mi jajka i grzankę, a następnie siada i czeka, aż wszystko zjem. Rozmowa się nie klei. Jej mała wnuczka, ta, która żyje we własnym świecie, bierze jasnoniebieski kłębek przędzy z koszyka do robótek mojej mamy. Śliska Sae każe jej odłożyć kłębek na miejsce, ale ja mówię, żeby go sobie zatrzymała. W tym domu już nikt nie umie robić na drutach. Po śniadaniu Sae zmywa naczynia i wychodzi, ale wraca w porze kolacji i znowu zmusza mnie do jedzenia. Nie wiem, czy jest po prostu dobrą sąsiadką, czy dostaje za to rządowe pieniądze, ale zjawia się dwa razy dziennie. Ona gotuje, ja jem. Zastanawiam się nad następnym posunięciem. Teraz już nic nie stoi na przeszkodzie, mogę odebrać sobie życie, ale chyba na coś czekam.

Czasami dzwoni telefon, dzwoni i dzwoni, ale nie podnoszę słuchawki. Haymitch nigdy nie wpada z wizytą. Może zmienił zdanie i wyjechał, choć podejrzewam, że po prostu jest zalany. Nie odwiedza mnie nikt, z wyjątkiem Śliskiej Sae i jej wnuczki. Po miesiącach życia w odosobnieniu mam wrażenie, że przychodzą do mnie tłumy ludzi.

— Dzisiaj czuje się w powietrzu wiosnę. Powinnaś wyjść — radzi Sae. — Wybierz się na polowanie.

Nie opuszczałam domu, nie wychodziłam nawet z kuchni, z wyjątkiem krótkich wypadów do małej łazienki oddalonej o kilka kroków. Wciąż mam na sobie to samo ubranie, w którym opuściłam Kapitol. Nie robię nic, tylko siedzę przed ogniem i patrzę na coraz wyższą stertę zapieczętowanych listów na półce nad kominkiem.

— Nie mam łuku — oponuję.

— Sprawdź w głębi korytarza — podpowiada.

Po jej wyjściu zastanawiam się nad wyprawą w głąb korytarza, ale odrzucam tę możliwość. Mimo to po kilku godzinach jednak idę, po cichu, w samych skarpetkach, żeby nie obudzić duchów. W gabinecie, tam, gdzie piłam herbatę z prezydentem Snowem, znajduję pudło z myśliwską kurtką ojca, naszym zielnikiem, fotografią ślubną rodziców, sączkiem przysłanym przez Haymitcha i medalionem od Peety, który dostałam na zegarowej arenie. Na biurku leżą dwa łuki i kołczan ze strzałami, uratowane przez Gale'a w noc zrzutu bomb zapalających. Wkładam kurtkę, ale reszty rzeczy nie ruszam, i zasypiam na kanapie w salonie. Śni mi się koszmar. Leżę na dnie głębokiego grobu, a wszystkie znane mi z imienia nieżyjące osoby podchodzą i sypią na mnie po łopacie popiołu. Sen jest dość długi, podobnie jak lista umarłych, a im głębiej jestem zagrzebana, tym trudniej mi oddychać. Usiłuję wołać, błagam, żeby przestali, ale popiół wypełnia mi usta i nos, więc nie mogę wydobyć z siebie żadnego dźwięku. A łopota szoruje i szoruje, nieprzerwanie…

Budzę się raptownie. Blade światło poranka wnika przez szczeliny wokół żaluzji, a szorowanie łopaty nie ustaje. Ciągle na wpół pogrążona w koszmarze biegnę przez korytarz, wypadam przed dom i gnam za róg, bo w tej chwili jestem absolutnie pewna, że mogę nawrzeszczeć na umarłych. Na jego widok staję jak wryta. Ma twarz zaczerwienioną z wysiłku po kopaniu ziemi pod oknami, a na taczkach widzę pięć sponiewieranych roślin do zasadzenia.

— Wróciłeś — odzywam się.

— Doktor Aurelius dopiero wczoraj pozwolił mi opuścić Kapitol — wyjaśnia Peeta. — Kazał ci coś powtórzyć. Podobno nie może w nieskończoność udawać, że cię leczy, i w końcu musisz podnieść słuchawkę.

Wygląda dobrze. Jest chudy i cały w bliznach, jak ja, ale nie ma już tego mętnego, umęczonego spojrzenia. Trochę marszczy brwi, kiedy prowadzi mnie do środka. Bez przekonania usiłuję odgarnąć włosy z czoła i uświadamiam sobie, że mam na głowie zmatowiałe strąki. Od razu się jeżę.

— Co ty robisz?

— Dzisiaj rano poszedłem do lasu i wykopałem te rośliny. Dla niej — odpowiada. — Przyszło mi do głowy, że moglibyśmy je zasadzić z boku domu.

Patrzę na zielone liście, na bryły ziemi zwisające u ich korzeni i wstrzymuję oddech, bo przychodzi mi do głowy, że to sadzonki róż. Chcę zezwać Peetę od najgorszych, kiedy nagle uświadamiam sobie, że to przecież prymulki, te same kwiaty, od których pochodziło imię mojej siostry. Kiwam głową na znak przyzwolenia i pośpiesznie wracam do domu, zamykając za sobą drzwi na klucz. Zło czai się jednak w środku, nie na zewnątrz. Drżę z osłabienia i niepokoju, gdy wbiegam po schodach, zahaczam nogą o ostatni stopień i padam jak długa na podłogę, ale wstaję z wysiłkiem, żeby wejść do pokoju, gdzie wyczuwam zapach, bardzo słaby, ale ciągle obecny w powietrzu. Jest tutaj. Biała róża między uschniętymi kwiatami w wazonie. Pomarszczona i krucha, ale ciągle nienaturalnie doskonała, jak przystało na roślinę wyhodowaną w szklarni Snowa. Chwytam wazon, kuśtykam po schodach do kuchni i ciskam bukiet do żaru. Kwiaty stają w płomieniach, a niebieskie języory liżą i pochłaniają różę. W starciu z nią ogień ponownie zwycięża. Na wszelki wypadek roztrzaskuję wazon o podłogę.

Po powrocie na piętro szeroko otwieram okna sypialni, żeby usunąć pozostałości smrodu Snowa. Resztki woni pozostają jednak na moim ubraniu i w porach skóry. Rozbieram się i patrzę, jak płaty skóry wielkości kart do gry odrywają się ode mnie razem z ubraniem. Nie spoglądając do lustra, wchodzę pod prysznic i zeskrobuję róże z włosów, ciała, ust. Jaskraworóżowa i ścierpnięta, znajduję jakieś czyste ubranie i przez pół godziny czeszę włosy. Śliska Sae otwiera zamek w drzwiach wejściowych, a kiedy przyrządza śniadanie, wrzucam do ognia odzież, którą ściągnęłam. Potem, zgodnie z sugestią Sae, obcinam paznokcie nożem.

— Dokąd pojechał Gale? — pytam znad talerza z jajkami.

— Do Drugiego Dystryktu. Dostał tam jakąś niezłą robotę, co rusz widzę go w telewizji — wyjaśnia.

Przetrząsam swoje wnętrze, usiłuję wyczuć złość, nienawiść, tęsknotę, lecz natrafiam wyłącznie na ulgę.

— Dzisiaj idę na polowanie — oznajmiam.

— Trochę świeżej dziczyzny na pewno by nie zaszkodziło — odpowiada.

Zbroję się w łuk oraz strzały i wychodzę z zamiarem opuszczenia Dwunastki przez Łąkę. Nieopodal placu napotykam ekipy osób w maskach i rękawiczkach, a także konie i wozy. Zajmują się przetrząsaniem tego, co tej zimy ukrywa się pod śniegiem. Zbierają szczątki. Przed domem burmistrza widzę zaparkowany wóz i rozpoznaję Thoma, starego kompana Gale'a, który na moment nieruchomieje, żeby otrzeć szmatką pot z twarzy. Pamiętam, że widziałam go w Trzynastce, ale najwyraźniej powrócił. Wita się ze mną i dzięki temu zbieram się na odwagę, żeby spytać:

— Znaleźli tutaj kogoś?

— Całą rodzinę. I dwie osoby, które tu pracowały — informuje mnie Thom.

Madge. Cicha, dobra i odważna dziewczyna. To ona ofiarowała mi broszkę, od której wzięło się moje przezwisko. Z wysiłkiem przełykam ślinę i zastanawiam się, czy dzisiejszej nocy Madge dołączy do obsady moich koszmarów, żeby zapychać mi usta łopatami popiołu.

— Sądziłam, że może… Skoro był burmistrzem…

— Wątpię, żeby akurat to mu pomogło — oświadcza Thom.

Kiwam głową i idę dalej, starannie omijając wzrokiem ładunek na wozie. W całym mieście i na Złożysku sytuacja wygląda tak samo. Trwają żniwa umarłych. Gdy się zbliżam do ruin mojego dawnego domu, na drodze zaczyna się roić od wozów. Łąka znikła, a przynajmniej została drastycznie przeobrażona. Wyryto w niej głęboki dół, który robotnicy zapełniają kośćmi, i w ten sposób powstaje masowy grób moich rodaków. Okrążam wykop i wkraczam do lasu w tym samym miejscu co zawsze, ale to już bez znaczenia. Ogrodzenie nie jest pod napięciem, dla ochrony przed drapieżnikami podpierają je długie gałęzie. Stare nawyki trudno jednak wykorzenić. Zastanawiam się nad wyprawą nad jezioro, ale jestem tak osłabiona, że ledwie udaje mi się dotrzeć do starego punktu spotkań z Gale'em. Siadam na kamieniu, na którym filmowała nas Cressida, ale głaz jest zbyt szeroki bez Gale'a u mojego boku. Kilka razy zamykam oczy i liczę do dziesięciu, zastanawiając się, czy go zobaczę, gdy je otworzę. Przecież często materializował się bezszelestnie. Muszę sobie przypominać, że Gale jest teraz w Dwójce i ma tam jakąś niezłą robotę. Pewnie całuje inne usta.

Dawna Katniss uwielbiała takie dni. Nadeszło przedwiośnie i lasy budzą się po długiej zimie, lecz przypływ energii, zapoczątkowany wraz z pojawieniem się prymulek, zaczyna słabnąć. Kiedy wracam do ogrodzenia, czuję się fatalnie i kręci mi się w głowie, więc Thom musi podrzucić mnie do domu na wozie do transportu trupów. Pomaga mi położyć się na kanapie w salonie, skąd patrzę na drobiny kurzu wirujące w cienkich strumieniach popołudniowego światła.

Gwałtownie odwracam głowę, gdy słyszę syknięcie, ale dopiero po chwili zaczynam wierzyć w to, że jest żywy. Jak on tu dotarł? Oglądam ślady pazurów jakiegoś dzikiego zwierzęcia na jego ciele, tylną łapę, którą lekko unosi nad ziemią, i wychudzony pysk. Musiał pokonać pieszo całą drogę z Trzynastki. Może go stamtąd wyrzucili, a może po prostu nie mógł tam wytrzymać bez niej, więc ruszył na poszukiwania.

— Szkoda zachodu, nie ma jej tutaj — informuję go. Jaskier znowu syczy. — Naprawdę jej nie ma. Możesz sobie syczeć do woli, i tak nie znajdziesz Prim. — Ożywia się, słysząc jej imię, stawia położone uszy i zaczyna miauczeć z nadzieją. — Wynocha! — Robi unik, żeby nie dostać poduszką, którą w niego ciskam. — Zjeżdżaj! Nie ma tu już nic dla ciebie! — Zaczynam się trząść, wściekam się na niego. — Ona nie wróci! Już nigdy, nigdy nie wróci! — Chwytam następną poduszkę i wstaję, żeby lepiej wycelować, a wtedy znienacka zalewam się łzami. — Nie żyje. — Przyciskam ręce do brzucha, żeby stłumić ból, przykucam na piętach, kołyszę poduszkę i płaczę. — Ona nie żyje, ty durny kocie. Nie żyje.

Wydobywa się ze mnie nowy dźwięk, po części płacz, po części śpiew, i w ten sposób daję wyraz rozpaczy. Także Jaskier zaczyna zawodzić. Nieważne, co robię, i tak nie odchodzi. Krąży wokół mnie, przez cały czas nieco poza zasięgiem moich rąk, a mną wstrząsają kolejne fale spazmów, aż wreszcie padam nieprzytomna. Ale on z pewnością rozumie. Na pewno wie, że stało się coś niewyobrażalnego, i żeby przetrwać, trzeba robić to, co dotąd było nie do pomyślenia. Kilka godzin później, kiedy odzyskuję świadomość w łóżku, widzę go w blasku księżyca. Przycupnął obok mnie i patrzy czujnym wzrokiem żółtych oczu, strzegąc mnie przed nocą.

Rankiem siedzi ze stoickim spokojem, kiedy czyszczę jego rany. Gdy jednak wydłubuję cierń z łapy, miauczy jak mały kociak i w końcu oboje znowu płaczemy, ale tym razem pocieszamy się nawzajem. Pokrzepiona, otwieram list od mamy przekazany mi przez Haymitcha, wystukuję numer i ryczę razem z nią. Ze Śliską Sae przychodzi Peeta, przynosząc bochenek ciepłego chleba. Sae robi nam śniadanie, a ja oddaję cały swój bekon Jaskrowi.

Powracam do życia powoli, czasem tracąc całe dnie. Usiłuję przestrzegać rad doktora Aureliusa, zmuszać się do mechanicznego wykonywania zwykłych czynności, i zdumiewam się, kiedy w końcu ponownie dostrzegam sens w jednej z nich. Mówię doktorowi, że chciałabym napisać książkę, i następnym pociągiem z Kapitolu dociera do mnie duże pudło papieru pergaminowego. Pomysł wzięłam z naszego rodzinnego zielnika, w którym uwzględnialiśmy wszystko, czego nie można było powierzyć pamięci. Strona zaczyna się od wizerunku danej osoby, najlepiej fotografii, o ile taką znajdujemy. Jeśli nie, Peeta rysuje odpowiedni szkic albo maluje obraz. Następnie, jak najstaranniejszym charakterem pisma przedstawiam wszystkie szczegóły, które w żadnym razie nie powinny odejść w zapomnienie. Dama liże Prim po policzku. Tata się śmieje. Ojciec Peety z ciastkami. Kolor oczu Finnicka. Co Cinna umiał zrobić ze sztuką jedwabiu. Boggs przeprogramowuje holo. Rue wspina się na palce i lekko rozkłada ręce jak ptak wzbijający się do lotu. I tak dalej. Przypieczętowujemy stronice kroplami słonej wody i obietnicami dobrego życia, żeby ich śmierć nie poszła na marne. Haymitch w końcu do nas dołącza i dorzuca trybutów z dwudziestu trzech lat, czyli wszystkich, którym musiał służyć jako mentor. Dodatki stają się coraz krótsze. Pojawia się stare wspomnienie, które nagle przychodzi komuś do głowy, albo dawna prymulka, zachowana między kartkami. Dziwne okruchy szczęścia, takie jak zdjęcie nowo narodzonego syna Finnicka i Annie.

Na nowo uczymy się, co robić, żeby mieć jakieś zajęcie. Peeta piecze, ja poluję. Haymitch pije tak długo, aż kończy się alkohol, a potem opiekuje się gęsiami aż do przyjazdu następnego pociągu. Na szczęście gęsi całkiem nieźle dają sobie radę bez niczyjej pomocy. Nie jesteśmy sami. Kilkaset innych osób wraca, bo tutaj jest nasz dom, bez względu na to, co się stało. Kopalnie są nieczynne, więc ludzie orzą popiół aż do gleby i uprawiają rolę. Maszyny z Kapitolu szykują grunt pod nową fabrykę, w której będziemy produkować lekarstwa. Choć na Łące nikt niczego nie sieje, ponownie pokrywa się zielenią.

Zrastamy się na nowo, ja i Peeta, choć momentami on chwyta się oparcia krzesła i czeka, aż ustąpią przebłyski wspomnień, a ja niekiedy budzę się z wrzaskiem, bo śnią mi się koszmary ze zmiechami i zaginionymi dziećmi. Ale jego ręce są w pobliżu, gotowe mnie ukoić. W końcu uspokajają mnie także jego usta. Nocą, gdy znowu czuję głód, taki sam jak ten na plaży, wiem, że i tak by do tego doszło. To, czego potrzebuję do przeżycia, to nie ogień Gale'a, podsycany wściekłością i nienawiścią. Mam w sobie wystarczająco dużo żaru. Potrzeba mi wiosennego mniszka, jaskrawożółtego kwiatu, który symbolizuje odrodzenie i nie oznacza zniszczenia. Oczekuję zapowiedzi, że życie będzie toczyć się dalej, bez względu na to, jak poważne ponieśliśmy straty. Chcę wiedzieć, że znowu może być dobrze, a tylko Peeta może mi to ofiarować.

Więc kiedy szepcze:

— Kochasz mnie. Prawda czy fałsz?

Odpowiadam:

— Prawda.

EPILOG

Bawią się na Łące. Roztańczona dziewczynka o ciemnych włosach i niebieskich oczach. Chłopiec z jasnymi lokami i szarymi oczami, który ledwie nauczył się chodzić i usiłuje nadążyć za nią na tłustych nóżkach. Trwało to pięć, dziesięć, piętnaście lat, zanim się zgodziłam, ale Peeta tak bardzo ich pragnął. Gdy pierwszy raz poczułam, jak ona rusza się we mnie, wpadłam w przerażenie, stare jak świat. Tylko radość płynąca z tulenia jej w ramionach mogła je załagodzić. Noszenie jego było trochę łatwiejsze, ale nie za bardzo.

Dopiero zaczynają zadawać pytania. Areny zniszczono na dobre, wybudowano pomniki, nie ma już Głodowych Igrzysk, ale uczą o nich w szkołach, a dziewczynka wie, że odegraliśmy w nich jakąś rolę. Chłopiec dowie się za kilka lat. Jak mam im opowiedzieć o tamtym świecie, żeby ich śmiertelnie nie wystraszyć? Moje dzieci uznają przecież za oczywiste słowa piosenki:

W oddali łąki, wejdźże do łóżka,
Czeka tam na cię z trawy poduszka.
Skłoń na niej główkę, oczęta zmruż,
Rankiem cię zbudzi słońce, twój stróż.

Tu jest bezpiecznie, ciepło jest tu,
Stokrotki polne zaradzą złu.
Najsłodsza mara tu ziszcza się,
Tutaj jest miejsce, gdzie kocham cię.

Moje dzieci nie wiedzą, że bawią się na cmentarzysku. Peeta mówi, że będzie dobrze. Mamy siebie, mamy też książkę. Dzięki nam zrozumieją i staną się mężniejsze. Któregoś dnia będę jednak musiała opowiedzieć im o swoich koszmarach. Dlaczego przychodzą, dlaczego nigdy nie znikną na dobre. Wyjaśnię im, jak udaje mi się przetrwać. Dowiedzą się o kiepskich porankach, kiedy nie potrafię czerpać przyjemności z niczego, bo się boję, że zostanie mi to odebrane. Wtedy sporządzam w myślach listę wszystkich dobrych uczynków, których byłam świadkiem. To taka zabawa, i bawię się w nią, choć po upływie ponad dwudziestu lat staje się trochę nużąca.

Istnieją jednak znacznie gorsze zabawy.

KONIEC

PODZIĘKOWANIA

Pragnę wyrazić uznanie następującym osobom, które poświęciły czas i umiejętności, żeby zaangażować się w proces powstawania „Igrzysk śmierci". Przede wszystkim chciałabym podziękować nadzwyczajnemu triumwiratowi redaktorskiemu. W jego skład wchodzą: Kate Egan, której wnikliwość, poczucie humoru i inteligencja kierowały mną przez osiem powieści, Jen Rees, osoba o trzeźwym spojrzeniu, zdolnym wychwytywać rzeczy umykające pozostałym, oraz David Levithan, który bez cienia wysiłku potrafi występować w rozlicznych rolach: władcy przypisów, mistrza tytułów, jak również kierownika redakcji.

Rosemary Stimola, zawsze jesteś przy mnie, bez względu na to, czy trzeba się zająć prowizorycznymi szkicami, zatruciem pokarmowym, wzlotem czy upadkiem. Jesteś w jednakowym stopniu utalentowaną doradczynią kreatywną i opiekunem zawodowym, agentką literacką i przyjaciółką. Jasonie Dravis, mój wytrwały agencie rozrywkowy: to prawdziwe szczęście, że troszczysz się o mnie teraz, gdy zmierzamy na srebrny ekran.

Dziękuję projektantce Elizabeth B. Parisi oraz grafikowi Timowi O'Brienowi za piękne okładki książek ze świetnymi rysunkami kosogłosów, które tak skutecznie przykuwają uwagę czytelników.

Składam wyrazy szacunku niesamowitemu zespołowi z wydawnictwa Scholastic za to, że „Igrzyska śmierci" pojawiły się na świecie. Osoby, które w szczególności zasłużyły na podziękowania, to: Sheila Marie Everett, Tracy van Straaten, Rachel

Coun, Leslie Garych, Adrienne Vrettos, Nick Martin, Jacky Harper, Lizette Serrano, Kathleen Donohoe, John Mason, Stephanie Nooney, Karyn Browne, Joy Simpkins, Jess White, Dick Robinson, Ellie Berger, Suzanne Murphy, Andrea Davis Pinkney oraz cały dział sprzedaży Scholastic i jeszcze wielu innych, którzy poświęcili mnóstwo energii, wykazali się wiedzą i zrozumieniem dla niniejszej trylogii.

Dziękuję piątce zaprzyjaźnionych pisarzy, na których najbardziej polegałam: Richardowi Registrowi, Mary Beth Bass, Christopherowi Santosowi, Peterowi Bakalianowi i Jamesowi Proimosowi. Jestem wam ogromnie wdzięczna za rady, trafność oceny i dobry humor.

Pragnę z miłością wspomnieć mojego zmarłego ojca, Michaela Collinsa, który położył podwaliny pod tę trylogię, z głębokim zaangażowaniem ucząc swoje dzieci o wojnie i pokoju. Dziękuję także mamie, Jane Collins — to ona wprowadziła mnie w świat Greków, science-fiction i mody, choć nie udało się jej zakrzewić we mnie zainteresowania tym ostatnim. Dziękuję siostrom, Kathy i Joanie, bratu Drew, teściom: Dixie i Charlesowi Pryorom i wielu innym członkom mojej dalszej rodziny. Ich zapał i wsparcie pozwalały mi funkcjonować.

Na koniec składam podziękowania mojemu mężowi, Capowi Pryorowi, który przeczytał pierwotny zarys *Igrzysk śmierci*, domagał się odpowiedzi na pytania, które nawet nie przeszły mi przez myśl, i pozostał moim doradcą przy wszystkich tomach cyklu. Dziękuję jemu oraz moim cudownym dzieciom, Charliemu i Isabel, za ich codzienną miłość, cierpliwość oraz za radość, którą mi dają.

IGRZYSKA ŚMIERCI

SUZANNE COLLINS

Media Rodzina

Kontynuacja bestsellerowych IGRZYSK ŚMIERCI

W PIERŚCIENIU OGNIA

SUZANNE COLLINS

Media Rodzina